JACK REACHER
NEVER GO BACK

DU MÊME AUTEUR

Du fond de l'abîme : les enquêtes de Jack Reacher
LGF, 1999 ; Ramsay, 2003

Des gages pour l'enfer
Ramsay, 2000 ; Ed. de la Seine, 2001 ; Pocket, 2001

Les Caves de la Maison-Blanche
Ramsay, 2001 ; Ed. de la Seine, 2002 ; Pocket, 2005

Un visiteur pour Ophélie
Ramsay, 2001 ; Pocket, 2004

Pas droit à l'erreur
Fleuve noir, 2004

Carmen à mort : les enquêtes de Jack Reacher
Ramsay, 2004 ; Pocket, 2006

Ne pardonne jamais
Fleuve noir, 2005

Folie furieuse
Fleuve noir, 2006

Liste mortelle
Fleuve noir, 2007

Sans douceur excessive
Seuil, 2009 ; Points, n°P2412

La Faute à pas de chance
Seuil, 2010 ; Points, n°P2533

L'espoir fait vivre
Seuil, 2011

Elle savait
Calmann-Lévy, 2012 ; Le Livre de Poche, 2013

61 Heures
Calmann-Lévy, 2013 ; Le Livre de Poche, 2014

La cause était belle
Calmann-Lévy, 2014 ; Le Livre de Poche, 2015

Mission confidentielle
Calmann-Lévy, 2015 ; Le Livre de Poche, 2016

Coup de chaud sur la ville
Ouvrage numérique, Calmann-Lévy, 2016

Lee CHILD

JACK REACHER NEVER GO BACK

(Retour interdit)

Roman traduit de l'anglais par Elsa Maggion

calmann-lévy

Titre original (États-Unis) :
NEVER GO BACK

© Lee Child, 2013
Publié avec l'accord de Transworld Publishers,
Random House Group, Londres.
Tous droits réservés

Pour la traduction française :
© Calmann-Lévy, 2016

Couverture :
Rémi Pépin, 2016
Photographie de couverture :
© Anne Laure Jacquart / Arcangel

ISBN 978-2-7021-5856-2
ISSN 2115-2640

À mes lecteurs,
avec toute ma reconnaissance

1

Finalement, ils firent monter Reacher dans une voiture et le conduisirent deux kilomètres plus loin, jusqu'à un motel où le veilleur de nuit lui attribua une chambre qui possédait toutes les caractéristiques auxquelles il s'attendait parce qu'il en avait déjà vu des centaines de semblables. Le climatiseur, trop bruyant pour dormir si on le laissait en marche, permettait au propriétaire d'économiser un peu d'argent sur la facture d'électricité. Dans la même veine, tous les luminaires étaient pourvus d'ampoules basse consommation. Au sol, une moquette à poils ras qui séchait en quelques heures après le lavage permettait de réattribuer aussitôt la chambre. Non pas qu'on dût la nettoyer souvent. Elle était foncée, avec des motifs, idéale pour dissimuler les taches. Tout comme le dessus-de-lit. Il ne faisait aucun doute qu'il n'y aurait pas de pression dans la douche, que les serviettes seraient élimées, la savonnette minuscule, et le shampooing de mauvaise qualité. Les meubles étaient en bois brun éraflé, le poste de télé vieux et petit, et les rideaux gris de crasse.

Sans surprise. Rien qu'il n'ait déjà vu mille fois.

Comme toujours, plutôt sinistre.

Alors, avant même d'avoir rangé la clef dans sa poche, il fit demi-tour et regagna le parking. L'air était froid et un peu humide. Un milieu de soirée au cœur de l'hiver, dans l'angle nord-est de la Virginie. Le Potomac paresseux coulait tout près. Au-delà, à l'est, les lueurs flamboyantes de Washington illuminaient les nuages. La capitale de la nation, là où se passaient toutes sortes de choses.

La voiture qui l'avait déposé s'éloignait déjà. Il regarda les feux arrière s'évanouir dans la brume. Au bout d'un moment, ils disparurent complètement et tout redevint calme et silencieux. Une minute seulement car une autre voiture arriva, rapide et décidée, comme si elle savait où elle se rendait. Elle entra dans le parking. Berline quelconque, de couleur sombre. Sans doute un véhicule du gouvernement. Elle se dirigeait vers la réception du motel. Mais le faisceau de ses phares balaya la silhouette immobile de Reacher et elle changea de direction, pour venir droit sur lui.

De la visite. Intentions inconnues. L'objet de la rencontre serait plaisant, ou ne le serait pas.

Le véhicule s'arrêta parallèlement au bâtiment, devant Reacher, à distance égale de celle qui le séparait de sa chambre, le laissant seul au milieu d'un espace grand comme un ring. Deux hommes en descendirent. Malgré la fraîcheur, ils portaient des tee-shirts près du corps, blancs, et le genre de pantalon de survêtement que les coureurs enlèvent quelques secondes avant la course. À vue de nez, ils mesuraient tous les deux plus d'un mètre quatre-vingts et pesaient bien quatre-vingt-dix kilos. Plus petits que lui, mais pas de beaucoup. Militaires, tous les deux. C'était clair. Pour preuve, la coupe de cheveux. Aucun coiffeur civil ne serait aussi méthodique ni aussi brutal. Le marché ne le permettait pas.

Le type côté passager fit le tour du capot et se plaça près du conducteur. Ils restèrent là, côte à côte. Tous les deux étaient chaussés de grosses baskets blanches informes. Aucun des deux n'avait récemment séjourné au Moyen-Orient. Pas de coups de soleil, pas de rides, ni de stress ou de fatigue dans le regard. Jeunes. La petite trentaine. En théorie, Reacher était assez vieux pour être leur père. Ce devait être des sous-officiers. Des spécialistes, sans doute, pas des sergents. Ils n'avaient pas la dégaine des sergents. Pas l'air assez malin. Tout le contraire, en fait. Ils avaient des visages ternes et inexpressifs.

Le type du côté passager demanda :

— C'est vous, Jack Reacher ?

— Qui le demande ?

— Nous.

— Et vous êtes… ?

– Vos conseillers juridiques.

Ce que de toute évidence ils n'étaient pas. Il le savait. Les juristes de l'armée ne se déplacent pas par deux et respirent par la bouche. Eux, c'était autre chose. Rien de plaisant en perspective. Dans ce genre de cas, l'action immédiate est toujours la meilleure option. Assez facile de feindre soudain une attitude compréhensive, d'amorcer une approche joviale, la main levée en signe de bienvenue. Assez facile de laisser l'approche enthousiaste se muer en un élan incoercible, et de prolonger le geste de la main, coude dans la figure du type sur la gauche, dans un mouvement puissant, vers le bas, puis de broyer le pied droit de l'adversaire, comme si ce fol exercice avait pour seul but d'écraser un cafard imaginaire. Après quoi, le rebond du pied déclencherait le même revers du coude dans le cou du type de droite, un, deux, trois, frapper, taper du pied, frapper, fin de la partie.

Assez facile. En tout cas l'approche la plus sûre. Le mantra de Reacher : contre-attaquer d'emblée. Surtout quand on est seul face à deux adversaires qui ont la jeunesse et l'énergie pour eux.

Mais il n'était pas sûr. Pas entièrement. Pas encore. Et il ne pouvait pas se permettre de commettre une erreur de cette nature. À ce moment-là. Dans ces circonstances. Il était circonspect, il laissa passer l'occasion.

– Et donc, c'est quoi, votre conseil juridique ?

– Comportement inapproprié, répondit le type. Vous avez discrédité l'unité. Une traduction devant la cour martiale nous nuirait à tous. Vous devriez ficher le camp de la ville, tout de suite. Et ne jamais revenir.

– Personne n'a évoqué la cour martiale.

– Pas encore. Mais ça arrivera. Alors ne restez pas dans les parages pour l'attendre.

– J'ai reçu des ordres.

– Ils n'ont pas réussi à vous trouver avant. Ils ne vous trouveront pas maintenant. L'armée n'emploie pas de détectives spécialisés dans la recherche des personnes. Et aucun détective ne vous trouverait de toute façon. Pas avec votre mode de vie.

Reacher ne dit rien.

– Donc, voilà ce que nous vous conseillons.

– C'est noté, dit Reacher.

— Il faut faire plus que ça.

— Vraiment ?

— Parce que nous offrons une motivation.

— Du genre ?

— Chaque soir où on vous trouvera encore ici, on vous cassera la gueule.

— Vraiment ?

— À compter d'aujourd'hui. Pour que vous vous fassiez une idée globale de la conduite à tenir.

— Vous avez déjà acheté un appareil électrique ?

— Quel est le rapport ?

— J'en ai vu un, un jour, dans un magasin. Il portait une étiquette jaune à l'arrière. Elle disait qu'à l'utiliser n'importe comment on risquait d'être gravement blessé, voire de mourir.

— Et ?

— Vous devriez faire comme si je portais le même genre d'étiquette.

— On n'est pas inquiets pour vous, mon vieux.

Mon vieux. L'image de son père lui vint à l'esprit. Un endroit ensoleillé. Okinawa, peut-être. Stan Reacher, né dans le New Hampshire à Laconia, commandant dans la marine en poste au Japon, avec une femme et deux fils adolescents. Reacher et son frère l'appelaient « le vieux », et il leur semblait vieux, même si à ce moment-là, il devait avoir dix ans de moins que lui ce soir-là.

— Faites demi-tour, reprit Reacher. Retournez dans le patelin d'où vous venez. Vous êtes complètement largués.

— C'est pas comme ça qu'on voit les choses.

— C'était comme ça que je gagnais ma vie. Mais vous le savez, non ? Pas de réponse.

— Je connais toutes les ficelles, poursuivit-il. J'en ai même inventé quelques-unes.

Pas de réponse.

Il avait toujours sa clef à la main. Règle d'or : ne pas attaquer un type qui vient de passer par une porte qui se verrouille. Un trousseau convient mieux, mais même une seule clef constitue une arme plutôt convenable. Calez la tête contre votre paume, laissez glisser le corps entre l'index et le majeur et vous obtenez un coup-de-poing américain très correct.

Mais ce n'étaient que des gamins idiots. Pas besoin d'en faire des tonnes. Pas besoin de chairs meurtries ni d'os brisés.

Reacher rangea la clef dans sa poche.

Leurs baskets signifiaient qu'ils n'avaient pas l'intention de lui flanquer des coups de pied. Personne ne donne de coups de pied avec des chaussures de sport souples et blanches. Pas la peine. À moins qu'ils aient prévu de ne lui en donner que pour les points. Comme dans un de ces arts martiaux à la gomme qui porte un nom tout droit sorti du menu d'un restaurant chinois : taekwondo, *et cætera*. Très bien aux jeux Olympiques, mais inefficace dans la rue. Lever la patte comme un chien contre une bouche d'incendie, c'est mendier un passage à tabac. Supplier d'être renversé et bombardé de coups de pieds jusqu'à en perdre connaissance.

Mais ces types le savaient-ils même seulement ? Regardaient-ils ses pieds ? Il portait une paire de grosses chaussures. Confortables et résistantes. Achetées dans le Dakota du Sud. Il prévoyait de les mettre tout l'hiver.

— Je rentre, maintenant, les prévint-il.

Pas de réaction.

— Bonne nuit, ajouta-t-il.

Pas de réaction.

Il se tourna à moitié et recula un peu vers sa porte. Un quart de cercle fluide, des épaules jusqu'en bas. Et comme il s'y attendait, les deux types avancèrent vers lui, plus vite que lui ne bougeait, sans suivre le script et sans réfléchir, prêts à l'attraper.

Il procéda lentement, pour qu'ils prennent de la vitesse, puis il pivota à nouveau d'un quart de cercle, dans l'autre sens. Dans leur direction. À cet instant, il bougeait aussi vite qu'eux, cent dix kilos sur le point d'en heurter cent quatre-vingts, de plein fouet. Il continua de tourner et balança un long crochet du gauche au type sur la gauche. Ça l'atteignit comme prévu, bien sur l'oreille. La tête du type craqua sur le côté et rebondit sur l'épaule de son acolyte alors même que Reacher balançait déjà un uppercut de la droite sous le menton dudit acolyte. Il le frappa comme on l'enseigne dans les manuels de boxe. La tête du type bascula en arrière et rebondit de la même manière que celle de son pote, et presque à la même seconde. On aurait dit des marionnettes dont le montreur vient d'éternuer.

Le tandem resta debout. Le type sur la gauche tanguait comme sur un bateau. Celui sur la droite chancelait en arrière. Tout déséquilibré, le type de gauche se tenait sur les talons, le torse exposé. Reacher lui décocha une droite genre coup de gourdin au plexus solaire, assez forte pour lui couper le souffle, assez douce pour ne pas causer de lésions neurologiques durables. Le type se replia sur lui-même, s'accroupit, et agrippa ses genoux. Reacher passa à côté de lui et s'attaqua au type de droite, qui le voyait venir et lui décocha une faible droite de son cru. Reacher la contra avec l'avant-bras gauche et en remit une couche dans le matraquage en plein plexus.

Le type se plia en deux, tout pareil.

Ensuite, il fut assez facile de les faire pivoter pour qu'ils regardent dans la bonne direction puis, d'un coup de semelle de grosse chaussure, de les pousser vers leur voiture, d'abord l'un, puis l'autre. Ils la heurtèrent tête la première, plutôt violemment, jusqu'à cabosser les portières, s'étalèrent et restèrent allongés par terre, haletants mais encore conscients.

Une voiture cabossée à justifier et des maux de tête le matin. Rien de plus. Plutôt clément vu les circonstances. Charitable. Attentionné. Délicat, presque.

Mon vieux.

Assez vieux pour être leur père.

Reacher était en Virginie depuis moins de trois heures.

2

Reacher était enfin arrivé, après avoir fait tout le chemin depuis les neiges du Dakota du Sud. Mais pas vite. Il avait été retardé dans le Nebraska, deux fois, et sa progression avait ensuite été tout aussi lente.

Le Missouri n'avait été qu'une longue attente, jusqu'à l'apparition d'une Ford gris métallisé roulant vers l'est et conduite par un type rachitique qui avait parlé tout le long du trajet de Kansas City à Columbia, puis s'était tu. En Illinois ç'avait été une Porsche noire rapide, probablement volée, s'était-il dit, puis deux hommes avec des couteaux sur une aire de repos. Ils avaient voulu lui extorquer de l'argent. Ils devaient être encore à l'hôpital. En Indiana, ç'avait été deux jours de surplace, puis une Cadillac bleue cabossée avec à son volant un vieux monsieur très digne qui portait un nœud papillon du même bleu que sa voiture. En Ohio, quatre jours dans une petite ville, puis un pick-up Silverado à double cabine avec un jeune couple marié et leur chien, toute la journée sur la route en quête de travail. Ce qui, d'après Reacher, était une possibilité pour deux d'entre eux. Le chien, lui, aurait du mal à trouver un emploi. Il y avait de fortes chances qu'il reste toujours du côté débiteur du livre de comptes. Un gros clébard inutile, de couleur pâle, quatre ans environ, fidèle et gentil. Et il avait des poils en trop, bien que ce fût le plein hiver. Reacher avait fini couvert d'un duvet doré.

Était ensuite venue une boucle absurde vers le nord-est par la Pennsylvanie parce que la seule personne qui avait accepté de le prendre en stop s'y rendait. Il avait passé une journée près de Pittsburgh, et une autre près de York, puis un Noir d'environ vingt ans l'avait conduit dans le Maryland, à Baltimore, à bord d'une Buick blanche d'environ trente ans. Progression lente, dans l'ensemble.

Mais de Baltimore, ce fut facile. La ville enjambe la I-95 et Washington était l'arrêt suivant vers le sud, l'endroit où il voulait se rendre en Virginie étant plus ou moins dans la couronne de la capitale, à peine un peu plus à l'ouest du cimetière Arlington que la Maison-Blanche ne l'est côté est. Il fit le trajet en car, descendit à la gare routière derrière Union Station, traversa la ville en empruntant K Street jusqu'au Washington Circle, puis la 23e Rue jusqu'au Lincoln Memorial et franchit enfin le pont pour atteindre le cimetière. Il y avait un arrêt de bus devant la grille. Une ligne locale, surtout destinée aux jardiniers. Sa destination approximative s'appelait Rock Creek, un des nombreux endroits de la région à porter ce nom parce qu'il y avait des rochers et des rivières partout et que les colons avaient été tout aussi isolés les uns des autres qu'enclins à la description pour baptiser les lieux. Nul doute qu'à l'époque de la boue, des hauts-de-chausses et des perruques, ç'avait été un joli petit village colonial, mais il était ensuite devenu un carrefour de plus au milieu de deux cent cinquante kilomètres carrés de demeures de luxe et de bureaux bon marché. Reacher regarda par la fenêtre du car, nota les éléments familiers, les ajouts récents, et attendit.

Sa destination précise était un immeuble massif édifié une soixantaine d'années plus tôt par le ministère de la Défense et destiné à un usage oublié depuis longtemps. Environ quarante ans après sa construction, la police militaire avait fait une offre, par erreur. Un officier avait un autre Rock Creek en tête. Mais il avait quand même obtenu le bâtiment, qui était resté vide un certain temps avant d'être attribué à la 110e, la toute nouvelle unité spéciale de la police militaire, afin qu'elle y établisse son quartier général.

Pour Reacher, c'était ce qui se rapprochait le plus d'une base.

Le bus le déposa à deux rues de là, dans un tournant, au bas d'une longue côte qu'il avait montée bien souvent. La rue qui descendait vers lui était une trois-voies, bordée de trottoirs en béton craquelé et de grands arbres. L'immeuble du QG s'élevait devant à gauche, sur un vaste terrain derrière un haut mur de pierre. On n'en apercevait que le toit en ardoise grise couverte de mousse sur l'arête nord.

Un accès à la trois-voies traversait le mur entre deux piliers en brique qui, du temps de Reacher, avaient été purement décoratifs et dépourvus de barrière. Depuis, on y avait installé des portails. De lourdes grilles en acier munies de roues elles aussi en acier et qui couraient dans des sillons en arc de cercle creusés dans le vieux goudron. Destinées à assurer la sécurité, en théorie, mais pas en pratique, puisqu'elles étaient ouvertes. Derrière, juste de l'autre côté, se trouvait une guérite, récente elle aussi. Elle était occupée par un simple soldat vêtu du nouvel uniforme de combat de l'armée, celui auquel Reacher trouvait des airs de pyjama : coupe trop ample et imprimé camouflage trop sophistiqué. La fin d'après-midi laissait place au début de soirée et la luminosité baissait.

Reacher s'arrêta devant la guérite. Le soldat lui lança un regard interrogateur.

— Je suis ici pour voir votre commandant.

– Vous parlez du major Turner?

– Combien de commandants vous avez?

– Un seul, monsieur.

– Susan de son prénom?

– Oui, monsieur. C'est exact. Le major Susan Turner, monsieur.

– C'est elle que je veux voir.

– Qui dois-je annoncer?

– Reacher.

– Quelle est la nature de votre visite?

– Personnelle.

– Un instant, monsieur.

La sentinelle décrocha le téléphone et passa un appel. *Un M. Reacher pour le major Turner.* Le coup de fil dura beaucoup plus longtemps qu'il ne s'y attendait. À un moment donné, le type couvrit le micro avec sa main et demanda :

– Êtes-vous le Reacher qui a été commandant ici autrefois? Le major Jack Reacher?

– Oui.

– Et quand vous avez parlé au major Turner, vous vous trouviez quelque part dans le Dakota du Sud?

– Oui.

Le soldat répéta ces deux réponses affirmatives et écouta encore. Puis il raccrocha et dit :

– Je vous en prie, monsieur, entrez.

Il se mit à lui indiquer la direction, puis s'interrompit.

– J'imagine que vous connaissez le chemin.

– J'imagine que oui, lui répondit Reacher.

Il avança. Dix pas plus loin, il entendit un grincement, s'arrêta et tourna la tête.

Les grilles se refermaient derrière lui.

***

Le bâtiment qui lui faisait face était construit sur le modèle classique de l'architecture du ministère de la Défense des années 50. Long et bas, un étage, brique, pierre, ardoise, huisseries en métal vert, rampes tubulaires vertes le long de l'escalier menant aux portes. Les années 50 avaient été l'âge d'or du ministère. Les budgets étaient considérables. Armée de terre, marine, armée de l'air, chacun avait obtenu ce qu'il voulait. Et plus encore. Des véhicules étaient garés sur le parking. Des berlines de l'armée à la carrosserie unie et sombre, et très utilisées ; des véhicules personnels, de couleur plus vive mais plus anciens, d'une manière générale ; un Humvee solitaire, vert foncé et noir, énorme et menaçant, et à côté un petit cabriolet rouge. Reacher se demanda si celui-ci appartenait à Susan Turner. C'était possible. Au téléphone elle lui avait donné l'impression d'être susceptible de conduire ce genre de véhicule.

Il monta les quelques marches en pierre jusqu'à la porte. Mêmes marches, même porte, mais repeinte depuis son époque. Et plus d'une fois, probablement. L'armée possède un bon stock de peinture et est toujours heureuse de l'utiliser. Derrière, l'endroit ressemblait plus ou moins à ce qu'il avait toujours été. Un hall avec, sur la droite, un escalier en pierre menant au premier étage et, sur la gauche, un guichet d'accueil. Depuis le hall, un couloir traversait le bâtiment et desservait de chaque côté des bureaux aux portes semi-vitrées avec du verre dépoli strié. La lumière était allumée dans le couloir. C'était l'hiver et le bâtiment avait toujours été sombre.

Le guichet était tenu par une femme attifée du même pyjama que le type de l'entrée, mais avec des galons de sergent sur la bande patronymique au milieu de la poitrine. Comme une cible, se dit-il. En joue, feu. Il préférait de loin le vieil uniforme de combat camouflage. La femme était noire et n'avait pas l'air ravie de le voir. Elle semblait préoccupée.

— Jack Reacher pour le major Turner, annonça-t-il.

Le sergent ouvrit et referma la bouche deux fois comme si elle avait beaucoup de choses à dire, mais se contenta d'une suggestion.

— Vous devriez aller à son bureau. Vous savez où il se trouve ?

Il acquiesça d'un signe de tête. Oui, il savait où il se trouvait. Ç'avait été le sien autrefois.

— Merci, sergent, dit-il.

Il prit l'escalier. Même pierre usée, même rampe en métal. Il l'avait monté des milliers de fois. Il tournait, puis arrivait directement au-dessus du hall, au bout du long couloir du premier étage. La lumière était allumée. Même lino au sol. Mêmes portes qu'au rez-de-chaussée.

Son bureau était le troisième sur la gauche.

Enfin… celui de Susan Turner.

Il s'assura d'avoir bien rentré sa chemise dans son pantalon et se coiffa avec les doigts. Il n'avait pas la moindre idée de ce qu'il allait lui dire. Il avait aimé sa voix au téléphone. Rien de plus. Il avait pensé que c'était celle d'une personne intéressante et il avait envie de rencontrer cette personne. C'était aussi simple que ça. Il fit deux pas, s'arrêta. Elle allait le prendre pour un fou.

Mais qui ne risque rien n'a rien. Il haussa les épaules et se remit en route. Troisième à gauche. Même porte, mais peinte à présent. Pleine en bas, vitrée en haut, les stries déformant la vue de l'intérieur en tranches verticales floues. La plaque fixée au mur près de la poignée avait un style institutionnel : *Maj. S.R. Turner, Commandant.* Ça, c'était nouveau. À son époque, le nom de Reacher était inscrit au marqueur sur le bois, sous le verre, avec encore plus d'économie : *Maj. Reacher, C^{dt}.*

Il frappa.

Il entendit un vague bruit de voix à l'intérieur. Il pouvait s'agir du mot « entrez ». Il inspira donc un grand coup, ouvrit et entra.

Il s'était attendu à trouver du changement. Il y en avait peu. Même lino au sol, mais poli avec l'âge, jusqu'à prendre un lustre subtil et une couleur sombre. Même bureau en acier genre vaisseau de combat, recouvert d'une couche de peinture qui laissait affleurer çà et là le métal brillant à cause de l'usure, et encore cabossé à l'endroit où Reacher avait fait cogner la tête d'un type, à la fin de son commandement. Mêmes sièges, devant et derrière le bureau. Meubles utilitaires des années 50 qui auraient pu se vendre à bon prix dans des boutiques branchées de New York ou de San Francisco. Mêmes classeurs de rangement. Jusqu'au plafonnier, une demi-sphère en verre dépoli pendue à trois petites chaînes, qui n'avait pas été remplacé.

Les différences étaient assez prévisibles et dictées par la marche du temps. Trois téléphones sans fil étaient posés sur le bureau là où il n'y avait eu qu'un vieux téléphone à cadran, lourd et noir. Deux ordinateurs, un fixe et un portable, avaient supplanté les bacs « à traiter », et « à remettre » et les piles de papier. La carte au mur était récente et à jour, et le plafonnier diffusait une lumière d'un vert blafard au moyen de son ampoule moderne, fluorescente et à économie d'énergie. Le progrès, même au ministère de la Défense.

Seuls deux éléments étaient inattendus et imprévisibles.

D'abord, la personne assise dans le fauteuil n'était pas major, mais lieutenant-colonel.

Et ce n'était pas une femme, mais un homme.

3

L'homme assis derrière le bureau était vêtu du même pyjama de combat que les autres, mais sur lui l'effet était encore pire. On aurait dit un déguisement. Pour une soirée d'Halloween. Pas parce qu'il n'avait pas le physique, mais parce qu'il avait l'air sérieux d'un manager dont le terrain d'action habituel se limite à son bureau. Comme si son arme de prédilection était le porte-mine au lieu du M16. Il avait des lunettes à monture métallique et une coiffure de gamin malgré ses cheveux gris acier. Ses plaques et ses médailles confirmaient pourtant qu'il était bien lieutenant-colonel de l'armée des États-Unis, et s'appelait Morgan.

— Mes excuses, colonel, lui lança Reacher. Je cherchais le major Turner.

— Asseyez-vous, monsieur Reacher, lui répondit le dénommé Morgan.

La prestance dans le commandement est une qualité rare et précieuse, très prisée dans l'armée. Et le dénommé Morgan en avait à revendre. À l'image de ses cheveux et de ses lunettes, il avait une voix d'acier. Pas d'esbroufe, pas de fanfaronnade, pas d'agressivité. Juste l'assurance sèche que tout individu doué de raison ferait exactement ce qu'il lui demanderait parce qu'il n'y aurait en pratique aucune alternative.

Reacher s'assit sur le fauteuil réservé aux visiteurs, le plus proche de la fenêtre. Muni de pieds tubulaires courbes et flexibles, il s'abaissa et remonta un peu sous son poids. Reacher se rappela la sensation. Il s'y était déjà installé pour une raison ou une autre.

— Dites-moi précisément ce qui vous amène ici, commença Morgan.

Reacher crut qu'il allait lui annoncer un décès. Susan Turner était morte. En Afghanistan, vraisemblablement. Ou dans un accident de voiture.

— Où est le major Turner ? demanda-t-il.

— Pas ici, lui répondit Morgan.

— Où alors ?

— On y viendra peut-être. Mais avant tout, j'ai besoin de comprendre quel est votre intérêt.

— Mon intérêt pour quoi ?

— Pour le major Turner.

— Je ne m'intéresse pas au major Turner.

— Vous l'avez nommément demandée à l'entrée.

— C'est une affaire personnelle.

— À savoir ?

— Je lui ai parlé au téléphone. Elle m'a paru intéressante. Je me suis dit que je pourrais passer à son bureau et l'inviter à dîner. Le manuel militaire ne lui interdit pas de dire oui.

— Ou non, selon le cas.

— En effet.

— De quoi avez-vous parlé ?

— De choses et d'autres.

— De quoi exactement ?

— C'était une conversation privée, colonel. Et j'ignore qui vous êtes.

— Je suis le commandant de la 110e unité spéciale.

— Ce n'est pas le major Turner ?

— Plus maintenant.

— Je pensais que c'était un boulot de major. Pas celui d'un lieutenant-colonel.

— C'est un commandement temporaire. Je suis médiateur. J'ai été envoyé pour remettre de l'ordre.

— Il y aurait du désordre? C'est ce que vous dites?

Morgan ne tint pas compte de la question.

— Aviez-vous expressément prévu de rencontrer le major Turner? demanda-t-il.

— Pas expressément, non.

— A-t-elle sollicité votre présence?

— Pas expressément, répéta Reacher.

— Oui ou non?

— Ni l'un ni l'autre. Je crois qu'il s'agissait juste d'une vague intention pour elle comme pour moi. Si je passais dans le coin. Quelque chose dans ce genre.

— Et maintenant vous y voici, dans le coin. Pourquoi?

— Pourquoi pas? Il faut bien que je sois quelque part.

— Êtes-vous en train de dire que vous avez fait tout le chemin depuis le Dakota du Sud sur la base d'une vague intention?

— Sa voix m'a plu. Ça vous pose un problème?

— Vous êtes sans emploi, c'est exact?

— En ce moment, oui.

— Depuis quand?

— Depuis que j'ai quitté l'armée.

— Ce n'est pas glorieux.

— Où est le major Turner?

— Cet entretien n'a pas pour objet le major Turner.

— De quoi s'agit-il, alors?

— De vous.

— De moi?

— Aucun rapport avec le major. Mais elle a sorti votre dossier. Peut-être que vous l'intriguiez. Votre dossier est sensible. Une alarme aurait dû se déclencher quand elle y a accédé. Ce qui nous aurait fait gagner du temps. Malheureusement, l'alarme a mal fonctionné et ne s'est pas déclenchée avant qu'elle retourne les documents. Mais mieux vaut tard que jamais. Car vous voici.

— De quoi parlez-vous?

— Connaissiez-vous un certain Juan Rodriguez?

— Non. Qui est-ce?

– À un moment donné, il a intéressé la 110ᵉ. Maintenant, il est mort. Connaissez-vous une certaine Candice Dayton ?

– Non. Elle est morte, elle aussi ?

– Mlle Dayton est toujours en vie, heureusement. Ou malheureusement, en fin de compte. Vous êtes sûr de ne pas vous en souvenir ?

– De quoi s'agit-il ?

– Vous avez des ennuis, Reacher.

– À cause de quoi ?

– Le secrétaire de l'armée a reçu des preuves médicales montrant que M. Rodriguez est mort des suites directes d'un passage à tabac dont il a été victime il y a seize ans. Dans la mesure où il n'y a pas de délai de prescription dans ce genre d'affaire, techniquement, il a été victime d'un homicide.

– Vous dites qu'un de mes gars a fait ça ? Il y a seize ans ?

– Non, ce n'est pas ce que je dis.

– Bien. Alors qu'est-ce qui chagrine Mlle Dayton ?

– Ce n'est pas à moi d'en parler. Quelqu'un d'autre abordera le sujet avec vous.

– Il faudra faire vite. Je ne vais pas traîner ici longtemps. Pas si le major Turner n'est pas là. Je ne me rappelle aucune attraction valable dans les environs.

– Vous allez rester dans le coin, déclara Morgan. Vous et moi devons avoir une longue et intéressante conversation.

– À quel propos ?

– Les preuves montrent que c'est vous qui avez agressé M. Rodriguez il y a seize ans.

– C'est des conneries.

– On vous fournira un avocat. Si ce sont des conneries, je suis persuadé qu'il le dira, lui aussi.

– Non, ce que je veux dire, c'est que tout ça c'est des conneries : vous et moi n'allons pas avoir de longue conversation. Ni d'avocat. Je suis un civil et vous n'êtes qu'un trou du cul en pyjama.

– Donc vous refusez de coopérer ?

– Vous avez tout compris.

– Dans ce cas, connaissez-vous le titre 10 du Code des États-Unis ?

— En partie, ça va de soi.

— Vous n'êtes donc pas sans savoir qu'un passage en particulier nous apprend que lorsqu'un homme de votre grade quitte l'armée, il ne devient pas civil. Pas immédiatement et pas entièrement. Il devient réserviste. Il n'a pas de fonctions, mais il est susceptible d'être rappelé.

— Pendant combien de temps?

— Vous avez eu une accréditation de sécurité.

— Je m'en souviens bien.

— Vous souvenez-vous des documents que vous avez dû signer pour l'obtenir?

— Vaguement.

Il se rappelait une bande de gars dans une pièce, adultes et sérieux. Des avocats, des notaires, des sceaux, des tampons et des stylos.

— Il y avait beaucoup de petits caractères, reprit Morgan. Naturellement. Quand on veut connaître les secrets du gouvernement, celui-ci veut pouvoir exercer un contrôle sur vous. Avant, pendant et après.

— Combien de temps après?

— La plupart de ces choses-là restent secrètes pendant soixante ans.

— C'est ridicule.

— Ne vous inquiétez pas. Les petits caractères ne stipulaient pas que vous resteriez réserviste pendant soixante ans.

— Voilà une bonne chose.

— Ils stipulaient bien pire. Le terme exact était : indéfiniment. Mais il se trouve que la Cour suprême nous a déjà arnaqués là-dessus. Elle nous oblige à respecter trois restrictions essentielles communes à tous les cas relevant du titre 10.

— À savoir?

— Pour être effectivement rappelé, il faut être en bonne santé, avoir moins de cinquante-cinq ans et pouvoir suivre un entraînement.

Reacher garda le silence.

— Comment vous portez-vous? lui demanda Morgan.

— Plutôt bien.

— Quel âge avez-vous?

— Mes cinquante-cinq ans sont encore loin.

– Êtes-vous capable de suivre un entraînement ?

– J'en doute.

– Moi aussi. Mais ça, c'est une décision empirique que nous prenons sur le terrain.

– Vous êtes sérieux ?

– Tout à fait. Jack Reacher, à compter de cet instant précis, vous êtes officiellement rappelé en service actif.

Reacher ne dit rien.

– Vous êtes de retour dans l'armée, major, conclut Morgan. Et je vous tiens par les couilles.

4

Ce fut sans grande cérémonie. Ni intégration ni réintégration. Juste les mots de Morgan, puis la pièce s'obscurcit un peu car un type se plaça en faction dans le couloir devant la porte et bloqua la lumière qui filtrait à travers le panneau de verre strié. Reacher aperçut, découpée en tranches verticales, une sentinelle large d'épaules, en position repos, de dos.

– Je suis dans l'obligation de vous dire qu'il existe une procédure d'appel. Vous aurez libre accès aux documents. On vous attribuera un avocat.

– On m'« attribuera » ?

– Question de logique élémentaire. Vous essaierez de vous en sortir en faisant appel. Ce qui implique que vous partez perdant. Ce qui signifie que vous obtiendrez ce que l'armée choisira de vous donner. Mais j'imagine que nous serons raisonnables.

– Je ne me souviens d'aucun Juan Rodriguez.

– On vous fournira un avocat pour ça aussi.

– Qu'est-ce qui est censé être arrivé à ce type ?

– C'est à vous de me le dire.

— Je ne peux pas. Je ne me souviens pas de lui.

— Vous lui avez provoqué une blessure au crâne. Et cette blessure a fini par le tuer.

— Qui était-ce?

— Vous ne pourrez pas nier indéfiniment.

— Je ne nie rien. Je vous dis que je ne me rappelle pas ce type.

— Vous pourrez en discuter avec votre avocat.

— Et qui est Candice Dayton?

— Ça aussi, vous pourrez en discuter. Mais avec un autre avocat.

— Pourquoi un autre?

— C'est une affaire différente.

— Je suis en état d'arrestation?

— Non. Pas encore. Les procureurs en décideront quand bon leur semblera. Mais jusque-là vous êtes en service, depuis deux minutes. Vous conserverez votre ancien grade, pour le moment. Administrativement, vous êtes assigné à cette unité. Vous pouvez considérer ce bâtiment comme votre lieu d'affectation et vous présenter ici tous les matins avant 8 heures. Vous ne devez pas quitter la zone. Qui s'étend sur un rayon de huit kilomètres à partir de ce bureau. Vous serez cantonné dans un endroit déterminé par l'armée.

Reacher garda le silence.

— Des questions, major?

— Exigera-t-on que je porte un uniforme?

— Pas à ce stade.

— Je suis soulagé.

— Ce n'est pas une plaisanterie, Reacher. Les inconvénients potentiels sont considérables. Pour vous-même, s'entend. Dans le pire des cas, vous serez condamné à perpétuité pour homicide et vous purgerez votre peine à Leavenworth. Mais vous écoperez plus vraisemblablement de dix ans pour homicide involontaire dans la mesure où seize années se sont déjà écoulées. Et le meilleur des cas n'est pas très séduisant non plus dans la mesure où nous devrions considérer le crime d'origine. Je pense à une condamnation pour conduite inconvenante, au bas mot, avec nouveau renvoi à la vie civile, et sans les honneurs cette fois. Mais votre avocat passera les différentes possibilités en revue avec vous.

– Quand?

– Le département concerné a déjà été avisé.

***

Il n'y avait pas de cellules dans le vieux bâtiment. Pas d'aménagements sécurisés. Il n'y en avait jamais eu. On n'y trouvait que des bureaux. Reacher fut laissé là où il était, dans le fauteuil des visiteurs, sans surveillance ni personne à qui parler, complètement ignoré. La sentinelle se tenait derrière la porte, au repos. Morgan se concentra sur son ordinateur portable. Cliqua, tapa, joua de la souris. Reacher fouilla dans ses souvenirs à la recherche d'un dénommé Juan Rodriguez. Seize ans plus tôt, il terminait sa première année de commandement de la 110ᵉ. Les débuts. Le patronyme Rodriguez semblait hispanique. Il avait connu beaucoup d'Hispaniques, dans l'armée et dans le civil. Il se rappelait avoir frappé des gens à l'occasion, dont des Hispaniques, mais aucun répondant au nom de Rodriguez. Et si Rodriguez avait intéressé la 110ᵉ, il se serait rappelé son nom, sans aucun doute. Surtout si tôt dans son commandement, quand toutes les affaires avaient de l'importance. La 110ᵉ avait été une entreprise expérimentale. Chaque mouvement y était observé. Chaque résultat évalué. Chaque faux pas autopsié.

– Quel était le contexte présumé? demanda-t-il.

Pas de réponse de Morgan. Il continua de cliquer, de taper et de jouer de la souris. Alors Reacher fouilla dans sa mémoire à la recherche d'une dénommée Candice Dayton. Là encore, il avait connu beaucoup de femmes, dans l'armée et dans le civil, et Candice était un prénom relativement répandu. Tout comme le patronyme Dayton, enfin, relativement. Mais l'association des deux ne lui disait rien. Pas plus que le diminutif: Candy. Candy Dayton? Candice Dayton? Rien. Non pas qu'il se souvînt de tout. Personne ne se souvient de tout.

– Candice Dayton avait-elle un lien avec Juan Rodriguez? demanda-t-il.

Morgan leva les yeux comme s'il était surpris de découvrir quelqu'un assis dans son bureau. Comme s'il avait oublié. Mais il ne répondit pas à la question. Il se contenta de décrocher un de ses téléphones sophistiqués et de réserver une voiture. Puis il pria Reacher d'aller attendre avec le sergent au rez-de-chaussée.

***

À cinq kilomètres de là, l'homme que seulement trois personnes au monde connaissaient sous le prénom de Romeo sortit son téléphone portable et composa le numéro de l'homme que seulement deux personnes au monde connaissaient sous le prénom de Juliet et annonça :

– Il a été rappelé au service. Le colonel Morgan vient de l'entrer dans l'ordinateur.

– Que se passe-t-il maintenant ? demanda Juliet.

– C'est trop tôt pour le dire.

– Il va s'enfuir ?

– C'est ce que ferait un homme sensé.

– Où vont-ils le cantonner ?

– Dans le motel habituel, j'imagine.

***

Le sergent au guichet ne dit pas un mot. Elle était aussi muette qu'avant. Reacher s'adossa au mur et passa le temps en silence. Dix minutes plus tard, un première classe entra se mettre au chaud, salua, puis lui demanda de le suivre. Formel, et poli. Innocent jusqu'à preuve du contraire, se dit Reacher, du moins aux yeux de certains. Dehors sur le parking, il y avait une berline blanche de l'armée dont le moteur tournait. Un jeune lieutenant faisait les cent pas à côté, embarrassé. Il ouvrit la portière arrière à Reacher, qui monta. Le lieutenant s'installa sur le siège passager et le soldat conduisit. Deux kilomètres plus loin, ils atteignirent un motel, un vieux machin tout chancelant et délabré posé sur un terrain sombre, à côté d'une trois-voies de banlieue plongée dans le calme de la soirée. Le lieutenant signa un document, puis le veilleur de nuit remit une clef à Reacher et le soldat repartit avec le lieutenant.

C'est alors qu'arriva la deuxième voiture. Avec les gars en tee-shirt et en pantalon de survêtement.

5

Leurs pantalons étaient dépourvus de poches, et leurs tee-shirts aussi. Et aucun des deux hommes ne portait de plaque militaire. Rien qui permette de les identifier. En plus, leur voiture était propre. Pas d'arme, pas d'affaires personnelles, de portefeuilles cachés, de bouts de papier, de reçus de station-service. La plaque d'immatriculation était d'un modèle officiel standard. La voiture n'avait rien d'anormal hormis ses deux portières récemment cabossées.

Le type de gauche bloquait celle côté conducteur. Reacher le traîna sur le bitume deux mètres plus loin. Il n'offrit pas de résistance. La vie n'est pas une série télévisée. Quand on frappe un type bien fort à la tempe, il ne bondit pas comme s'il était prêt à poursuivre le combat. Il reste au tapis une bonne heure ou plus, désorienté, avec la nausée et la tête qui tourne. Une leçon que Reacher avait apprise depuis longtemps : le cerveau humain est bien plus sensible au déplacement latéral qu'au mouvement avant-arrière. Caprice de l'évolution, vraisemblablement, comme la plupart des choses.

Reacher ouvrit la portière côté passager et monta dans la voiture. Le moteur était à l'arrêt, mais la clef se trouvait sur le contact. Il recula le siège et démarra. Puis il resta assis à regarder droit devant sans rien faire pendant un long moment. *Ils n'ont pas réussi à vous trouver avant. Ils ne vous trouveront pas maintenant. L'armée n'emploie pas de détectives. Et aucun détective ne vous trouverait de toute façon. Pas avec votre mode de vie.*

Il ajusta le rétroviseur. Appuya sur le frein et mit le levier de vitesse en position « route ». *Conduite inconvenante, au bas mot, avec nouveau renvoi à la vie civile, et sans les honneurs cette fois.*

Il ôta son pied du frein et démarra.

***

Il se rendit directement au vieux bâtiment du QG, se gara cinquante mètres plus loin, le long de la trois-voies. La voiture était chaude. Il laissa tourner le moteur pour conserver la chaleur. Regarda par le pare-brise et ne remarqua pas d'allées et venues. De son temps, la 110e travaillait vingt-quatre heures sur vingt-quatre, sept jours sur sept, et il ne voyait aucune raison pour que ç'ait changé. La sentinelle de nuit serait là, un officier de service serait en poste, et les officiers quitteraient les lieux dès leur journée de travail terminée. Normalement. Mais pas ce soir-là. Pas s'il y avait du désordre ou une crise et certainement pas avec un expert dans les locaux. Personne ne s'en irait avant Morgan. Politique élémentaire dans l'armée.

***

Morgan sortit une heure plus tard. Reacher le vit assez distinctement. Une berline de couleur unie franchit le portail, s'engagea sur la trois-voies, puis le dépassa. Il aperçut Morgan dans l'obscurité, avec son pyjama de combat et ses lunettes, les cheveux toujours parfaitement peignés, le regard droit devant, les deux mains sur le volant, comme une mamie qui va faire ses courses. Reacher jeta un coup d'œil au rétroviseur et vit les phares arrière du véhicule disparaître de l'autre côté de la côte.

Il attendit.

Et comme prévu, dans le quart d'heure qui suivit, il assista à un exode en bonne et due forme. Cinq autres voitures sortirent, deux prenant à gauche et trois à droite, quatre avec le seul conducteur à bord, une avec trois passagers. Toutes étaient recouvertes de rosée et laissaient sur leur passage une traînée de gaz d'échappement blanc. Elles disparurent au loin, à gauche et à droite, puis le gaz d'échappement se dissipa et tout redevint calme.

Il attendit dix minutes de plus, au cas où. Mais rien d'autre ne se produisit. À cinquante mètres, le vieux bâtiment avait l'air tranquille et silencieux. Et le garde de nuit dans son monde à lui. Reacher démarra, descendit la côte et franchit le portail. Dans la guérite, c'était un nouveau. Un jeune, visage neutre, stoïque. Reacher s'arrêta, abaissa sa vitre.

— Monsieur ? lui dit le gamin.

Reacher déclina son identité et ajouta :

— Je me présente sur mon lieu d'affectation, conformément aux ordres.

— Monsieur ? répéta le gamin.

— Suis-je sur votre liste ?

Le gamin vérifia.

— Oui, monsieur. Major Reacher. Mais c'est pour demain matin.

— J'ai reçu l'ordre de me présenter avant 8 heures.

— Oui, monsieur. Je vois ça. Mais il est 23 heures, monsieur.

— C'est donc bien avant 8 heures. Conformément aux ordres.

Le gamin ne répondit pas.

— Simple question de chronologie, poursuivit Reacher. J'ai hâte de me mettre au boulot, donc je suis un peu en avance.

Pas de réponse.

— Vous pouvez vérifier auprès du colonel Morgan si vous voulez. Je suis sûr qu'il est de retour à son cantonnement en ce moment même.

Pas de réponse.

— Ou auprès de votre sergent.

— Oui, monsieur ! répondit le gamin. Je vais plutôt faire ça.

Il passa l'appel, écouta un instant, reposa le combiné.

— Monsieur, le sergent demande que vous passiez à l'accueil.

— Je n'y manquerai pas, soldat.

Il redémarra et se gara à côté du coupé rouge, qui était encore là, exactement au même endroit qu'avant. Il descendit de voiture, verrouilla les portières et marcha dans le froid jusqu'à la porte. Le hall semblait calme et silencieux. Le jour et la nuit, littéralement. Mais c'était le même sergent au guichet. Elle finissait le travail avant de quitter son service. Elle était assise sur un tabouret haut et tapait sur son clavier. Elle devait rédiger le compte rendu de la journée. Consigner les données est essentiel, dans tous les corps d'armée. Elle s'interrompit, leva les yeux.

– Vous allez noter cette visite dans le journal de bord ? lui demanda Reacher.

– Quelle visite ? Et j'ai également invité le sergent à ne pas le faire.

Elle n'était plus muette à présent. Plus maintenant que Morgan l'intrus avait quitté les lieux. Elle semblait jeune, mais indéniablement compétente, comme tous les sergents du monde. La bande patronymique au-dessus de son sein droit indiquait qu'elle s'appelait Leach.

– Je sais qui vous êtes, reprit-elle.

– On se connaît ?

– Non, monsieur, mais vous êtes célèbre ici. Vous avez été le premier commandant de cette unité.

– Vous savez pourquoi je suis revenu ?

– Oui, monsieur. On nous a mis au courant.

– Quelle a été la réaction globale ?

– Mitigée.

– Quelle est la vôtre ?

– Je suis sûre qu'il y a une explication. Et seize ans, c'est long. Ce qui en fait une question politique, sans doute. En général, c'est du flan. Et même si ce n'est pas le cas, je suis sûre que le gars le méritait. Ou pire.

Reacher garda le silence.

– J'ai envisagé de vous prévenir à votre arrivée tout à l'heure, reprit-elle. Le mieux pour vous aurait été de prendre la fuite. J'ai vraiment eu envie de vous dissuader d'entrer. Mais j'avais reçu l'ordre de ne pas le faire. Je suis désolée.

– Où est le major Turner ?

– C'est une longue histoire.

– Dites toujours.

– Elle a été déployée en Afghanistan.

– Quand ?

– En milieu de journée, hier.

– Pour quelle raison?

– Nous avons des hommes là-bas. Il y avait un problème.

– Quel genre de problème?

– Je l'ignore.

– Et?

– Elle n'est jamais arrivée.

– Vous le savez avec certitude?

– Aucun doute là-dessus.

– Alors où se trouve-t-elle?

– Personne ne le sait.

– Quand le colonel Morgan est-il arrivé ici?

– Quelques heures après le départ du major Turner.

– Combien à peu près?

– Deux, environ.

– A-t-il précisé la raison de sa présence?

– Implicitement : le major avait été relevée de son commandement.

– Rien de particulier?

– Rien du tout.

– Elle merdait?

Leach ne répondit pas.

– Vous pouvez parler librement, sergent, l'encouragea Reacher.

– Non, monsieur, elle ne merdait pas. Elle faisait du très bon boulot.

– C'est tout ce que vous avez? Des sous-entendus et des disparitions?

– Pour l'instant, oui.

– Pas de ragots?

Les sergents appartiennent toujours à un réseau. Ç'a toujours été comme ça, et le restera. De vraies usines à rumeurs. Des versions en uniforme de journaux à scandale.

– J'ai entendu parler d'un petit truc.

– À savoir?

– C'est peut-être rien.

– Mais…?

— Et ça n'a peut-être aucun rapport.

— Mais… ?

— On m'a raconté qu'il y avait un nouveau détenu à Fort Dyer.

6

Fort Dyer était une base de l'armée très proche du Pentagone. Mais Leach informa Reacher que huit ans après qu'il avait été libéré de ses obligations, un plan de coupes budgétaires l'avait fait fusionner avec celle des marines, Helsington House, située dans ses environs. On avait, avec quelque logique mais sans élégance, baptisé ce nouvel établissement Joint Base Dyer-Helsington House. Du temps de Reacher, Fort Dyer et Helsington House étaient l'un et l'autre des endroits prestigieux, où travaillaient surtout haut gradés et gros bonnets. Avec pour résultat que le magasin de la base de Fort Dyer ressemblait plus au grand magasin Saks Fifth Avenue qu'à un hypermarché. Il avait même entendu dire que celui des marines était encore mieux. La nouvelle version promettait donc de ne pas abaisser le niveau. Ses cellules devaient abriter des prisonniers de haut rang. Pas de soûlards bagarreurs ni de voleurs insignifiants. Un major de la police militaire qui pose problème y serait un hôte tout à fait dans la norme. La rumeur de Leach pouvait donc être avérée. La maison d'arrêt de Fort Dyer était située au nord-ouest du Pentagone. À la diagonale du cimetière. À moins de huit kilomètres du QG de la 110ᵉ. Beaucoup moins.

— L'armée et les marines au même endroit? Comment ça se passe pour eux? demanda Reacher.

— Les politiques feraient n'importe quoi pour économiser.

— Vous pouvez annoncer mon arrivée?

— Vous y allez? Maintenant?

— Je n'ai rien de mieux à faire pour le moment.

– Vous avez un véhicule?

– Temporairement.

***

Par cette nuit calme et obscure de banlieue, le trajet jusqu'à Fort Dyer prit moins de dix minutes. Entrer dans la Joint Base elle-même demanda bien plus longtemps. La fusion avait eu lieu moins de quatre ans après le 11-Septembre et l'argent économisé grâce à la réduction de coûts n'avait pas concerné la sécurité. L'entrée principale se trouvait du côté sud du complexe et avait de quoi impressionner. Il y avait des dents de dragon antichars partout afin de canaliser la circulation sur une voie qui rétrécissait et finissait bloquée par trois guérites successives. Reacher portait des vêtements civils usés et ne disposait pas de carte militaire. Ni d'aucun moyen de justifier de son identité, hormis un passeport américain abîmé, froissé et expiré depuis longtemps. Mais il conduisait une voiture du gouvernement, ce qui donnait une première impression positive. Et comme l'armée disposait d'ordinateurs, il apparaissait en service actif depuis le soir même. L'armée comptait aussi des sergents, et Leach avait activé le réseau des retours de faveurs avec une avalanche de coups de fil. Fort Dyer possédait un Bureau des enquêtes criminelles, et à la légère surprise de Reacher, il existait encore des gars qui connaissaient des gars qui connaissaient des gars qui se souvenaient de son nom. Résultat, à peine trois quarts d'heure après s'être arrêté à la première barrière, il se retrouva devant un capitaine de la police militaire dans le bureau de réception de la prison.

Le capitaine avait la peau brune et la mine sérieuse. La bande patronymique de son treillis indiquait « Weiss ». Comme il avait l'air honnête et assez sympathique, Reacher lui expliqua.

– Il s'agit d'une simple affaire privée, capitaine. Pas le moins du monde officielle. Et comme je suis sans doute un peu nuisible en ce moment, vous devriez agir avec une grande prudence. Vous ne devriez pas faire état de cette visite. Voire tout bonnement refuser de me parler.

– Nuisible, c'est-à-dire? demanda Weiss.

— Il semblerait qu'une chose que j'ai faite il y a seize ans me retombe sur le coin de la figure.

— Qu'avez-vous fait?

— Je ne m'en souviens pas. Mais je ne doute pas que quelqu'un va bientôt me le rappeler.

— L'ordinateur indique que vous venez d'être réintégré.

— Exact.

— Je n'en ai jamais entendu parler.

— C'est du jamais-vu, en effet.

— Ça n'annonce rien de bon. On dirait que quelqu'un voulait vraiment vous avoir sous la main.

Reacher acquiesça.

— C'est comme ça que je l'ai interprété. Comme si on m'extradait de la vie civile. Pour braver la tempête. Mais la procédure a été beaucoup plus simple. Il n'y a pas eu de procès.

— Vous pensez qu'ils sont sérieux?

— C'est ce qu'il me semble pour l'instant.

— Qu'attendez-vous de moi?

— Je cherche le major Susan Turner de la 110ᵉ de la police militaire.

— Pourquoi?

— Comme je vous l'ai dit, c'est personnel.

— C'est en rapport avec votre problème?

— Non. En aucune manière.

— Mais vous étiez dans la 110ᵉ, non?

— Longtemps avant que le major Turner n'y mette les pieds.

— Vous ne donnez donc pas dans la subornation de témoin?

— Absolument pas. C'est un problème entièrement différent.

— Vous êtes amis?

— J'espérais que les choses prennent cette tournure. Ou pas, selon ce que je penserais d'elle quand je la rencontrerais.

— Vous ne l'avez pas encore rencontrée?

— Elle est ici?

— Dans une cellule. Depuis hier après-midi.

— Sous quel chef d'accusation?

— Elle a accepté un pot-de-vin.

— De qui?

– Je ne sais pas.

– Pour quel motif?

– Je ne sais pas.

– De quel montant?

– Je suis un simple gardien de prison. Vous savez ce que c'est. On ne donne pas de détails.

– Je peux la voir?

– Les heures de visite sont terminées.

– Combien d'hôtes avez-vous ce soir?

– Juste elle.

– Donc, vous n'êtes pas surchargé. Et c'est confidentiel, n'est-ce pas? Personne n'en saura rien.

Weiss ouvrit un classeur vert à trois anneaux. Notes, procédures, ordres, certains imprimés, d'autres manuscrits.

– Il semble qu'elle vous attendait, dit-il. Elle a fait passer une demande par son avocat. Elle vous a nommément désigné.

– Quelle est la requête?

– C'est plutôt un ordre, en réalité.

– Qui dit?

– Qu'elle ne veut pas vous voir.

Reacher garda le silence.

Weiss consulta le classeur à trois anneaux et ajouta :

– Je cite : *Par requête explicite de l'accusée, sous aucun prétexte le major Jack Reacher de l'armée des États-Unis, retraité, ancien commandant de la 110e de la police militaire, ne se verra accorder de privilège de visite.*

7

Sortir de la Joint Base lui demanda à peine moins de temps que d'y entrer. Chaque sentinelle de chacune des trois guérites procéda à un contrôle d'identité et fouilla le coffre pour s'assurer qu'il était bien qui il disait être et n'avait rien volé. Après avoir franchi la dernière barrière, il s'élança enfin sur la voie empruntée par la ligne du bus local. Mais s'arrêta vite et se gara le long du trottoir. Il y avait une multitude de bretelles d'accès d'autoroute partout. La I-395 partait au sud-ouest. Le George Washington Memorial Parkway s'étendait au nord-est. La I-66 conduisait vers l'ouest. La I-395 vers l'est, s'il voulait. Toutes ces voies étaient calmes et rapides. Le pays est vaste. Il y avait la I-95, qui longeait le littoral est, la côte Ouest à cinq jours de route, et les vastes étendues de l'intérieur, désertes et isolées.

Ils n'ont pas réussi à vous trouver avant. Ils ne vous trouveront pas maintenant.

Nouveau renvoi à la vie civile, sans les honneurs cette fois.

Elle ne veut pas vous voir.

Il quitta son stationnement et retourna au motel.

***

Les deux types en tee-shirt avaient disparu. De toute évidence, ils s'étaient relevés et étaient partis en titubant. Reacher abandonna leur voiture près du trottoir deux cents mètres plus loin. Il laissa la clef sur le contact et les portières ouvertes. Soit le véhicule serait volé par des voyous, soit les deux gars reviendraient le chercher. Il se moquait pas mal que ce soit l'un ou l'autre.

Il parcourut le reste du trajet à pied et entra dans sa chambre lugubre. Il ne s'était pas trompé. Il n'y avait pas de pression dans la douche, la savonnette était minuscule et le shampooing de mauvaise qualité. Mais il se lava aussi bien que possible et se mit au lit. Le matelas faisait l'effet d'un sac bourré de poches plastique roulées en boule et les draps sentaient le moisi faute de servir souvent. Mais il s'endormit très bien. Il régla le réveil dans sa tête sur 7 heures, inspira profondément, expira, et tout fut dit.

***

Romeo téléphona de nouveau à Juliet.

– Il vient d'essayer d'entrer en contact avec Turner à Fort Dyer, dit-il. Et a échoué, bien sûr.

– Nos gars ont dû le rater à l'hôtel.

– Pas de quoi s'inquiéter.

– J'espère que non.

– Bonne nuit.

– À toi aussi.

***

Reacher ne dormit pas à jusqu'à 7 heures. Il fut réveillé à 6 par des coups secs frappés à la porte. Il semblait s'agir d'une affaire à régler. Pas d'une menace. *Toc, toc. Toc, toc, toc.* Six heures du matin et quelqu'un était déjà de bonne humeur. Il se glissa hors des draps, exhuma son pantalon de sous le matelas et l'enfila. Un froid vif régnait dans la chambre. Il voyait la vapeur de son haleine. Le radiateur était resté éteint toute la nuit.

Pieds nus sur la moquette collante, il gagna la porte, puis ouvrit. Une main gantée qui s'apprêtait à frapper de nouveau se retira d'un geste vif. Cette main était reliée à un bras, lui-même relié à un corps vêtu d'un uniforme de classe A de l'armée avec les insignes du JAG[1] partout. Un avocat.

Plus exactement, une avocate.

À en croire la bande patronymique sur le côté droit de sa tunique, elle s'appelait Sullivan. Elle portait l'uniforme comme elle aurait porté un tailleur. Elle avait une mallette à la main, celle qui n'avait pas frappé. Et elle restait muette. Elle n'était pas particulièrement petite, mais ses yeux étaient au niveau du torse nu de Reacher, où une vieille blessure de balle de .38 semblait la préoccuper.

– Oui? dit-il.

Sa voiture, une berline de marque nationale vert foncé, était garée derrière elle. Le ciel était encore noir.

1. Ou *Judge Advocate General's Corps.* Chargé de régler les problèmes juridiques des forces armées américaines.

— Major Reacher?

Elle devait avoir la trentaine et était major elle aussi. Elle avait les cheveux bruns coupés court et un regard ni froid ni chaleureux.

— Que puis-je faire pour vous? lui demanda-t-il.

— C'est censé être l'inverse.

— Vous avez été désignée pour me défendre?

— C'est ma pénitence.

— Pour la procédure d'appel de ma réincorporation, l'affaire Juan Rodriguez ou l'histoire avec Candice Dayton?

— Laissez tomber l'appel. Vous aurez cinq minutes devant une commission dans un mois environ, mais vous ne gagnerez pas. Ça n'arrive jamais.

— Bon alors, Rodriguez ou Dayton?

— Rodriguez. Il faut s'y mettre tout de suite.

Mais elle ne bougea pas. Son regard descendit jusqu'à la taille de Reacher où se trouvait une autre cicatrice, une grosse étoile de mer blanche et moche recouverte de sutures grossières et traversée par une blessure au couteau, bien plus récente, mais pourtant ancienne.

— Je sais, dit-il. D'un point de vue esthétique, je ne vaux pas un clou. Mais entrez tout de même.

— Non, je vais plutôt attendre dans la voiture. On parlera en prenant le petit déjeuner.

— Où?

— Il y a un *diner* à deux rues d'ici.

— Vous payez?

— Ma part. Pas la vôtre.

— À deux rues? Vous auriez pu apporter le café.

— J'aurais pu, mais je ne l'ai pas fait.

— Vous allez m'être d'une grande aide. Laissez-moi onze minutes.

— Onze?

— C'est le temps qu'il me faut pour me préparer le matin.

— La plupart des gens diraient dix.

— Soit ils sont plus rapides, soit ils ne sont pas précis.

Il referma la porte, regagna le lit à pas feutrés et enleva son pantalon. Qui semblait correct. Le poser à plat sous le matelas était sa façon bien personnelle de le repasser. Il se rendit dans la salle de bains et ouvrit le robinet de la douche. Il se brossa les dents, puis se plaça sous le maigre filet d'eau tiède et se servit du reste de savon et de shampooing. Il s'essuya avec des serviettes humides, s'habilla, puis sortit sur le parking. Onze minutes, pile. C'était un homme d'habitudes.

Le major Sullivan avait fait demi-tour. Elle conduisait une Ford du même modèle gris métallisé que celle dans laquelle il avait traversé le Missouri plusieurs jours auparavant. Il ouvrit la portière passager et monta. Sullivan se redressa, démarra et quitta le parking, lentement, prudemment. La jupe de son uniforme lui arrivait aux genoux. Elle portait des collants noirs et des bottes noires à lacets.

— Comment vous appelez-vous ? lui demanda Reacher.

— Vous savez lire, non ?

— Votre prénom, je veux dire.

— C'est important ? Appelez-moi major Sullivan.

Le ton n'était ni cassant ni amical. Ni surprenant. Une relation plus personnelle n'était pas au programme. Les avocats de l'armée sont consciencieux, intelligents, professionnels, mais ils restent du côté de l'armée.

Le *diner* se trouvait effectivement deux rues plus loin, mais elles étaient assez éloignées l'une de l'autre. Ils prirent à gauche, puis à droite, et atteignirent un petit alignement irrégulier de boutiques près d'une autre trois-voies. Parmi les boutiques se trouvaient une quincaillerie, une pharmacie banale, une boutique d'encadrement, une armurerie et le cabinet d'un dentiste qui recevait sans rendez-vous. Le *diner* était un bâtiment en stuc blanc isolé au bout de l'enfilade, sur un terrain à part. La décoration intérieure lui fit parier que le propriétaire était grec et qu'il y aurait un million de plats au menu. Pour lui, ça en faisait un restaurant, pas un *diner*. Les *diners* sont des endroits étriqués, miteux, dépouillés, aussi impitoyables que des fusils d'assaut.

Ils s'installèrent dans un box près du mur et une serveuse leur apporta du café sans qu'on le lui demande, ce qui incita Reacher à réviser un peu son opinion sur le niveau de l'établissement. Le menu comprenait plusieurs pages plastifiées et recouvrait presque entièrement le dessus de table. À la page deux, il vit des œufs et des pancakes et ne poursuivit pas plus loin ses recherches.

– Je vous conseille de plaider coupable pour obtenir une peine moins sévère, commença Sullivan. Ils requerront cinq ans ; nous proposerons un, et nous nous mettrons d'accord sur deux. Vous pouvez le faire. Deux ans ne vont pas vous tuer.

– Qui était Candice Dayton ?

– Je ne traite pas ce dossier. Quelqu'un d'autre vous en parlera.

– Et qui était Juan Rodriguez exactement ?

– Quelqu'un que vous avez frappé à la tête et qui est décédé des suites de ses blessures.

– Je ne me souviens pas de lui.

– Ce n'est pas la meilleure déclaration à faire dans un cas comme celui-ci. Ça donne l'impression que vous avez frappé tellement de gens que vous ne les distinguez plus les uns des autres. Ça pourrait déclencher une enquête plus poussée. Quelqu'un pourrait être tenté d'établir une liste. Et d'après ce que je sais, elle pourrait être très longue. La 110ᵉ n'était pas très clean à l'époque.

– Et comment est-elle maintenant ?

– Un peu mieux, peut-être. Mais loin d'être remarquable.

– Selon vous ?

– D'après mon expérience.

– Avez-vous des informations sur la situation de Susan Turner ?

– Je connais son avocat.

– Et… ?

– Elle a accepté un pot-de-vin.

– C'est avéré ?

– Il y a suffisamment de preuves électroniques pour faire flotter un cuirassé. Elle a ouvert un compte bancaire dans les îles Caïmans à 10 heures avant-hier ; à 11 heures, cent mille dollars y sont apparus et à midi, elle a été arrêtée, plus ou moins la main dans le sac. L'affaire me semble plutôt limpide. Et typique de la 110ᵉ.

– On dirait que dans l'ensemble vous n'aimez pas mon ancienne unité. Ce qui pourrait poser problème. Parce que j'ai droit à une défense convenable. Le sixième amendement et le reste. Vous pensez être la personne qui convient pour ce boulot ?

– Je suis ce qu'ils vous donnent. Vous feriez mieux de vous y faire.

– Je devrais pouvoir consulter les preuves qui m'incriminent, au moins ça. Vous ne croyez pas ? Il n'y a pas quelque chose là-dessus dans le sixième amendement ?

– Vous ne faisiez pas beaucoup de paperasse il y a seize ans.

– On en faisait un peu.

– Je sais. J'ai consulté les documents qui existent. Entre autres, vous rédigiez des rapports quotidiens. J'en ai un qui mentionne que vous sortez pour aller interroger M. Rodriguez. Après, j'ai un document des urgences d'un hôpital du comté indiquant son admission plus tard le même jour pour une blessure à la tête, entre autres.

– C'est tout ? Quel est le lien ? Il aurait pu tomber dans l'escalier après mon départ. Ou se faire renverser par un camion.

– C'est ce qu'a cru le médecin des urgences.

– Le dossier est maigre. En fait, ce n'est même pas vraiment un dossier. Je ne me rappelle rien du tout.

– Pourtant, vous vous rappelez un escalier dans lequel M. Rodriguez aurait pu tomber après votre entretien.

– Pure spéculation. Hypothèse. Figure de style. Pareil pour le camion. Ils n'ont rien.

– Ils ont une déclaration sous serment, objecta Sullivan. Un témoignage sous serment de M. Rodriguez en personne, un peu plus tard. Il vous désigne comme son agresseur.

8

Sullivan hissa sa mallette sur la banquette en Skaï du box et en sortit un épais dossier qu'elle posa sur la table.

– Bonne lecture, dit-elle.

Ce ne fut pas le cas, bien entendu. Il s'agissait du rapport, long et sordide, d'une longue et sordide enquête sur un crime, long et sordide. L'origine de l'affaire remontait à la fin des années 90 pendant l'opération Bouclier du désert, phase préalable à l'opération Tempête du désert, la première guerre du Golfe, après que Saddam Hussein avait envahi son voisin, le Koweït. Un demi-million d'hommes et de femmes du Monde libre s'étaient regroupés pendant six longs mois pour se préparer à mettre la pâtée à Saddam, ce qui avait finalement pris une centaine d'heures en tout. Puis le demi-million d'hommes et de femmes était rentré chez lui.

Ce qui avait posé problème, c'était le matériel. Les armées ont besoin d'une grande quantité d'équipement. Six mois pour le rassembler, six mois pour le ranger. Et on avait apporté beaucoup plus de soin et d'attention à la mise en place qu'au rangement. Ce dernier avait été brouillon, réalisé par petits bouts. Une dizaine de nations y avaient participé. Pour faire court, des tas de trucs avaient disparu. Et c'était ennuyeux. Mais il fallait dresser le bilan. Une partie du matériel manquant avait donc été considérée détruite, une autre endommagée, une autre encore tout simplement perdue, et le chapitre avait été clos.

Jusqu'à ce que certains objets commencent à apparaître dans les rues des villes américaines.

— Vous vous rappelez maintenant? reprit Sullivan.

— Oui, répondit-il.

Il s'en souvenait très bien. C'était pour combattre ce genre de crime que la 110e avait été créée. Les armes lourdes de l'armée n'atterrissent pas dans la rue par hasard. Elles sont subtilisées, détournées, volées et vendues. Par des individus non identifiés, mais appartenant à certaines catégories d'individus bien précis. Et qu'on trouve dans les compagnies de logistique, majoritairement. Des gars qui transportent des dizaines de milliers de tonnes d'équipement par semaine avec des relevés de cargaisons vagues peuvent toujours trouver un moyen d'en faire disparaître une ou deux tonnes par-ci par-là, pour s'amuser et réaliser du profit. Voire des centaines. La 110e avait été chargée de découvrir qui, comment, où et quand. L'unité était récente, elle devait se faire un nom et elle s'était démenée pour y parvenir. Reacher y avait passé des centaines d'heures et son équipe bien plus encore.

– Mais je ne me rappelle toujours aucun Juan Rodriguez, insista-t-il.

– Avancez jusqu'à la fin du dossier, lui enjoignit Sullivan.

Il s'exécuta et s'aperçut qu'il se souvenait plutôt bien de Juan Rodriguez.

Mais pas sous ce nom-là.

***

La 110ᵉ avait obtenu un tuyau fiable concernant un membre de gang connu dans les rues sous le sobriquet de Dog, a priori un diminutif de Big Dog, le molosse, probablement parce que le type en imposait autant par son gabarit que par son influence. La DEA ne s'intéressait pas à lui, car il se tenait à l'écart des histoires de drogue. Mais d'après l'informateur, il gagnait une fortune, à l'image de tous ceux qui, dans le monde, restent neutres, en vendant au marché noir des armes aux deux côtés en même temps. C'était le type auquel on s'adresse. Et il projetait de décharger onze caisses de fusils mitrailleurs de l'armée. Pas des babioles en métal avec de petites dents, bonnes à couper du bois. Non, des fusils d'assaut, à savoir de redoutables mitrailleuses entièrement automatiques aux capacités et au potentiel redoutables.

Reacher s'était rendu à L.A., à South Central, en avait arpenté les rues chaudes et poussiéreuses, et avait posé les bonnes questions aux bons endroits. Dans un tel environnement, on devinait tout de suite qu'il était militaire, alors il s'était fait passer pour un troufion rebelle avec des armes intéressantes à fourguer. Des grenades, des lanceurs, des munitions perforantes en grande quantité, des Beretta. Les gens se méfiaient naturellement, mais finalement l'attitude avait porté ses fruits. Deux jours plus tard, il était face au Big Dog, qui s'était effectivement avéré imposant, surtout dans la largeur. Il devait peser dans les cent quatre-vingts kilos.

La dernière page du dossier consistait en une déclaration écrite sous serment intitulée *Éléments de preuve fournis par Juan Rodriguez, alias Big Dog, alias Dog*. Le nom de Reacher y figurait partout, suivi d'une longue liste de blessures, dont une fracture au crâne et des côtes cassées, des lésions des tissus et des contusions. Le document, signé par Juan Rodriguez en personne, était certifié par un avocat de Ventura Boulevard de Studio City, et authentifié par une tout autre personne.

— Vous vous le rappelez maintenant ? demanda Sullivan.

— Il a menti dans sa déclaration, répondit Reacher. Je n'ai jamais posé la main sur lui.

— Vraiment ?

— Pourquoi j'aurais fait ça ? Il ne m'intéressait pas. Je voulais sa source, c'est tout. Je voulais le type à qui il achetait. Je voulais un nom.

— Vous ne vous inquiétiez pas des fusils mitrailleurs qui circulaient dans les rues de L.A. ?

— C'était le problème du LAPD, pas le mien.

— Vous avez obtenu le nom ?

— Oui.

— De quelle manière ?

— J'ai demandé, il a répondu.

— Juste comme ça ?

— Plus ou moins.

— C'est-à-dire ?

— J'étais doué pour les interrogatoires. Je l'ai laissé croire que j'en savais plus que j'en savais. Il n'était pas très futé. Je suis même surpris qu'il ait eu un cerveau à blesser.

— Alors comment expliquez-vous le compte rendu de l'hôpital ?

— Parce que je devrais l'expliquer ? Un type comme ça, ça connaît toutes sortes de personnages peu recommandables. Peut-être avait-il arnaqué quelqu'un la veille. Il n'évoluait pas dans un milieu très civilisé.

— Donc, c'est ça votre défense ? C'est pas moi, c'est un autre ?

— Si c'était moi, il ne serait pas arrivé jusqu'à l'hôpital. C'était une grosse barrique de graisse.

— Je ne peux pas aller voir le procureur et lui dire : « C'est pas lui qu'a fait ça, c'est un autre. » Je ne peux pas lui annoncer que la preuve en est que vous l'auriez tué plutôt que de vous contenter de l'amocher presque à mort.

— Il va pourtant falloir.

– Non. Écoutez-moi bien, Reacher : il faut prendre cette affaire au sérieux. Je peux vous obtenir un arrangement, mais vous devez faire amende honorable. Vous devez en assumer la responsabilité et exprimer du remords.

– C'est incroyable.

– C'est mon meilleur conseil.

– Je peux avoir un autre avocat ?

– Non. Vous ne pouvez pas.

***

Ils terminèrent leur petit déjeuner en silence. Il eut envie de changer de table, mais n'en fit rien parce que ç'aurait paru trop mesquin. Ils partagèrent l'addition, réglèrent, et rejoignirent la voiture.

– J'ai rendez-vous ailleurs, annonça Sullivan. Vous pouvez rentrer à pied. Ou prendre le bus.

Elle monta dans son véhicule et démarra. Reacher resta livré à lui-même, sur le parking du restaurant. La ligne du bus local passait par la trois-voies juste devant lui. Il y avait un arrêt avec un banc à trente mètres sur la gauche. Deux personnes attendaient. Deux hommes. Mexicains, tous les deux beaucoup plus minces que Big Dog. D'honnêtes civils, sans doute, sur le chemin du boulot. Jardinier au cimetière ou concierge à Alexandria ou Washington même.

Il y avait un autre arrêt cinquante mètres sur sa droite. Un autre banc. Du côté de la route où il se tenait, pas de l'autre. En direction du nord, pas du sud. Pour quitter la ville, pas pour y aller. À destination de McLean, puis de Reston peut-être. Puis Leesburg et peut-être même Winchester. Où il y aurait d'autres bus et des autocars qui traverseraient vaillamment les Appalaches pour atteindre la Virginie-Occidentale, l'Ohio, puis l'Indiana. Et au-delà.

Ils n'ont pas réussi à vous trouver avant. Ils ne vous trouveront pas maintenant.

Nouveau renvoi à la vie civile, sans les honneurs cette fois.

Elle ne veut pas vous voir.

Il attendit. L'air était froid. La circulation régulière. Voitures et camions. De toutes marques, tous modèles, toutes couleurs. Puis, loin sur sa gauche, il aperçut un bus. Qui roulait vers le nord, pas le sud. Qui n'allait pas en ville, mais s'en éloignait. Le banc se trouvait à cinquante mètres sur sa droite. Il attendit. Le véhicule était en fait un gros camion reconverti. Parcours local, pas longue distance. Un service municipal, au tarif réglementé. Il venait vers lui en grognant et sifflant, lentement.

Il le laissa passer. L'engin le dépassa et continua sans marquer l'arrêt.

Reacher retourna à pied au QG de la 110e. Trois kilomètres au total, une demi-heure très précisément. Il passa devant le motel. La voiture aux portières cabossées n'était plus garée le long du trottoir. On l'avait récupérée, ou volée.

Il gagna le vieux bâtiment en pierre à 7 h 55, et rencontra une autre avocate, laquelle lui apprit qui était Candice Dayton et pourquoi elle était mécontente.

9

La sentinelle que Reacher avait rencontrée la veille dans l'après-midi était de retour dans son clapier. La sentinelle de jour. D'un mouvement de la tête elle lui signifia qu'il pouvait entrer. Il franchit le portail et se dirigea vers le petit escalier menant à la porte peinte de frais. Le Humvee était toujours garé sur le parking. De même que le cabriolet rouge. Mais pas la voiture aux portières cabossées.

Il y avait un nouveau sergent à l'accueil. La garde de nuit, vraisemblablement, terminant son quart. Un homme, blanc, et un peu plus réservé que Leach ne l'avait été au final. Pas ouvertement hostile, mais silencieux et un peu sévère, comme une version plus douce des types en tee-shirt de la nuit précédente : *Vous avez discrédité l'unité.*

— Le colonel Morgan exige que vous vous présentiez au rapport au 207, immédiatement, lui lança-t-il.

— Immédiatement quoi ? demanda Reacher.

— Immédiatement, monsieur !

— Merci, sergent.

Le bureau 207 était situé à l'étage, quatrième porte à gauche, voisin de son ancien bureau. Ou plutôt de celui de Susan Turner, ou de Morgan, à présent. À l'époque, c'était celui de Karla Dixon, une véritable calculatrice humaine, sa spécialiste financière. Elle avait résolu des tas de problèmes coriaces. Dans quatre-vingt-dix-neuf pour cent des cas, les crimes se résument à trois mobiles : l'amour, la haine ou l'argent, et contrairement à ce que dit la Bible, le plus puissant est l'argent. Dixon valait son modeste poids en or, et Reacher conservait de tendres souvenirs du bureau 207.

Il prit l'escalier, longea le couloir et passa devant son ancien bureau. La plaque était toujours sur le mur : *Maj. S.R. Turner, Commandant*. Il entendit la voix du capitaine Weiss et celle du major Sullivan dans sa tête : *Elle a accepté un pot-de-vin*. Il y avait peut-être une explication innocente. Peut-être qu'un oncle éloigné était mort et avait laissé des actions dans une mine d'uranium. Peut-être une mine à l'étranger, d'où le statut offshore. En Australie, qui sait ? Il y a de l'uranium en Australie. Et de l'or, et du charbon, et du minerai de fer. Ou quelque part en Afrique. Il aurait aimé que Karla Dixon soit là. Elle aurait jeté un coup d'œil à la paperasse et aussitôt découvert la vérité.

Il ne frappa pas à la porte du 207. Il n'avait aucune raison de le faire. Morgan mis à part, il était sans doute le plus haut gradé du bâtiment. Et la hiérarchie était la hiérarchie, même dans ces circonstances particulières. Alors il entra.

La pièce était vide. Et ce n'était plus un bureau. Elle avait été convertie en une sorte de salle de réunion. Au lieu d'un bureau, il y avait une grande table circulaire et six chaises. Au centre de la table trônait un objet en forme d'araignée, vraisemblablement des micros pour les conférences téléphoniques. Il y avait une crédence contre l'un des murs, sans doute destinée à recevoir des cafés et des sandwiches pendant les réunions. L'abat-jour était toujours le même, en forme de bol, en verre. L'ampoule à économie d'énergie à l'intérieur, déjà allumée, diffusait une lueur blafarde.

Il s'avança vers la fenêtre et regarda dehors. Il n'y avait pas grand-chose à voir. Pas de parking sur le terrain de ce côté-là du bâtiment. Juste une benne à ordures et un monceau irrégulier de mobilier démodé : fauteuils de bureau et meubles de rangement. Le rembourrage des fauteuils était gonflé et humide et les classeurs rouillés. Ensuite se dressait un mur de pierre. Au-delà, on jouissait d'une perspective correcte vers l'est, jusqu'au cimetière et au fleuve. Le Washington Monument se découpait au loin, de la même couleur que la brume. Un soleil pâle perçait derrière, bas dans le ciel.

La porte s'ouvrit derrière lui. Il se retourna, s'attendant à voir Morgan. Mais ce n'était pas lui. Rien que du déjà-vu[1]. Uniforme de classe A impeccable, avec les insignes du JAG. Une avocate. Sur sa plaque, on lisait « Edmonds ». Elle ressemblait un peu à Sullivan. Peau mate, apparence soignée, professionnelle. Jupe, collants et chaussures noires à lacets. Mais elle était plus jeune. Et de rang moins élevé. Elle n'était que capitaine. Et sa mallette était de moins bonne qualité.

– Major Reacher ? dit-elle.

– Bonjour, capitaine.

– Tracy Edmonds. Je travaille pour le CRH.

Le commandement des Ressources humaines, appelé à l'époque du langage clair le « commandement du personnel ». Il supposa d'abord qu'elle était là pour lui présenter les documents. La paie, le relevé d'identité bancaire et tout le tralala. Puis il songea qu'on n'aurait pas envoyé un avocat pour ce genre de chose. Un employé de bureau aurait été suffisamment compétent. Elle était donc là pour parler de l'affaire Candice Dayton. Vraisemblablement. Mais c'était une débutante. Elle avait donné son prénom sans qu'on le lui demande, et elle avait un visage ouvert, un air aimable et concerné qui pouvait signifier que cette affaire n'était pas aussi grave que celle avec Big Dog.

– Des infos sur la situation de Susan Turner ? lui demanda-t-il.

– Qui ?

– Vous venez de passer devant son bureau.

– Seulement ce que j'en ai entendu dire.

– À savoir ?

---

1. En français, dans le texte.

– Elle a accepté un pot-de-vin.

– En échange de quoi ?

– Je pense que c'est confidentiel.

– Ça ne peut pas l'être. Elle est en détention préventive. Il doit donc y avoir une présomption absolue dans le dossier. Ou alors on aurait renoncé à la jurisprudence d'un pays civilisé pendant mon absence ?

– On lui reproche d'avoir attendu une journée entière avant de transmettre des informations cruciales. Personne ne comprenait pourquoi. Maintenant on comprend.

– Quelles informations ?

– Elle avait arrêté un capitaine d'infanterie de Fort Hood. Une affaire d'espionnage, prétendument. Le capitaine avait livré le nom de son contact civil à l'étranger. Le major Turner l'a gardé pour elle pendant vingt-quatre heures et le contact en a profité pour s'enfuir.

– Quand était-ce exactement ?

– Il y a environ un mois.

– Mais elle n'a été arrêtée qu'avant-hier.

– C'est le jour où le contact étranger l'a payée. Ce qui a fourni la preuve qu'on attendait. Sans ça, le retard aurait pu être pris pour de l'incompétence, pas pour un acte criminel.

– A-t-elle fait appel de la détention préventive ?

– Je ne crois pas.

– Qui est son avocat ?

– Le colonel Moorcroft. De Charlottesville.

– Vous voulez dire l'école des JAG ?

Edmonds acquiesça d'un hochement de tête.

– Il y enseigne la défense pénale.

– Il fait le trajet depuis là-bas ?

– Non, je crois qu'il loge au QOV de Dyer.

À savoir, au quartier des officiers en visite à Fort Dyer. Ou maintenant, la Joint Base Dyer-Helsington House. Pas vraiment le Ritz, mais pas loin, et sans doute beaucoup mieux qu'un motel pourri au bord d'une trois-voies à deux kilomètres de Rock Creek.

Edmonds tira une chaise pour qu'il s'asseye, puis une autre pour elle et s'installa à la table de réunion.

– Candice Dayton, lança-t-elle.

Reacher s'assit et enchaîna.

– Je ne sais pas qui est, ou était, Candice Dayton.

– Nier n'est pas une tactique très maligne, j'en ai peur, major. Ça ne fonctionne jamais.

– Je ne peux pas faire semblant de me rappeler une personne que je ne connais pas.

– Ça fait mauvaise impression. Ça renforce un stéréotype négatif. Les deux finiront par jouer contre vous.

– Qui était-ce?

Elle posa sa mallette sur la table, l'ouvrit, en sortit un dossier, puis déclara :

– Vous avez été affecté en Corée plusieurs fois, exact?

– De nombreuses fois, oui.

– Dont une au cours de laquelle vous avez brièvement travaillé avec la 55e de la police militaire.

– Si vous le dites.

– Je le dis. Tout est là, noir sur blanc. C'était vers la fin de votre carrière. Presque votre dernière mission. Vous étiez à Camp Red Cloud. Qui se trouve entre Séoul et la zone démilitarisée.

– Je sais où ça se trouve.

– Candice Dayton était une citoyenne américaine, et à ce moment-là elle résidait temporairement à Séoul.

– Une civile?

– Oui. Vous vous la rappelez maintenant?

– Non.

– Vous avez eu une aventure.

– Qui donc?

– Mme Dayton et vous, évidemment.

– Je ne me souviens pas d'elle.

– Êtes-vous marié?

– Non.

– L'avez-vous déjà été?

– Non.

– Avez-vous eu beaucoup d'aventures à caractère sexuel?

– C'est une question très intime.

– Je suis votre avocate. Alors ?

– Autant que possible, en gros. J'aime les femmes. Ça doit être biologique.

– Au point d'en avoir oublié certaines ?

– Il y en a que j'essaie d'oublier.

– Mme Dayton fait-elle partie de cette catégorie ?

– Non. Si j'essayais de l'oublier, ça voudrait dire que je me souviens d'elle. Je me trompe ? Et je n'en ai aucun souvenir.

– Y en a-t-il d'autres dont vous ne vous souvenez pas ?

– Comment le saurais-je ?

– Vous voyez, c'est ce que je voulais dire quand je parlais de renforcer un stéréotype. Ça ne vous aidera pas pour votre procès.

– Quel procès ?

– Candice Dayton a quitté Séoul assez vite après votre départ, et elle est rentrée à Los Angeles, d'où elle est originaire. Elle était heureuse d'être de retour. Elle a trouvé du travail et s'en est assez bien sortie pendant des années. Elle avait eu une fille plus tôt, qui grandissait et réussissait à l'école. Elle a obtenu une promotion et acheté une plus grande maison. Tout allait pour le mieux. Puis l'économie a périclité et elle a perdu son boulot et sa maison. Maintenant, elle vit avec sa fille dans sa voiture et cherche un soutien financier auprès de tous ceux à qui elle est en droit de le réclamer.

– Et… ?

– Et c'est en Corée qu'elle est tombée enceinte, major. Sa fille est aussi la vôtre.

10

De ses doigts délicats, Edmonds feuilleta le dossier page à page.

– L'armée a pour politique de ne prendre aucune mesure par anticipation, expliqua-t-elle. Nous n'envoyons pas d'enquêteurs.

Nous inscrivons tout juste un commentaire en regard du nom du père. En général, ça en reste là. Mais s'il vient vers nous, comme vous l'avez fait, nous avons l'obligation d'agir. Nous allons devoir informer le tribunal de Los Angeles de votre statut actuel et de votre localisation.

Elle trouva la page qu'elle cherchait, la retira de la pile et la glissa de l'autre côté de la table.

– Évidemment, en tant qu'avocate, et puisque je vous représente, je vous conseille vivement un test de paternité. Vous devrez le financer vous-même, mais il serait très imprudent de procéder à un accord final sans l'avoir effectué.

Reacher saisit la feuille de papier. C'était la photocopie toute fraîche d'une déclaration sous serment. Comme celle de Big Dog. Signatures, avocats, cachets, sceaux, tous réalisés dans un cabinet de North Hollywood, visiblement. Son nom figurait partout. Les dates de son déploiement avec la 55e étaient mentionnées. Jours, horaires, relations, tout était consigné. Candice Dayton devait tenir un journal exhaustif. La date de naissance du bébé y apparaissait. Exactement neuf mois après la moitié de son séjour à Red Cloud. L'enfant s'appelait Samantha. Sans doute Sam pour diminutif. Elle avait à présent quatorze ans. Presque quinze.

Edmonds lui fit passer une seconde feuille : la photocopie toute neuve d'un certificat de naissance.

– Elle n'y a pas mentionné votre nom. Je pense qu'au départ, ça lui convenait de l'élever toute seule. Mais maintenant elle connaît des temps difficiles.

Reacher garda le silence.

– Je ne connais pas votre situation financière, évidemment, poursuivit-elle. Mais vous risquez un petit peu plus que trois ans de pension alimentaire. Et le financement des études universitaires, peut-être. J'imagine que le tribunal vous contactera dans un mois environ, et vous pourrez voir ça avec les juges.

– Je ne me souviens pas de cette femme, répéta Reacher.

– Il serait préférable de ne pas le déclarer trop souvent. Ces affaires impliquent par nature une confrontation et vous devriez, si possible, éviter d'attiser le ressentiment de Mme Dayton. En fait, il serait sans doute bienvenu de la contacter, préventivement. Dès que possible. En gage de bonne volonté, je veux dire.

Elle reprit la déclaration et le certificat de naissance, les remit dans le dossier, chacun à sa place, rangea le dossier dans sa mallette et la referma.

– Comme vous le savez, major, le code de la justice militaire considère encore l'adultère comme un délit. En particulier dans le cas d'individus détenteurs d'une habilitation « secret-défense » et ayant accès à des informations top secret. On considère en effet que les risques de compromettre la sécurité nationale sont importants. En particulier quand un civil est impliqué. Mais si on constate que vous vous comportez de manière raisonnable avec Mme Dayton, je peux obtenir du procureur qu'il laisse cet aspect-là de côté. En particulier si vous la contactez préalablement. Et avec une offre. Comme je vous l'ai expliqué. Immédiatement, disons. Je pense que ce serait bien perçu. Par le procureur, je veux dire.

Reacher garda le silence.

– Mais après tout, l'eau a coulé sous les ponts. Et la sécurité nationale n'a semble-t-il pas été mise en danger. À moins que votre autre problème ne vienne interférer. L'affaire avec M. Rodriguez, s'entend. Ils pourraient vouloir vous atteindre avec tout ce qu'ils peuvent trouver, auquel cas je ne serais vraiment pas en mesure de vous aider.

Reacher garda le silence.

Edmonds se leva et conclut :

– Je vous recontacterai, major. Prévenez-moi si vous avez besoin de quoi que ce soit.

Elle quitta la pièce et referma la porte derrière elle. Il entendit le bruit de ses talons sur le lino du couloir, puis plus rien.

**

La paternité est considérée comme l'une des expériences masculines les plus ordinaires de l'histoire de l'humanité. Mais Reacher avait toujours pensé que la probabilité qu'il la vive était mince. Qu'elle était simplement théorique. Comme obtenir le prix Nobel, jouer dans les World Series, ou savoir chanter. Possible, en principe, mais peu probable dans son cas. Bref, une finalité pour les autres, pas pour lui. Il avait connu des pères, à commencer par le sien, ses grands-pères, et les pères de ses amis d'enfance, puis certains de ses amis quand ils s'étaient mariés et avaient commencé à fonder une famille. Être père semblait tout à la fois simple et infiniment compliqué. Plutôt facile à première vue. Mais dans le fond, tout simplement trop immense pour se tracasser. En règle générale cela semblait se résumer à agir au jour le jour. À espérer que tout se passe bien, un pied devant l'autre. Son père lui avait toujours paru responsable. Mais avec le recul, il était clair qu'il improvisait au fur et à mesure.

Samantha Dayton.

Sam.

Quatorze ans.

***

Il n'eut plus le temps de penser à elle. Pas à ce moment-là. Parce que la porte s'ouvrit et que Morgan entra, toujours en treillis, toujours avec ses lunettes, toujours soigné et tiré à quatre épingles.

– Vous avez quartier libre pour aujourd'hui, major. Soyez là avant 8 heures demain matin.

Punir par l'ennui. Une journée entière de désœuvrement. La tactique était peu originale. Reacher ne réagit pas. Il se contenta de rester assis à regarder dans le vague. De mauvaises manières ou une insubordination mineure n'auraient pas pu lui nuire davantage. Pas à ce moment-là. Mais Morgan se contentant lui aussi de rester immobile, comme un idiot, la main sur la porte, Reacher finit par se lever et quitter la pièce. Il s'engagea lentement dans le couloir jusqu'à ce qu'il entende Morgan refermer derrière lui.

Alors il s'arrêta et fit demi-tour.

Il retourna à l'autre bout du couloir et regarda le bureau sur sa gauche. Le 209. Celui de Calvin Franz, au départ. Un ami, mort depuis. Il poussa la porte, passa la tête par l'entrebâillement et vit deux hommes qu'il ne reconnut pas. Des sous-officiers, mais pas ceux de la veille au motel, en tee-shirt. Ceux-là étaient assis à des bureaux, dos à dos, concentrés sur leurs ordinateurs. Ils levèrent la tête vers lui.

— Ne vous interrompez pas, leur dit-il.

Il recula et essaya la porte d'en face. Le bureau 210, autrefois celui de David O'Donnell. Encore en vie à ce qu'il en savait. Détective privé, à Washington à ce qu'on lui avait raconté. Dans le coin donc. Il passa la tête par l'entrebâillement et vit une femme à son bureau. En treillis camouflage. Un lieutenant. Elle leva les yeux vers lui.

— Excusez-moi, dit-il.

Le bureau 208 avait été celui de Tony Swan. Un autre ami, mort lui aussi. Reacher ouvrit la porte et regarda dans la pièce. Vide, mais c'était un bureau individuel, et l'individu était une femme. Il y avait un béret de femme officier sur le rebord de la fenêtre et une petite montre posée à l'envers sur le bureau.

Le 207, il l'avait déjà vu. Autrefois le domaine de Karla Dixon, à présent celui de personne. La salle de réunion. Dixon était toujours en vie, à ce qu'il en savait. À New York aux dernières nouvelles. Experte judiciaire, elle ne chômait pas.

Le bureau 206 avait été celui de Frances Neagley. Juste en face du sien, parce qu'elle avait fait le plus gros du boulot à sa place. Le meilleur sergent qu'il ait jamais eu. Elle était toujours en vie et réussissait bien, a priori, à Chicago. Il passa la tête à l'intérieur et vit le lieutenant qui l'avait déposé au motel la veille. Dans la première voiture, conduite par le simple soldat. Le type était à son bureau, au téléphone. Il leva les yeux. Reacher opina du chef et sortit de la pièce.

Le 204 avait été occupé par Stan Lowrey. Un dur, et un bon enquêteur. Il était parti rapidement, le seul de l'unité d'origine assez malin pour sortir indemne. Il avait déménagé dans le Montana pour y élever des moutons et baratter du beurre. Personne ne savait pourquoi. C'était le seul Noir sur deux mille cinq cents kilomètres carrés et il n'avait aucune expérience agricole. Mais à ce qu'on disait, il avait été heureux. Puis il avait été renversé par un camion. Le bureau était à présent celui d'un capitaine en uniforme classe A. Un type courtaud, prêt à aller témoigner. Sinon pourquoi être si chic ?

— Excusez-moi, lui dit Reacher.

Et il ressortit.

Le 203 avait été un placard à preuves et l'était encore ; le 201 une pièce à archives, l'était toujours ; le 202, les quartiers du secrétaire de la compagnie, n'avait pas changé de destination. Le type était dedans, un sergent, relativement vieux et relativement gris, bataillant vraisemblablement tous les ans pour négocier un départ en fonction de ses annuités. Reacher hocha la tête en guise de salut, fit volte-face et descendit au rez-de-chaussée.

Le planton à la mine revêche était parti et Leach avait pris sa place à l'accueil. Le couloir derrière elle menait aux bureaux du rez-de-chaussée, du 101 au 110. Il les inspecta tous. Les 109 et 110, autrefois ceux de Jorge Sanchez et Manuel Orozco, avaient été attribués au même genre de types, mais d'une plus jeune génération. Les 101 à 108 abritaient des hommes sans intérêt particulier, mis à part le 103, celui de l'officier de permanence. Il y avait un capitaine à l'intérieur. Beau gosse, proche de la trentaine. Son bureau avait deux fois la taille standard et était encombré de téléphones, de calepins, de formulaires, et d'un bloc-notes en désordre format A4 dont les nombreuses pages rabattues sous le support rappelaient une coiffure bouffante des années 50. La page de dessus était couverte de gribouillis noirs au tracé appuyé. Il y avait des cases hachurées, des croquis de mécanismes et des labyrinthes en spirale sans issue. À l'évidence, le type passait beaucoup de temps au téléphone, parfois mis en attente, à patienter, à s'ennuyer ferme surtout. Il s'exprimait avec un accent du sud que Reacher identifia immédiatement. Il avait parlé avec ce gars du Dakota du Sud plus d'une fois. C'était lui qui avait transféré ses appels à Susan Turner.

– Vous avez d'autres hommes déployés par ici ? lui demanda Reacher.

Le type hocha la tête.

– Non, ils sont tous là. Vous les avez vus. On en a ailleurs sur le territoire et à l'étranger, mais personne d'autre dans ce district.

– Combien en Afghanistan ?

– Deux.

– Affectés à… ?

– Je ne peux pas vous donner de détails.

– Des missions dangereuses ?

– Il y en a de faciles ? En Afghanistan ?

– Ils vont bien ? demanda Reacher.

– Ils n'ont pas assuré le contrôle radio prévu hier.

– C'est inhabituel ?

– Ça ne s'est jamais produit avant.

– Vous savez en quoi consiste leur mission ?

– Je ne peux pas vous le dire.

– Je ne vous demande pas de me le dire. Je vous demande si vous le savez. En d'autres termes : à quel point est-elle secrète ?

Le type marqua une pause, puis répondit :

– Non, j'ignore en quoi elle consiste. Tout ce que je sais, c'est qu'ils sont là-bas dans un trou perdu et que tout ce qui nous parvient, c'est le silence.

– Merci, capitaine, dit Reacher.

Il retourna à l'accueil et demanda à Leach une voiture pour le conduire. Elle hésita, puis lui répondit :

– J'ai quartier libre pour la journée. Le colonel Morgan n'a pas spécifié que je devais rester assise dans un coin. Une omission, sans doute, mais je suis autorisée à interpréter mes ordres au mieux. Où voulez-vous vous rendre ?

– À Fort Dyer. Je veux parler au colonel Moorcroft.

– L'avocat du major Turner ?

Il acquiesça et précisa :

– Et Fort Dyer se trouve assurément à moins de huit kilomètres d'ici. Vous ne seriez complice d'aucun crime.

Leach marqua une pause, puis ouvrit un tiroir dont elle sortit une clef crasseuse.

– C'est une vieille berline Chevrolet bleue. Il faut qu'elle revienne avant la fin de la journée. Je ne peux pas vous la laisser jusqu'à demain.

– Qui est le propriétaire de la voiture de sport garée sur le parking ?

– Le major Turner, répondit Leach.

– Vous connaissez les gars qui sont en Afghanistan ?

Elle acquiesça d'un signe de tête.

– Ce sont des amis à moi.

– Ce sont de bons soldats ?

– Les meilleurs.

Le parking du QG comptait trois Chevrolet, dont deux vieilles, mais une seule vieille et bleue. Elle était sale, toute déglinguée et affaissée, et le compteur devait afficher à peu près un million de kilomètres en ville. Mais elle démarrait bien et le moteur ne tournait pas mal à l'arrêt. Qualité essentielle parce que la circulation était lente en journée. Il y avait beaucoup de feux, beaucoup de bouchons et beaucoup de rues embouteillées. Mais le trajet jusqu'à Fort Dyer fut plus rapide que la première fois. Les sentinelles du portail principal se montrèrent relativement accueillantes. Reacher se dit que Leach avait dû encore prévenir de son arrivée. Elle devenait donc une petite alliée. Ce dont il se réjouissait. Avoir un sergent de son côté arrondit les angles et met de l'huile dans les rouages. Un sergent qui vous prend en grippe peut signer votre arrêt de mort.

Il se gara, entra, et tout ralentit de nouveau. La femme au guichet passa des coups de fil, mais Moorcroft restait introuvable. Il n'était ni dans le quartier des officiers en visite, ni dans les bureaux des avocats, ni dans le corps de garde, ni dans le secteur des cellules. Ça ne laissait qu'un seul endroit où chercher. Reacher s'enfonça dans le bâtiment, puis aperçut un panonceau avec une flèche indiquant : *Club des officiers*. Il se faisait tard pour un petit déjeuner, mais les petits déjeuners tardifs constituent l'ordinaire des planqués. En particulier des haut gradés en visite éclair.

La salle à manger s'avéra être un lieu agréable, sympathique, bas de plafond, large et profond, récemment remis à neuf, sans doute par le même type qui se chargeait de celles des chaînes d'hôtel à prix moyen. Bois clair et tissu vert-moyen. Nombreuses cloisons de séparation, et donc nombreux petits espaces où s'asseoir. Moquette. Fenêtres à stores vénitiens, ouverts à moitié. Reacher se souvint d'une plaisanterie que son vieux collègue Manuel Orozco aimait raconter : « Quel est le comble pour un store vénitien ? De se gondoler. » Et aussi : « Quel est le comble pour un Genevois ? D'être privé de petit-suisse. » À quoi David O'Donnell objectait que le petit-suisse n'est pas, en réalité, un fromage suisse. Mais plutôt français, de Normandie, et dont l'origine remonte au XIXe siècle. Un fromage frais enveloppé sous forme d'un cylindre de cinq centimètres de haut et trois centimètres de diamètre. O'Donnell était le genre de pédant auprès duquel Reacher passait pour un type normal.

Il continua d'avancer. La plupart des box étaient inoccupés, mais Moorcroft se trouvait dans l'un d'eux. Petit, rondelet, la cinquantaine, mine avenante et uniforme de classe A avec son nom brodé en gros, bien en évidence, sur le rabat de la poche de poitrine droite. Il mangeait des toasts, installé à une grande table pour quatre à l'écart.

Et en face de lui se trouvait le major Sullivan, l'avocate de Reacher dans l'affaire Big Dog. Elle ne mangeait pas. Elle avait déjà pris son petit déjeuner, avec Reacher, au restaurant grec. Elle tenait délicatement une tasse de café entre ses mains, rien d'autre. Elle parlait et écoutait visiblement avec beaucoup de déférence, comme souvent quand un major s'entretient avec un colonel, ou un étudiant avec un professeur.

Reacher pénétra dans le petit périmètre d'intimité, tira une chaise à lui et s'assit entre eux.

— Vous permettez que je me joigne à vous ?

— Qui êtes-vous ? lui demanda Moorcroft.

— C'est le major Reacher, répondit Sullivan. Mon client. Celui dont je vous parlais.

Rien de particulier dans sa voix.

Moorcroft dévisagea Reacher et lui lança :

— Si vous avez des points à aborder, je suis sûr que le major Sullivan se fera un plaisir de vous fixer un rendez-vous à un moment plus opportun.

— C'est à vous que je veux parler, dit Reacher.

— À moi ? Et à quel sujet ?

— Susan Turner.

— Vous vous y intéressez ?

– Pourquoi sa détention préventive n'a-t-elle pas fait l'objet d'un appel?

– Vous devez justifier d'un intérêt légitime avant que nous envisagions d'entrer dans les détails.

– Tout citoyen a un intérêt légitime à voir la loi appliquée correctement dans une procédure pénale à l'encontre d'un autre citoyen.

– Vous considérez que mes méthodes ont été incorrectes jusqu'ici?

– Je serai plus à même de le déterminer si vous répondez à ma question.

– Les charges qui pèsent sur le major Turner sont sérieuses.

– Mais la mesure de consigne préventive n'est pas censée être punitive. Elle ne doit pas être appliquée avec plus de rigueur qu'il n'est nécessaire pour s'assurer de la présence de l'accusé lors du procès. C'est ce que stipule le règlement.

– Vous êtes avocat? Votre nom ne me dit rien.

– J'ai été membre de la police militaire. En fait, je suis toujours dans la police militaire, je suppose. À nouveau. Bref, je ne suis pas nul en droit.

– Vraiment? De la même manière qu'un plombier maîtrise la mécanique des fluides et la thermodynamique?

– Ne vous lancez pas de fleurs, colonel. Ce n'est pas sorcier.

– Alors éclairez-moi, je vous en prie.

– La situation du major Turner n'exige pas la détention. Elle est officier de l'armée des États-Unis. Elle ne va pas s'enfuir.

– Vous vous en portez garant?

– Presque. Elle est commandant de la 110ᵉ de la police militaire. Comme je l'étais. Je ne me serais pas enfui. Et elle ne le fera pas non plus.

– Il y a des présomptions de trahison.

– Ici, mais pas dans le monde réel. Personne n'y voit de trahison. Sinon on ne l'aurait justement pas emmenée ici, à Fort Dyer. Elle serait aux Caraïbes à l'heure qu'il est.

– Il ne s'agit pas d'un simple excès de vitesse.

– Elle ne va pas s'enfuir.

– Encore une fois, vous vous en portez garant?

– C'est une estimation raisonnable.

— La connaissez-vous seulement ?

— Pas vraiment.

— Alors mêlez-vous de ce qui vous regarde, major.

— Pourquoi vous a-t-elle donné l'ordre de m'empêcher de la voir ?

— Elle ne l'a pas fait, techniquement parlant. Cette instruction a été transmise par l'avocat de permanence. À un moment non précisé de la fin d'après-midi. Par conséquent, la restriction était déjà en place avant que je reprenne l'affaire, le lendemain matin. Hier.

— Je veux que vous lui demandiez de reconsidérer sa décision.

Moorcroft ne répondit pas. Sullivan regarda Reacher, puis se joignit à la conversation.

— Le capitaine Edmonds m'a dit vous avoir vu. Au sujet de l'affaire Candice Dayton. Elle m'a dit vous avoir conseillé d'agir vite. Vous l'avez fait ?

— Je m'en occupe.

— Ça devrait être votre priorité. Les nuances, ça compte dans ce genre d'affaires.

— Je m'en occupe, répéta Reacher.

— C'est de votre fille que nous parlons. Elle vit dans une voiture. C'est plus important qu'un problème théorique concernant les droits du major Turner, insista l'avocate.

— La gamine a presque quinze ans et habite à Los Angeles. Elle a sans doute déjà dormi dans des voitures. Et si c'est vraiment ma fille, elle peut le supporter encore un jour ou deux.

— Je crois que le major Sullivan et le capitaine Edmonds essaient de vous expliquer que vous ne disposez peut-être pas d'un jour ou deux, dit Moorcroft. En fonction de la décision des procureurs dans l'affaire Rodriguez. J'imagine qu'ils se frottent joyeusement les mains. Parce que c'est un vrai désastre. Preuves irréfutables et, en plus, un problème catastrophique de relations publiques.

— Ces preuves irréfutables sont irréfutablement des conneries.

Moorcroft sourit, indulgent et habitué à ce genre de sorties.

— Vous n'êtes pas le premier prévenu à dire ça, vous savez ?

— Le type est mort et je suis censé pouvoir être confronté aux témoins à charge. Comment cela peut-il être légal ?

— C'est une anomalie malheureuse. La déclaration sous serment parle depuis la tombe. Elle est ce qu'elle est. Elle ne peut pas faire l'objet d'un contre-interrogatoire.

Reacher regarda Sullivan. C'était son avocate après tout.

— Le colonel a raison, déclara-t-elle. Je vous l'ai dit : je peux vous obtenir un accord à l'amiable. Vous devriez accepter.

Et elle prit congé. Elle vida sa tasse, se leva, dit au revoir, et s'éloigna. Reacher la suivit des yeux, puis se tourna vers Moorcroft.

— Allez-vous faire appel de l'incarcération du major Turner ?

— Oui. Il se trouve que je vais le faire. Je vais demander qu'elle soit consignée dans le district militaire de Washington et j'espère réussir. Elle sera libre de ses mouvements sous peu.

— Quand allez-vous entamer les démarches ?

— Je remplirai les documents quand vous m'aurez laissé terminer mon petit déjeuner.

— Quand aurez-vous la réponse ?

— En milieu de journée, je pense.

— C'est bien.

— Bien ou non, l'affaire ne vous concerne pas, major.

***

Moorcroft ratissa des miettes de toast dans son assiette pendant encore une minute. Puis il se leva à son tour, lança un : « Passez une bonne journée, major » et quitta tranquillement la salle. Il se dandinait un peu. Démarche d'intellectuel plus que de militaire. Mais ce n'était pas un mauvais bougre. Reacher sentait qu'il avait bon cœur.

Samantha Dayton.

Sam.

Quatorze ans.

Je m'en occupe.

***

Il traversa tout le complexe, direction nord, puis s'arrêta au poste de garde, où le capitaine de permanence avait changé. Ce n'était plus Weiss, de la nuit précédente. Le garde de jour était un Noir d'environ deux mètres dix au nez aquilin, maigre comme un clou et plié dans un fauteuil trop petit pour lui. Reacher demanda à voir Susan Turner, le type consulta son classeur vert à trois anneaux et rejeta sa requête.

Qui ne tente rien n'a rien.

Alors Reacher retourna à l'endroit où était garée la vieille Chevrolet, regagna le QG de la 110ᵉ et laissa la voiture là où il l'avait trouvée. Puis il entra et remit la clef à Leach. Elle était de nouveau agitée. Nerveuse, stressée, tendue. Pas à l'extrême, mais c'était visible.

— Qu'est-ce qu'il y a? lui demanda-t-il.

— Le colonel Morgan n'est pas là.

— Vous le dites comme si ça posait problème.

— On a besoin de lui.

— Je ne peux même pas imaginer pourquoi.

— C'est le commandant.

— Non, votre commandant, c'est le major Turner.

— Elle n'est pas là non plus.

— Que s'est-il passé?

— Nos gars en Afghanistan ont raté leur second contrôle radio. Ça fait quarante-huit heures que nous sommes sans nouvelles d'eux. Nous devons agir. Mais Morgan n'est pas là.

Reacher acquiesça d'un signe de tête.

— Il se fait sans doute poser un nouveau balai. Dans le cul. L'opération doit être longue.

Il prit ensuite le couloir du rez-de-chaussée pour rejoindre le second bureau sur la gauche. Le 103. Celui de l'officier de permanence. Il était à l'intérieur, à son poste de travail, toujours beau gosse, originaire du sud et préoccupé. Ses gribouillis étaient plus lugubres que jamais.

— Morgan ne vous a pas dit où il se rendait? lui demanda Reacher.

— Si, au Pentagone, pour un rendez-vous.

— Il n'a rien ajouté?

— Il n'a pas donné de détails.

— Vous avez téléphoné?

– Bien sûr que j'ai téléphoné. Mais le bâtiment est vaste. On ne le trouve nulle part.

– Il a un portable ?

– Éteint.

– Depuis quand est-il parti ?

– Presque une heure.

– Qu'attendez-vous de lui ?

– Qu'il autorise une demande d'envoi d'équipe de recherche, bien sûr. Chaque minute compte maintenant. Et nous avons beaucoup d'hommes là-bas. La première division d'infanterie. Et les Forces spéciales. Plus des hélicoptères, des drones, des satellites, et toute sorte de matériel de surveillance aérienne.

– Mais vous ne savez même pas où vos gars sont censés se trouver ni ce qu'ils sont censés faire…

L'officier hocha la tête et pointa le pouce vers le plafond. Vers les bureaux de l'étage.

– Les détails de la mission se trouvent dans l'ordinateur du major Turner, dit-il. Qui est maintenant l'ordinateur du colonel Morgan. Et il est protégé par un mot de passe.

– Les contrôles radio passent-ils par Bagram ?

Le type hocha de nouveau la tête.

– La plupart concernent des données de routine. Bagram nous envoie la transcription. Mais s'il y a une urgence, ils nous sont transmis ici même, dans ce bureau. Sur une ligne sécurisée.

– De quoi s'agissait-il la dernière fois ? D'infos de routine ou urgentes ?

– De routine.

– OK. Appelez Bagram et demandez une estimation de leur portée, lors de ce dernier contact.

– Ils la connaîtront à Bagram ?

– Les types qui s'occupent des radios le devinent en général. Au son, et à la force du signal. Instinctivement, parfois. C'est leur boulot. Demandez leur meilleure estimation, à dix kilomètres près.

Le type décrocha un téléphone. Reacher retourna voir Leach à l'accueil.

– Pendant les dix prochaines minutes, contactez toutes vos connaissances au Pentagone. Faites le forcing pour localiser Morgan.

Leach décrocha son téléphone.

Reacher attendit.

***

Dix minutes plus tard, Leach n'avait rien. Ce qui n'était somme toute pas surprenant. Le Pentagone compte trente kilomètres de couloirs et presque trente-sept hectares de bureaux occupés tous les jours ouvrés par plus de trente mille employés. Essayer de localiser un individu revenait à chercher une aiguille dans la botte de foin la plus dense au monde. Reacher retourna au 103.

– D'après la salle radio de Bagram, nos hommes devaient se trouver à peu près à trois cent cinquante kilomètres de la base, lui apprit l'officier. Peut-être à trois cent soixante-dix.

– C'est un début, dit Reacher.

– Pas vraiment. On ignore dans quelle direction.

– Dans le doute, faites à l'instinct. J'ai toujours appliqué cette méthode.

– L'Afghanistan est un grand territoire.

– Je le sais. Et inhospitalier partout, à ce qu'on dit. Mais quel est le pire endroit du pays ?

– Les montagnes. La frontière avec le Pakistan. La zone de la tribu pachtoune. Le nord-est, en gros. Tout sauf plaisant.

Reacher acquiesça, puis reprit :

– C'est donc le genre d'endroit où est envoyée la 110e. Alors passez un coup de fil au commandant de la base et demandez-lui de donner un ordre de recherche aérienne, en commençant à trois cent soixante kilomètres au nord-est de Bagram.

– Ça pourrait être la mauvaise direction.

– Je vous l'ai dit : à l'instinct. Vous avez une meilleure idée ?

– Ils ne le feront pas de toute façon. Pas à ma demande. Un truc comme ça requerrait l'ordre d'un major ou d'un plus haut gradé.

– Alors donnez le nom de Morgan.

– Impossible.

Reacher tendit l'oreille. Tout était calme. Personne ne venait. L'officier de permanence attendait, la main à mi-chemin entre ses genoux et le téléphone.

Vous êtes de retour dans l'armée, major.

Vous conserverez votre ancien grade.

Vous êtes assigné à cette unité.

– Utilisez mon nom.

12

L'officier téléphona, puis la machine militaire prit le relais, lointaine, invisible et industrieuse, à l'autre bout du monde, à neuf fuseaux horaires et presque douze mille neuf cents kilomètres de là. On planifiait, briefait, se préparait, s'armait et se ravitaillait en carburant. Le silence se fit dans le vieux bâtiment en pierre de Rock Creek.

– Combien d'hommes avez-vous sur le terrain ? demanda Reacher.

– En tout ? Quatorze, répondit l'officier.

– Les plus proches d'ici ?

– En ce moment, à Fort Hood, au Texas. Ils font le ménage derrière le major Turner.

– Combien dans des contextes dangereux ?

– Combien de cibles humaines, vous voulez dire ? Huit, ou dix peut-être.

– Morgan s'est-il déjà absenté sans permission ?

– Il n'est ici que depuis trois jours.

– Comment était le major Turner en tant que commandant ?

– Elle n'était pas ici depuis longtemps. À peine quelques semaines.

– Votre première impression ?

– Excellente.

– Cette mission en Afghanistan, c'est son initiative ou elle en a hérité?

– C'est son initiative. C'est la deuxième décision qu'elle a prise en arrivant, après Fort Hood.

***

Reacher ne s'était jamais rendu à Bagram, ni nulle part ailleurs en Afghanistan, mais il savait comment ça allait se passer. Certaines choses ne changent jamais. Personne n'aime rester assis sans rien faire et personne n'aime voir les siens en danger. Surtout dans des zones tribales d'une brutalité si sauvage qu'il vaut mieux ne pas y penser. La mission de recherche serait donc très volontiers entreprise. Mais elle présenterait un risque élevé. Elle demanderait un soutien aérien et une puissance de feu air-sol considérable. Beaucoup d'éléments mobiles. De ce fait, son organisation serait longue. Deux heures au minimum pour prendre les choses en main. Auxquelles il faudrait ajouter deux heures de vol. La situation ne serait pas résolue rapidement.

***

Il employa une partie de son temps à marcher. Il passa devant son motel, puis il prit à gauche, longea les pâtés de maisons sur la droite et atteignit la zone commerciale miteuse, après le restaurant grec où il ne s'arrêta pas parce qu'il n'avait pas faim. Il ne s'arrêta pas non plus à la boutique d'encadrement parce qu'il n'avait pas de photos à encadrer, ni à l'armurerie, parce qu'il n'avait pas besoin de se procurer d'arme, ni chez le dentiste, parce qu'il avait de bonnes dents. Il s'arrêta à la quincaillerie, acheta un pantalon de chantier en toile kaki foncé, une chemise de chantier bleue et une veste de chasse marron doublée d'un textile isolant miracle de marque déposée. Puis il fit un saut au drugstore et y acheta des chaussettes, un boxer et deux tee-shirts blancs à un dollar qu'il porterait l'un sur l'autre, sous la chemise, parce que le tissu du tee-shirt semblait fin et que la température ne promettait pas de monter. Il ajouta un lot de trois rasoirs jetables, le plus petit disponible, une bombe de mousse à raser, la plus petite disponible, deux paquets de chewing-gums et un peigne en plastique.

Chargé de ses achats, il parcourut les deux longs pâtés de maisons jusqu'au motel et entra dans sa chambre. Le ménage avait été fait en son absence. On avait fait le lit et remplacé les quelques produits de toilette. Les serviettes étaient propres, mais toujours élimées, la savonnette neuve dans son emballage toujours petite et la composition du shampooing dans sa minuscule bouteille toujours identique à celle du liquide vaisselle. Il se déshabilla dans le froid et fourra ses habits sales dans les poubelles. Une moitié dans celle de la chambre, l'autre dans celle de la salle de bains parce qu'elles étaient d'une taille ridicule, puis il se rasa avec grand soin et prit sa deuxième douche de la journée.

Il alluma le radiateur sous la fenêtre de la chambre et, dans le souffle bruyant de l'appareil, se sécha avec un essuie-mains pour pouvoir se servir plus tard de la grande serviette. Il enfila ses vêtements neufs, remit ses vieilles chaussures, se peigna, inspecta le résultat dans le miroir de la salle de bains et fut satisfait de ce qu'il vit. Au moins était-il propre et soigné, et c'était le maximum qu'il pouvait faire.

Elle sera libre de ses mouvements sous peu.

***

Il regagna le QG de la 110ᵉ. Ses quatre couches supérieures couplées à l'isolation miracle remplissaient leur office. Il avait suffisamment chaud. Le portail du QG était ouvert. La sentinelle de jour était dans la guérite. La voiture de Morgan était de retour sur le parking. La berline quelconque. Il l'avait vue la nuit précédente, avec le colonel en personne au volant, guindé et droit comme un I. Il fit un détour pour s'en approcher et posa une main sur le capot. Chaud. Presque brûlant. Morgan venait juste de rentrer.

Ce qui expliquait la disposition d'esprit de Leach. Elle tenait le guichet d'accueil dans le hall, silencieuse, tendue. Derrière elle, l'officier de permanence était planté dans le couloir du rez-de-chaussée, tout pâle, figé. Reacher n'attendit pas confirmation. Il se tourna et monta le vieil escalier en pierre. Troisième bureau à gauche. Il frappa, entra. Morgan, assis à sa table, les lèvres pincées, furieux, tremblait presque de rage.

— C'est gentil à vous de passer, colonel, lui lança Reacher.

— Ce que vous venez de faire va coûter plus de trente millions de dollars au Pentagone.

— C'est de l'argent bien dépensé.

— Cette seule initiative vous expose à la cour martiale.

— C'est vraisemblable. Mais ce sera vous qui y passerez, pas moi. Je ne sais pas où vous avez servi avant, colonel, mais l'heure n'est plus à l'amateurisme. Pas ici. Pas dans cette unité. Vous saviez que deux de vos hommes étaient en danger, mais vous vous êtes absenté pendant deux heures entières. Vous n'avez dit à personne où vous alliez et votre téléphone était éteint. C'est tout à fait inacceptable.

— Ces hommes ne courent aucun danger. Ils mettent le nez dans une enquête sans intérêt.

— Deux fois de suite ils n'ont pas établi le contact radio de contrôle.

— Ils tirent au flanc, c'est probable, comme le reste de cette satanée unité.

— En Afghanistan ? Et ils font quoi ? La tournée des bars et des boîtes ? Ils comparent les bordels ? Ils vont à la plage ? Revenez sur terre, abruti. Le silence radio en Afghanistan, c'est forcément une mauvaise nouvelle.

— C'était ma décision.

— Vous ne reconnaîtriez pas une décision si elle vous grimpait dessus et vous mordait le cul.

— Ne me parlez pas sur ce ton.

— Sinon quoi ?

Morgan garda le silence.

— Vous avez annulé les recherches ? reprit Reacher.

Morgan ne répondit pas.

— Et vous ne m'avez pas dit non plus que nous ne cherchions pas au bon endroit, poursuivit-il. Donc j'avais raison. Ces types sont perdus à la frontière, dans les zones tribales. Vous auriez dû agir il y a vingt-quatre heures. Ils sont vraiment en danger.

— Vous n'aviez pas le droit de vous ingérer dans cette affaire.

– Je suis de retour dans l'armée, je suis assigné à cette unité et j'ai le grade de major. Ce n'était donc pas de l'ingérence. J'ai fait mon boulot, et je l'ai fait correctement. Comme avant. Vous devriez en prendre de la graine, colonel. Vous avez une dizaine d'hommes sur le terrain, exposés et vulnérables, et vous ne devriez penser à rien d'autre, nuit et jour. Vous devriez donner un numéro où vous joindre en permanence et laisser votre portable allumé, et vous devriez vous tenir prêt à répondre, peu importe ce que vous êtes en train de faire.

– Vous avez fini ?

– Je viens à peine de commencer.

– Vous comprenez que vous êtes sous mes ordres ?

Reacher acquiesça d'un hochement de tête.

– La vie est pleine d'anomalies.

– Alors écoutez-moi bien, major. Vos ordres ont changé. À partir de maintenant, vous êtes confiné dans vos quartiers. Retournez directement au motel et restez-y jusqu'à ce que je vous autorise à sortir. Ne quittez votre chambre sous aucun prétexte. Et ne tentez pas de communiquer avec les membres de cette unité.

Reacher garda le silence.

– Vous pouvez disposer, major.

***

L'officier de permanence était toujours dans le couloir du rez-de-chaussée. Et Leach toujours à l'accueil. Reacher descendit l'escalier et leur adressa un haussement d'épaules. À la fois pour s'excuser, exprimer sa confusion et dire avec le geste militaire universel : *c'est toujours le même merdier.* Puis il franchit la porte et descendit les marches en pierre dans l'air froid de la mi-journée. Le ciel se découvrait. Bleu vif.

Il marcha jusqu'au bout de la colline, puis il tourna sur la trois-voies. Un bus le dépassa. Il ne roulait pas en direction de la ville, il la quittait. Reacher continua son chemin, descendit une légère déclivité, monta une légère côte, puis distingua le motel devant lui, sur la droite, à environ cent mètres.

Et s'arrêta.

La voiture aux portières cabossées était garée sur le parking.

13

Elle était facile à identifier, même de loin. Marque, modèle, forme, couleur, légère déformation de la tôle sur la portière conducteur. Elle était seule sur le parking, garée à la hauteur de l'endroit où Reacher supposait que sa chambre était située. Il avança de trois pas, en diagonale par rapport au bord du trottoir, pour améliorer son angle de vision, et vit quatre types sortir par sa porte.

Deux d'entre eux étaient aussi faciles à reconnaître que la voiture. C'étaient ceux de la veille. Sûr à cent pour cent. Silhouette, taille, couleur. Les deux autres étaient nouveaux. L'un n'avait rien de spécial. Grand, jeune, l'air bête. Aussi minable que ses deux potes.

L'autre était différent.

Il semblait un peu plus âgé et était un peu plus grand que ses acolytes, presque de la taille de Reacher. Un mètre quatre-vingt-treize, dans les cent dix kilos. Mais tout en muscles. Cuisses et poitrine massives, taille mince, taillé en sablier, comme un personnage de BD. Avec en plus de larges épaules noueuses et des bras écartés du buste à cause de l'épaisseur de ses pectoraux et de ses triceps. Comme un champion du monde de gymnastique, mais au moins deux fois plus imposant.

Sa tête surtout était vraiment extraordinaire. Son crâne rasé semblait avoir été assemblé avec des plaques d'acier. Il avait de petits yeux, des sourcils épais, des pommettes saillantes, et de minuscules oreilles tendineuses. Il ressemblait à un mannequin pour une vieille pub de recrutement de l'Armée rouge. L'idéal de virilité des Soviets. Il aurait dû brandir un étendard d'une main, bien haut, fièrement, le regard vaporeux tendu vers un avenir doré.

Les quatre types sortirent tranquillement et refermèrent la porte derrière eux. Reacher avança. Quatre-vingt-dix mètres, quatre-vingts. Un sprinter olympique aurait couvert la distance en huit secondes environ, mais il n'avait rien d'un sprinter, ni olympique ni amateur. Les types regagnèrent leur voiture. Il continua d'avancer. Ils ouvrirent leurs portières et se plièrent à l'intérieur, deux à l'arrière, deux à l'avant. Reacher avança encore. Soixante-dix mètres. Soixante. Le véhicule traversa le parking et s'arrêta devant la trois-voies. Il attendait pour s'insérer dans la circulation, pour tourner. Reacher aurait souhaité qu'il vienne dans sa direction. *Allez. Tourne à gauche.*

Mais la voiture tourna à droite, rejoignit le flot des véhicules, s'éloigna et disparut.

***

Une minute plus tard, Reacher était devant sa porte. Il l'ouvrit, entra. Rien n'avait bougé. Rien n'était déchiré, renversé ou abîmé. Les types n'avaient donc pas procédé à une fouille poussée. Ils avaient juste jeté un coup d'œil pour se faire une première impression.

Laquelle ?

Baignoire humide, serviette humide, vieux vêtements dans les poubelles et produits de toilette abandonnés près du lavabo. Comme s'il venait de se lever, puis était parti. Ce qu'on lui avait demandé de faire, après tout.

Vous devriez ficher le camp de la ville.

Chaque soir où on vous trouvera encore ici, on vous cassera la gueule.

Peut-être croyaient-ils qu'il avait tenu compte de leurs avertissements.

Mais peut-être pas.

Il quitta de nouveau la chambre et se dirigea vers la réception. Un type à la mine d'écureuil, la quarantaine, avec une vilaine peau et des os saillants, était assis sur un tabouret haut derrière le guichet.

— Vous avez laissé quatre mecs entrer dans ma chambre, lui lança Reacher.

Le réceptionniste aspira entre ses dents et acquiesça d'un hochement de tête.

– Des militaires ?

Le type hocha de nouveau la tête.

– Ils vous ont montré des papiers d'identité ?

– Pas besoin. Ils avaient la dégaine.

– Vous travaillez beaucoup avec l'armée ?

– Suffisamment.

– Pour ne jamais poser de questions ?

– Vous avez capté, chef. Je suis la douceur même avec les militaires. Il faut bien manger. Ils ont fait des trucs pas nets ?

– Ils n'ont rien fait du tout. Vous avez entendu des noms ?

– Juste le vôtre.

Reacher garda le silence.

– Je peux faire autre chose pour vous ? lui demanda le type.

– J'aurais besoin d'une serviette propre. Et de davantage de savon, sans doute. Et de shampooing. Et vous pourriez vider mes poubelles.

– Tout ce que vous voulez. Je suis la douceur même avec les militaires.

***

Reacher retourna dans sa chambre. Dépourvue de chaise. Ce qui ne constituait pas une violation des conventions de Genève, mais être consigné au quartier allait être pénible pour un homme grand et hyperactif. En plus, c'était un simple motel, sans *room service*. Sans salle à manger ni boui-boui de l'autre côté de la rue. Et sans téléphone, donc sans possibilité de se faire livrer un repas. Alors il ressortit, ferma à clef et marcha jusqu'au restaurant grec à deux rues de là. Grave désobéissance aux ordres, sur le plan technique, mais les futilités n'auraient pas beaucoup d'importance de toute façon.

Il ne remarqua rien en chemin hormis un bus municipal qui sortait de la ville et un camion poubelle qui faisait sa tournée. Au restaurant, l'hôtesse l'installa à une table dans la partie de la salle opposée à celle où il avait pris son petit déjeuner, puis une nouvelle serveuse s'occupa de lui. Il commanda du café, un cheeseburger et une part de tarte, et se régala. Il ne remarqua rien sur le chemin du retour hormis un autre bus qui sortait de la ville et un autre camion poubelle qui faisait sa tournée. Il fut de retour dans sa chambre moins d'une heure après l'avoir quittée. Le type à la mine d'écureuil avait déposé une serviette propre, une savonnette et une bouteille de shampooing neuves. Les poubelles étaient vides. La chambre ne pourrait jamais offrir mieux. Il s'allongea sur le lit, croisa les jambes, mit les mains derrière la nuque et envisagea une sieste.

Mais il n'eut pas le loisir de la faire. Moins d'une minute après qu'il avait posé la tête sur l'oreiller, les adjudants de la 75ᵉ vinrent l'arrêter.

14

Ils arrivaient en voiture, et ils conduisaient vite. Il entendit le véhicule foncer sur la route, entrer bruyamment dans le parking et freiner brutalement après un dérapage. Il perçut le bruit de trois portières qui s'ouvraient. Trois claquements à différents intervalles mais dans la même seconde. Puis trois paires de bottes sur le sol, donc trois types, pas quatre, donc pas les quatre de la voiture aux portières cabossées. Il y eut une pause suivie d'un bruit de pas qui s'éloignaient vite. Sans doute un des individus qui courait pour couvrir l'arrière du bâtiment. Une perte de temps puisque la salle de bains n'était pas pourvue de fenêtre. Mais ils l'ignoraient, et deux précautions valent mieux qu'une. Il conclut donc qu'il avait affaire à une équipe compétente.

Il décroisa les jambes, ôta les mains de derrière sa nuque, s'assit sur le lit, se retourna et posa les pieds par terre. Pile à ce moment-là, des coups retentirent à la porte. Rien à voir avec les petits *toc, toc, toc* polis du major Sullivan à 6 heures du matin. C'était le bon vieux *bam-bam-bam* enragé de grands costauds entraînés pour intimider d'entrée de jeu. C'était loin d'être sa méthode préférée. Lui s'efforçait toujours de ne pas faire trop de bruit.

Les types s'arrêtèrent de cogner assez longtemps pour crier quelque chose deux fois. *Ouvrez! Ouvrez!* sans doute. Puis ils recommencèrent.

Il se leva, s'approcha de la porte. Et y frappa de l'intérieur, tout aussi fort. Dehors, l'agitation cessa. Il sourit. Personne ne s'attend à ce qu'une porte réponde.

Il ouvrit et se trouva face à deux types en uniforme de combat de l'armée. L'un avait dégainé une arme de poing et l'autre tenait un fusil. Bigrement menaçant pour un après-midi dans une banlieue de Virginie. Derrière eux, trois des portières de la voiture étaient ouvertes. Le moteur tournait.

— Quoi ? lança Reacher.

Le type du côté charnière de la porte était aux commandes. Le positionnement le plus sûr, pour le plus vieux.

— Monsieur, vous devez nous suivre, lui dit-il.

— Sur ordre de… ?

— Le mien.

— Unité ?

— 75ᵉ de la police militaire.

— Agissant pour le compte de… ?

— Vous verrez.

La bande patronymique du type indiquait « Espin ». Il avait à peu près le gabarit d'un boxeur poids mouche, le nez aplati, les cheveux bruns, et il était sec et musclé. Il avait l'air d'un type bien. En général, Reacher appréciait les adjudants. Pas autant que les sergents, mais plus que les officiers.

— C'est une arrestation ? demanda-t-il.

— Vous voulez que c'en soit une ? Si oui, continuez de parler.

— Décidez-vous, soldat. C'est oui ou c'est non.

— Je préfère la coopération volontaire.

— Vous pouvez toujours rêver.

— Alors oui, vous êtes en état d'arrestation.

— Comment vous appelez-vous ?

— Espin.

— Prénom ?

— Pourquoi ?

— Je veux m'en souvenir aussi longtemps que je vivrai.

— C'est une menace ?

— Comment vous appelez-vous ?

— Pete.

— OK, dit Reacher. Pete Espin. Où va-t-on ?

— À Fort Dyer.

— Pourquoi ?

— Quelqu'un veut vous parler.

Le troisième type revint de derrière le bâtiment. Plus jeune que l'adjudant, mais d'un point de vue technique seulement. Tous les trois avaient l'air de vétérans. Ils avaient tout vu, tout fait.

— Nous allons commencer par vous fouiller, reprit Espin.

— Faites donc.

Reacher écarta largement les bras. Il n'avait rien à cacher. Il n'avait rien dans les poches mis à part son passeport, sa carte bancaire, sa brosse à dents, de l'argent liquide, des chewing-gums et sa clef d'hôtel. Ce qui fut vite confirmé. Le type au fusil lui fit signe de rejoindre la voiture. Banquette arrière côté passager. La place la plus sûre pour transporter un suspect dans un véhicule à quatre places sans cloison de sécurité. Moins de risques qu'il touche au conducteur. Celui qui s'était chargé de couvrir une éventuelle fenêtre de salle de bains s'installa au volant. Espin s'assit à côté de Reacher. Le type au fusil ferma la portière de Reacher, puis monta côté passager. Bien réglé, bien mené, pro. Du bon travail d'équipe.

***

L'heure du déjeuner était passée et ce n'était pas encore l'heure de pointe. Les routes étant donc dégagées, le trajet, suivant un itinéraire différent de celui qu'il avait emprunté, fut rapide, au milieu d'un dédale de rues jusqu'à l'entrée nord de Fort Dyer, apparemment beaucoup moins utilisée que le portail principal au sud. Mais qui n'en demeurait pas moins sécurisée. Pénétrer sur la base fut aussi long que la première fois. Obstacles antichars en béton, barrières, contrôle, contrôle, contrôle. Puis ils firent une boucle pour revenir en arrière et aboutirent à l'arrière de la prison. On le fit sortir de la voiture, puis entrer dans le bâtiment où on le confia à un type. Pas vraiment un gardien de prison. Plutôt un secrétaire ou un administrateur. Il n'était pas armé, comme la plupart du personnel pénitentiaire, et portait des clefs à la ceinture. Ils se trouvaient dans un petit hall carré, avec les portes verrouillées de cellules individuelles sur la gauche et la droite.

On conduisit Reacher par la porte de gauche jusqu'à une salle d'interrogatoire. Sans fenêtres. Juste quatre murs nus, une table scellée au sol, deux chaises d'un côté, une de l'autre. La décoration de la pièce n'avait pas été réalisée par la même personne que celle de la salle à manger. C'était clair. Il n'y avait ni bois blond ni moquette. Seulement de la peinture blanche écaillée sur du parpaing, un sol en béton craquelé, et un néon dans une cage grillagée au plafond.

Un gars de Fort Dyer qu'il n'avait jamais vu entra muni d'un sac en plastique transparent à Zip et emporta tout ce qu'il avait dans les poches. Reacher s'assit du côté solo de la table. Ce devait être la place qu'on lui avait attribuée. Espin s'installa en face de lui. Tous les autres sortirent. L'adjudant restait silencieux. Ni questions, ni civilités, ni bla-bla-bla pour passer le temps.

— Qui veut me parler? demanda Reacher.

— Il arrive.

— Il?

— Un type avec un nom polonais.

— De qui s'agit-il?

— Vous le verrez.

Et Reacher le vit, effectivement, environ vingt minutes plus tard. La porte s'ouvrit et un homme en costume entra. Âge moyen, cheveux bruns grisonnants coupés court, visage pâle affaissé montrant des marques de fatigue et silhouette trapue témoignant d'une fréquentation assidue des salles de sport. Costume noir, pas bon marché, mais usé et lustré par endroits et pochette porte-badge accrochée à sa poche de poitrine. Badge du Metro P.D. Le service de police local de Washington.

Un civil.

Il s'assit à côté d'Espin.

— Je suis l'officier de police Podolski.

— C'est bon à savoir.

— J'ai besoin de réponses.

— À quel genre de questions?

— Je crois que vous le savez.

– Non, je l'ignore.

– Des questions à propos d'une affaire de coups et blessures.

– Qui remonte à quand cette fois-ci? Vingt ans? Cent? À la guerre de Sécession?

– Racontez-moi votre matinée.

– Laquelle?

– Celle d'aujourd'hui.

– Je me suis levé, j'ai parlé à une avocate, puis à une autre avocate, puis à un avocat. Ma matinée a été faite d'avocats de A à Z, en gros.

– Leurs noms?

– Sullivan, Edmonds et Moorcroft.

– Et quand vous dites Moorcroft, s'agirait-il du colonel Moorcroft de votre centre de formation du JAG à Charlottesville, travaillant temporairement sur cette base?

– Pas de mon centre de formation du JAG. Mais oui, c'est bien lui.

– Et où lui avez-vous parlé?

– Ici même, dans cette base. Dans la salle à manger des officiers.

– Et quand lui avez-vous parlé?

– Ce matin. Comme je vous l'ai dit.

– À quelle heure exactement?

– Une conversation d'ordre privé entre deux officiers de l'armée dans une base de l'armée est-elle de votre ressort, inspecteur?

– Celle-là, oui, répondit Podolski. Croyez-moi. Quand lui avez-vous parlé?

– Au petit déjeuner. Qui était plus tardif que le mien. Je dirais que la conversation a débuté à 9 h 23.

– C'est extrêmement précis.

– Vous m'avez demandé de l'être.

– Sur quoi portait votre conversation avec le colonel Moorcroft?

– Sur un problème juridique.

– Confidentiel?

– Non, concernant une tierce personne.

– Et ce troisième individu serait-il le major Susan Turner, de la 110e unité, faisant actuellement l'objet d'une enquête menée par l'armée sous le chef d'inculpation de corruption?

– Tout à fait.

– Et le major Sullivan a été témoin de cette conversation, c'est bien ça?

– Oui, elle était présente.

– Elle affirme que vous vouliez obtenir du colonel Moorcroft qu'il fasse quelque chose, c'est bien ça?

– Oui.

– Vous vouliez qu'il fasse appel de la sanction de détention préventive à l'encontre du major Turner?

– Oui.

– Mais il a refusé? C'est exact? Et en définitive, il vous a dit de vous mêler de vos affaires?

– À un moment donné, oui.

– Vous vous êtes disputés, en réalité. Assez violemment.

– Nous ne nous sommes pas disputés. Nous avons parlé d'une affaire technique. Et ce n'était pas violent.

– Mais au final, vous vouliez que le colonel Moorcroft vous rende un service et il a refusé. Le résumé est-il fidèle?

– De quoi parlons-nous exactement? demanda Reacher.

– Du colonel Moorcroft. Il s'est fait tabasser, presque à mort, en fin de matinée, dans le sud-ouest de Washington. Dans mon secteur.

15

Podolski sortit un carnet et un stylo, les posa soigneusement sur la table, puis déclara :

– Vous devriez être accompagné d'un avocat.

– Je ne me trouvais pas dans le sud-est de Washington aujourd'hui. Ni dans aucun autre quartier. Je n'ai même pas traversé le fleuve.

– Voulez-vous un avocat?

– J'en ai déjà un. Deux, en réalité. Qui ne me servent pas à grand-chose. En fait, l'un d'eux en particulier ne paraît pas du tout défendre mes intérêts.

– Le major Sullivan ?

– Elle est partie avant la fin de l'entrevue. Moorcroft allait s'occuper des formalités. Il a accepté juste après le départ de Sullivan.

– C'est commode.

– Et vrai aussi. Moorcroft affirme le contraire ?

– Moorcroft ne dit rien du tout. Il est dans le coma.

Reacher garda le silence.

– Vous aviez une voiture, n'est-ce pas ? reprit Podolski. Une berline Chevrolet bleue, empruntée au QG de la 110ᵉ.

– Et alors ?

– Vous auriez pu embarquer Moorcroft et le conduire de l'autre côté du fleuve.

– J'aurais pu, j'imagine, mais je ne l'ai pas fait.

– L'agression a été violente.

– Si vous le dites.

– Je le dis. Il a dû y avoir du sang partout.

Reacher hocha la tête.

– Agressions violentes et sang partout vont souvent de pair.

– Parlez-moi de vos vêtements.

– Quels vêtements ?

– Ceux que vous portez.

Reacher baissa les yeux.

– Ils sont neufs. Je viens de les acheter.

– Où ?

– Dans une rue commerçante, à deux pâtés de maisons de mon motel.

– Pourquoi les avez-vous achetés ?

Elle sera libre de ses mouvements sous peu.

– C'était le moment.

– Vos autres vêtements étaient sales ?

– Sans doute.

– Quelque chose les avait tachés peut-être ?

– Comme quoi ?

– Du sang, par exemple.

– Non, il n'y avait pas de sang dessus.

– Où se trouvent-ils maintenant?

Reacher garda le silence.

Podolski poursuivit :

– Nous avons parlé au réceptionniste de votre motel. Il a déclaré que vous aviez insisté pour qu'on vide vos poubelles.

– Je n'ai pas vraiment insisté.

– Malgré tout, il les a vidées. Comme vous le lui aviez demandé. Juste avant le passage du camion poubelle. Donc maintenant, vos anciens vêtements ont disparu.

– Coïncidence.

– C'est commode, n'est-ce pas? commenta de nouveau Podolski.

Reacher ne répondit pas.

– Le réceptionniste les a examinés. Il est du genre à faire ça. Ils étaient trop grands pour lui, évidemment, mais ils auraient pu avoir de la valeur. Il se trouve qu'ils n'en avaient pas. Trop sales, a-t-il déclaré. Et trop tachés. Notamment de sang, à ce qu'il lui a semblé.

– Pas celui de Moorcroft en tout cas, dit Reacher.

– Celui de qui alors?

– Je les portais depuis un moment. Ma vie est dure.

– Vous vous battez beaucoup?

– Aussi peu que possible. Mais je me coupe parfois en me rasant.

– Vous avez aussi pris une douche, n'est-ce pas?

– Quand?

– Quand vous avez jeté les habits. Le réceptionniste du motel a déclaré que vous aviez demandé des serviettes propres.

– Oui, j'ai pris une douche.

– Vous en prenez deux par jour d'habitude?

– Ça m'arrive.

– Aviez-vous une raison particulière de le faire aujourd'hui?

Elle sera libre de ses mouvements sous peu.

– Non, je n'en avais pas.

– Pour rincer le sang peut-être?

– Je ne saignais pas.

– Que trouverons-nous si nous examinons les canalisations?

– De l'eau sale.

– Vous êtes sûr ?

– La chambre tout entière est sale.

– Vous êtes inculpé pour homicide en ce moment, est-ce exact ? Un homicide remontant à seize ans ? Juan Rodriguez ? Un type que vous avez tabassé ?

– C'est une accusation mensongère.

– J'ai déjà entendu ça. Et c'est aussi ce qu'a dit le colonel Moorcroft, n'est-ce pas ? Le major Sullivan m'a confié que vous aviez abordé le sujet avec lui. Mais Moorcroft n'a pas compati. Ça vous a mis en colère ?

– Ça m'a un peu contrarié.

– Oui, ce doit être lassant de rencontrer une telle incompréhension.

– Moorcroft est vraiment très amoché ?

– Vous vous sentez coupable maintenant ?

– Je suis inquiet. Pour lui et pour sa cliente.

– D'après mes informations, vous n'avez jamais rencontré cette femme.

– Ça devrait changer quelque chose ?

– Les médecins pensent que Moorcroft pourrait se réveiller. Personne ne peut dire quand, ni dans quel état il sera. S'il se réveille.

– J'ai passé une partie de la matinée au QG de la 110e.

Podolski acquiesça.

– Environ vingt minutes en tout. Nous avons vérifié. Qu'avez-vous fait ensuite ?

– Je me suis baladé.

– Où ?

– Ici et là.

– Quelqu'un vous a-t-il vu ?

– Je ne crois pas.

– C'est commode, dit Podolski pour la troisième fois.

– Vous vous adressez à la mauvaise personne, inspecteur. La dernière fois que j'ai vu Moorcroft, il quittait la salle à manger des officiers ici même, gai comme un pinson. L'individu qui l'a attaqué se promène en liberté en se moquant de vous pendant que vous perdez votre temps avec moi.

– En d'autres termes, ce n'est pas vous, c'est un autre ?

– Évidemment.

– J'ai déjà entendu ça, dit à nouveau Podolski.

– Ça vous est déjà arrivé de vous tromper?

– Aucune importance. Ce qui importe, c'est de savoir si je me trompe maintenant. J'ai un type avec des antécédents de violence qu'on a vu se disputer avec la victime juste avant le moment du crime, puis qui a pris sa seconde douche de la journée, a eu accès à un véhicule, et n'est pas en mesure de justifier de tous ses mouvements. Vous avez été flic, non? Que feriez-vous?

– Je trouverais le coupable. Je suis sûr que j'ai vu ça écrit quelque part.

– Supposons que le coupable affirme être innocent?

– Ça arrivait sans cesse. Il faut faire preuve de discernement.

– C'est ce que je fais.

– Dommage.

– Montrez-moi vos mains.

Reacher posa les mains à plat sur la table. Elles étaient grandes, bronzées, parcheminées et rêches. Les jointures étaient légèrement roses et gonflées. À cause des événements de la veille. Les deux types en tee-shirt. Le crochet du gauche et l'uppercut du droit. De gros impacts. Pas les plus gros de tous les temps, mais puissants. Podolski les observa un long moment.

– Peu concluant. Vous avez peut-être utilisé une arme. Un objet contondant. Les médecins m'éclaireront là-dessus.

– Bien, et maintenant?

– C'est au procureur de décider. En attendant, vous allez me suivre. Je veux que vous soyez incarcéré en ville.

Le silence se fit dans la pièce, puis Espin s'exprima pour la première fois.

– Non. C'est inacceptable. Il reste ici. Notre homicide l'emporte sur votre agression.

– Priorité aux événements de ce matin par rapport à ceux d'il y a seize ans.

– Détention vaut titre. Nous le détenons. Pas vous. Imaginez toute la paperasse…

Podolski ne répondit pas.

— Mais vous pourrez venir lui parler quand vous voulez, précisa Espin.

— Il sera incarcéré ? demanda Podolski.

— Aussi à l'étroit qu'une sardine dans sa boîte.

— Marché conclu, dit Podolski.

Il se leva, ramassa son stylo et son carnet, puis il quitta la pièce.

**

Ensuite, tout se déroula comme pour une détention provisoire de routine. On le fouilla de nouveau, on lui confisqua ses lacets, puis on le conduisit, en le poussant un peu, le long d'un couloir aveugle et étroit. Il passa devant deux salles d'interrogatoire plus vastes qui se faisaient face, puis on lui fit prendre deux couloirs pour atteindre la zone de détention. Qui était beaucoup plus coquette que certaines qu'il avait vues. On s'y serait cru dans un hôtel de chaîne plus que dans une prison. C'était un dédale de petits corridors et de petits halls et la cellule elle-même avait un air de chambre de motel. Sécurisée, bien sûr, avec des verrous et des serrures, une porte en acier qui s'ouvrait vers l'extérieur, une étroite fenêtre à barreaux de trente centimètres de haut à ras de plafond, une installation sanitaire en métal et un lit de camp étroit du genre qu'on trouve dans les casernes, mais malgré tout spacieuse et confortable. Mieux que la chambre près de la trois-voies, dans l'ensemble. Ça ne faisait pas un pli. Il y avait même une chaise à côté du lit. La Joint Base Dyer-Helsington dans toute sa splendeur. Les prisonniers de haut rang étaient logés à meilleure enseigne que les officiers subalternes à l'extérieur.

Reacher s'assit sur la chaise.

Espin attendit sur le seuil.

Espérer que tout se passe bien, se préparer au pire.

— Il faut que je voie le capitaine de permanence dès que possible, lança Reacher.

— Il va passer de toute façon, répondit Espin. Il va devoir vous préciser le règlement.

— Je le connais. J'ai été capitaine de permanence moi-même autrefois. Mais j'ai quand même besoin de le voir au plus vite.

– Je ferai passer le message, lui répondit Espin.

Et il sortit.

La porte claqua, les clefs tournèrent dans les serrures et les pênes s'enfoncèrent dans leurs gâches.

***

Vingt minutes plus tard, il entendit les mêmes bruits, mais dans l'ordre inverse. Les verrous claquèrent, les pênes sortirent des gâches, et la porte s'ouvrit. La grande perche de capitaine passa la tête sous le linteau et entra.

– Vous allez nous poser des problèmes ? demanda-t-il à Reacher.

– Je ne vois pas pourquoi je vous en parlerais. Tant que vous vous comporterez tous correctement.

Le grand type sourit.

– Qu'est-ce que je peux faire pour vous ?

– Vous pouvez appeler quelqu'un de ma part. Le sergent Leach de la 110ᵉ. Dites-lui où je suis. Elle pourrait avoir un message à me transmettre. Et si c'est le cas, vous pouvez venir m'en informer.

– Vous voulez aussi que je donne à manger à votre chien et que je passe chercher vos costumes au pressing ?

– Je n'ai pas de costumes au pressing. Ni de chien. Mais vous pouvez appeler le major Sullivan, au JAG, si vous préférez. C'est mon avocate. Dites-lui que je veux la voir avant la fermeture des bureaux, aujourd'hui même. Dites-lui que j'ai besoin de la consulter. Dites-lui que c'est extrêmement important.

– C'est tout ?

– Non. Vous pourrez ensuite appeler le capitaine Edmonds, aux Ressources humaines. C'est mon autre avocate. Dites-lui que je veux la voir juste après le major Sullivan. Dites-lui que je dois m'entretenir avec elle de questions urgentes.

– Autre chose ?

– Combien de clients avez-vous aujourd'hui ?

– Il n'y a que vous et un autre.

– Le major Turner, c'est bien ça ?

– Exact.

– Elle se trouve près d'ici ?

– Nous n'avons qu'une zone de détention.

– Il faut qu'elle sache que son avocat est hors de combat. Il faut qu'elle en prenne un autre. Vous devez aller la voir et vous assurer qu'elle le fasse.

– La demande est étrange.

– Je n'ai rien à voir avec ce qui est arrivé à Moorcroft. Vous le saurez bientôt. Et le meilleur moyen de ne pas passer pour une truffe, c'est de commencer par ne pas faire l'andouille.

– C'est quand même une requête étrange. Qui vous a nommé président de l'Union pour les droits civiques ?

– J'ai juré sous serment de faire respecter la Constitution. Et vous aussi. Le major Turner a le droit d'être représentée de manière équitable en toutes circonstances. C'est la théorie. Et un manquement ferait mauvaise impression quand la procédure d'appel arrivera. Alors dites-lui qu'elle doit voir quelqu'un d'autre. Dès que possible. Cet après-midi, ce serait bien. Assurez-vous qu'elle le comprenne.

– Autre chose ?

– On a terminé. Merci capitaine.

– Il n'y a pas de quoi.

Le grand se retourna, se plia de nouveau sous le linteau et gagna le couloir. La porte claqua, la clef tourna et les pênes s'enfoncèrent dans leurs gâches.

Reacher, lui, resta assis sur sa chaise.

***

Un quart d'heure plus tard, les bruits de porte recommencèrent. Serrures, verrous. Cette fois, le capitaine resta dans le couloir. Pour ménager ses cervicales.

– Message du sergent Leach, de votre QG. Les deux hommes en Afghanistan ont été retrouvés morts. Sur un sentier escarpé de l'Hindu Kuch. Ils ont reçu des balles dans la tête. Du neuf millimètres, probablement. Il y a trois jours, apparemment.

Reacher marqua une pause.

– Merci, capitaine.

Espérer que tout se passe bien, se préparer au pire.
Et le pire s'était produit.

16

Reacher resta assis sur sa chaise, à réfléchir intensément et à lancer une pièce imaginaire dans sa tête. Premier coup : pile ou face ? Une chance sur deux, évidemment : la pièce était imaginaire. Alors qu'avec une vraie, lancée pour de vrai, le rapport aurait tendu vers les cinquante et un contre quarante-neuf en faveur de la face placée sur le dessus au début. Personne ne peut expliquer pourquoi, mais le phénomène s'observe facilement de manière empirique. Quelque chose à voir avec les axes de rotation multiples, le mouvement ondulatoire, l'aérodynamique et la différence habituelle entre la théorie et la pratique.

Mais la pièce de Reacher était imaginaire. Donc, deuxième coup. Pile ou face ? Encore exactement une chance sur deux. Même chose pour le troisième, et le quatrième. Chaque lancer était un événement unique, avec une probabilité identique, et statistiquement indépendant des précédents. Toujours une chance sur deux, chaque fois. Mais cela ne signifiait pas que la probabilité de tirer face quatre fois d'affilée soit de cinquante pour cent. Loin de là. Les chances d'un tel résultat sont d'environ six contre quatre-vingt-quatorze. Bien pire que cinquante-cinquante. Simple calcul.

Et Reacher avait besoin de tirer face quatre fois d'affilée. Pour commencer : Susan Turner allait-elle obtenir un nouvel avocat dans l'après-midi ? Réponse : Soit oui soit non. Cinquante-cinquante. Tout comme en tirant à pile ou face. Ensuite : Est-ce que ce nouvel avocat serait un Blanc ? Réponse : Soit oui soit non. Cinquante-cinquante. Et encore : Qui du major Sullivan ou du capitaine Edmonds arriverait la première dans le bâtiment au moment où le nouvel avocat de Susan Turner s'y trouverait ? En supposant qu'on lui en fournisse un.

Réponse : Soit l'une soit l'autre. Cinquante-cinquante. Et enfin : Les trois avocats entreraient-ils tous par le même portail ? Réponse : Soit oui soit non. Cinquante-cinquante.

Quatre réponses par oui ou par non, chacune constituant un événement unique. Avec chacune une équiprobabilité parfaite. Mais pour quatre réponses exactes d'affilée, les chances tombaient à six pour cent.

Espérer que tout se passe bien. Ce qu'il fit. Dans une certaine mesure légitimement, se dit-il. Les statistiques sont froides et indifférentes. Ce que n'est pas nécessairement le monde réel. L'armée est une institution imparfaite. Même dans des unités non engagées dans les combats comme le JAG, elle n'est pas parfaitement impartiale, en matière de discrimination sexuelle par exemple. Les plus hauts grades sont de préférence attribués aux hommes. Et on jugerait nécessaire qu'un haut gradé intervienne pour défendre un major de la police militaire accusé de corruption. Donc la détermination du sexe du nouvel avocat de Susan Turner ne reposait pas exactement sur une probabilité de cinquante pour cent. On serait sans doute plus proche de soixante-douze pour cent, dans la direction souhaitée. Moorcroft était un homme, après tout. Et Blanc. Certes, les Noirs étaient bien représentés dans l'armée, mais pas en plus grande proportion que dans la population civile, qui en compte à peu près un huitième. Soit, dans le cas présent, environ treize contre quatre-vingt-sept.

Et Reacher pourrait retenir au moins l'une de ses avocates dans le bâtiment quasi éternellement. Il lui suffirait de prolonger l'entretien. De lui soumettre une série de problèmes imaginaires. De lui jouer la grande scène du type anxieux. Il pouvait la retenir des heures, jusqu'à ce qu'elle se lasse ou s'impatiente suffisamment pour abandonner les convenances juridiques et les bonnes manières. Donc les chances que son avocate et l'avocat de Turner soient présents au même moment dans le bâtiment dépassaient aussi les cinquante pour cent. Pour arriver sans doute là encore à soixante-dix. Peut-être même mieux.

Et les visiteurs réguliers de Fort Dyer sauraient peut-être que l'entrée nord était plus proche du corps de garde. On pouvait donc s'attendre à ce qu'ils l'utilisent. Peut-être. Ce qui laissait à la question du portail une probabilité de cinquante pour cent, elle aussi. À condition que l'avocat de Turner visite régulièrement la base.

Et ce n'était peut-être pas le cas. Les premiers de la classe ne se déplacent pas forcément beaucoup. Disons donc du cinquante-cinq à quarante-cinq. Avantage faible. Pas écrasant.

Néanmoins, dans l'ensemble, les chances de réussite du plan dépassaient les six pour cent.

Mais de peu.

Et encore dans l'hypothèse où Turner obtiendrait un nouvel avocat.

Espérer que tout se passe bien.

***

Il attendit. Détendu, patient, immobile. Il compta les minutes. Quinze heures. Quinze heures trente. Seize heures. La chaise était confortable. La pièce bien chauffée. Et assez bien isolée. Le bruit filtrait très peu de l'extérieur. Il n'entendait que des sons étouffés. Non pas que l'endroit ressemblât de près ou de loin à une prison normale. C'était un établissement civilisé, pour gens civilisés.

Il espérait que tous ces éléments l'aideraient.

***

Finalement, à 16 h 30, les verrous claquèrent, la clef tourna dans la serrure, la porte s'ouvrit et le capitaine grande perche annonça :

– Le major Sullivan est arrivé et souhaite vous voir.

Le spectacle commençait.

17

Le capitaine resta en retrait et laissa Reacher passer devant lui. Le couloir formait un coude sur la gauche, puis sur la droite. Reacher reconstitua la géographie à partir du peu qu'il avait vu. Le bureau principal devait se trouver à environ trois détours de couloir. Mais un peu loin tout de même. Avant, il y avait le petit hall carré avec les portes verrouillées, le réceptionniste et la porte de derrière ouvrant sur l'extérieur. Et encore avant, les salles d'interrogatoire, de chaque côté d'un petit corridor. Sur la droite, les pièces miteuses destinées aux flics et aux suspects, et sur la gauche, celles qu'il avait aperçues en se rendant vers les cellules, un peu plus grandes. Au nombre de deux. Sa destination, supposait-il. Plus confortables pour les entretiens entre les avocats et leurs clients. Et pourvues de portes à panneau vitré, de petits rectangles étroits en verre de sécurité, décentrés, au-dessus des poignées.

Il jeta un coup d'œil par la première vitre, sans s'arrêter, en faisant mine de rien, et vit Sullivan assise du côté gauche d'une table, dans son uniforme de classe A bien entretenu, les mains posées sur sa mallette fermée. Il continua de marcher jusqu'à la seconde porte, devant laquelle il s'arrêta. Et regarda par la vitre assez ostensiblement.

La seconde pièce était vide.

Ni client ni avocat, homme ou femme.

Ni pile ni face.

Pas encore.

Derrière lui, le grand type lança :

— Attendez, major. Pour vous, c'est dans l'autre, celle d'avant.

Reacher se tourna et revint sur ses pas. La porte n'était pas fermée à clef. Le capitaine se contenta de tourner la poignée pour ouvrir. Reacher tendit l'oreille. Bruit sec métallique, grincement régulier des gonds, sifflement d'air comprimé des joints en silicone. Pas retentissant, mais caractéristique. Il entra. Sullivan leva la tête. Le grand type lui lança :

— Sonnez quand vous aurez terminé, maître.

Reacher s'assit en face de Sullivan. Le capitaine ferma la porte et s'éloigna. Elle n'était pas fermée à clef parce qu'il n'y avait pas de poignée à l'intérieur. Seulement une surface plane, à laquelle il manquait quelque chose, curieusement, comme un visage dépourvu de nez. Une sonnette était fixée près du chambranle. *Sonnez quand vous aurez terminé.* La pièce était sobre et agréable. Sans fenêtres, mais plus propre et mieux entretenue que celle du flic. L'ampoule éclairait davantage.

Sullivan garda sa mallette fermée, et les mains posées dessus.

– Je ne vous représenterai pas dans l'affaire de l'agression de Moorcroft. En fait, je ne veux pas du tout de vous comme client.

Reacher ne répondit pas. Il se concentrait sur ce qu'il pouvait entendre dans le couloir. Pas grand-chose, mais peut-être assez.

– Major ? lui lança Sullivan.

– Ils vous ont commise à ma défense, alors habituez-vous.

– Le colonel Moorcroft est un ami.

– Votre ancien prof ?

– Un de mes profs.

– Alors, vous connaissez ce genre de types. Dans leur tête, ils n'ont jamais vraiment quitté leur salle de classe. C'est un truc socratique, enfin, peu importe comment on appelle ça. Il me faisait marcher, juste pour le plaisir. Il m'a contredit, juste pour s'amuser, parce que c'est leur méthode. Vous êtes partie et il a dit qu'il allait s'occuper des papiers dès qu'il aurait mangé son toast. C'est ce qu'il avait l'intention de faire depuis le début. Mais il n'est pas du style à fournir des réponses directes.

– Je ne vous crois pas. Aucun document n'a été déposé ce matin.

– La dernière fois que je l'ai vu, il quittait le réfectoire. Environ deux minutes après vous.

– Alors vous niez, comme pour les autres ?

– Réfléchissez, maître. Mon objectif était de sortir le major Turner de sa cellule. Comment l'agression de Moorcroft m'aurait-elle aidé ? Ça m'aurait retardé d'au moins un jour, voire deux ou trois.

– Pourquoi vous souciez-vous autant du major Turner ?

– Sa voix m'a plu quand je lui ai parlé au téléphone.

– Vous étiez peut-être en colère contre Moorcroft.

– J'avais l'air en colère ?

– Un peu.

– Vous faites fausse route, major. Je n'avais pas l'air en colère du tout. Parce que je ne l'étais pas. J'attendais patiemment. Ce n'était pas le premier intello que je rencontrais. J'ai fait des études, après tout.

– Je me suis sentie mal à l'aise.

– Qu'avez-vous raconté à Podolski ?

– Uniquement ça. Il y a eu un différend et je me suis sentie mal à l'aise.

– Vous lui avez dit que les esprits se sont échauffés ?

– Vous l'avez défié. Vous vous êtes disputés.

– J'étais censé faire quoi ? Me lever et le saluer ? Ce n'est pas le président de la Cour suprême.

– Les preuves contre vous sont considérables. Les vêtements en particulier. C'est classique.

Reacher ne répondit pas. Il tendait de nouveau l'oreille. Il entendit des pas dans le couloir. Deux personnes. Deux hommes. Des voix étouffées. Des phrases courtes, pas une discussion. Un échange d'informations succinct et ordinaire. Les pas se rapprochèrent. Il ne perçut aucun bruit de porte. Aucun bruit sec, aucun grincement, aucun sifflement.

– Major ? lui lança Sullivan.

– Avez-vous un portefeuille dans votre mallette ?

– Pardon ?

– Vous avez bien entendu.

– Pourquoi en aurais-je un ?

– Parce que vous n'avez pas de sac à main et, si je peux me permettre cette remarque, votre uniforme a une coupe très près du corps et ne présente aucun renflement au niveau des poches.

Elle garda les mains sur sa mallette.

– Oui, j'ai un portefeuille dedans, dit-elle.

– Combien d'argent contient-il ?

– Je ne sais pas. Trente dollars peut-être.

– Quel était le montant de votre dernier retrait au distributeur ?

– Deux cents dollars.

– Il y a aussi un téléphone portable à l'intérieur ?

– Oui.

– Alors les preuves sont aussi nombreuses contre vous que contre moi. De toute évidence, vous avez appelé un complice à qui vous avez offert cent soixante-dix dollars pour démolir le portrait de votre ancien prof. Peut-être parce que vos notes n'étaient pas excellentes. Peut-être parce que vous lui en vouliez encore.

– C'est ridicule.

– C'est bien ce que je dis.

Elle ne répondit pas.

– Comment étaient vos notes ? reprit Reacher.

– Pas excellentes.

Il tendit de nouveau l'oreille. Pas un bruit dans le couloir.

– L'inspecteur Podolski demandera qu'on fouille les décharges, poursuivit Sullivan. Il trouvera vos vêtements. Ce ne sera pas difficile. Dernier jeté, premier récupéré. Est-ce qu'ils résisteront à l'analyse ADN ?

– Facilement, répondit Reacher. Ce n'est pas moi.

D'autres pas dans le couloir. Feutrés, deux personnes. À la file peut-être. Une personne en conduisant une autre. Une pause, une explication, une phrase ordinaire à dix syllabes, à voix basse. Peut-être : *C'est là, colonel. L'autre est occupé.* Puis des portes qui s'ouvrent, le bruit sec métallique de la poignée, le grincement des gonds, le bruit de succion du joint en silicone.

L'arrivée d'un avocat. Celui de Turner, de toute évidence, le seul autre client du bâtiment. Et l'avocate de Reacher se trouvait encore à l'intérieur. Son premier avocat, pour l'instant. Jusqu'ici, tout se passait bien.

Face et face.

Et de deux.

– Parlez-moi de la déclaration sous serment de Rodriguez, reprit Reacher.

– Une déclaration sous serment est un acte authentifié par une personne assermentée.

– Ça, je le sais. Comme je l'ai dit à votre vieux pote Moorcroft, ce n'est pas sorcier. L'expression « sous serment » suppose un tiers assermenté. Mais est-ce que ça fait vraiment parler Rodriguez depuis la tombe ? Au sens propre ? Dans le monde réel ?

Elle ôta les mains de sa mallette pour la première fois. Et les balança comme si elle pesait le pour et le contre. Dubitative. Des gestes d'intello. *Peut-être que oui peut-être que non.* Elle se lança.

– Dans la jurisprudence américaine, il est plutôt inhabituel de s'appuyer sur une déclaration sous serment non fondée, en particulier si la personne qui a prêté serment n'est pas disponible pour un contre-interrogatoire. Mais on peut l'autoriser, lorsque ça sert les intérêts de la justice. Ou les relations publiques, si vous voulez être cynique. Et de toute façon, l'accusation soutiendra que la déclaration de Rodriguez n'est pas vraiment infondée non plus. Ils ont le compte rendu quotidien grâce aux dossiers de la 110ᵉ, qui prouve que vous lui avez rendu visite, et ils ont le rapport des urgences immédiatement après, qui, lui, indique le résultat de cette visite. Ils affirmeront que les trois éléments réunis constituent un récit cohérent et sans faille.

– Vous pouvez démontrer le contraire ?

– Bien entendu. Mais nos arguments paraissent soudain trop faibles pour tenir la route. Ce qu'ils vont plaider tient parfaitement debout, et relève du bon sens ordinaire. Cela s'est produit, puis cela, puis cela. Il nous faudra supprimer le « cela » du milieu et le remplacer par un élément qui aura l'air assez peu plausible. Disons par exemple : vous êtes parti et il s'est trouvé que quelqu'un d'autre est arrivé au même endroit au même moment et a réduit le gars en bouillie.

Reacher ne répondit pas. Il tendait de nouveau l'oreille.

– Notre problème est de savoir si une tentative de défense qui échoue agacera le tribunal au point de vous condamner à une peine plus lourde que celle que vous auriez récoltée en plaidant coupable. C'est un risque sérieux. Je vous conseillerais de ne pas le prendre et d'accepter l'accord. Deux ans valent mieux que cinq ou dix.

Reacher ne répondit pas. Il tendait toujours l'oreille. Au début, il n'entendit que le silence. Puis ce furent d'autres pas dans le couloir. Deux personnes. L'une derrière l'autre.

– Major ? lui lança Sullivan.

Puis : porte qui s'ouvre. La même. Bruit sec métallique de la poignée, grincement des gonds, bruit de succion du joint en silicone. Une pause, puis les mêmes bruits, en séquence inverse, quand elle se referma. Et des pas. Un individu qui s'éloigne.

Turner se trouvait donc maintenant dans la pièce voisine avec son avocat et le couloir était vide.

Le spectacle commençait.

— J'ai un gros souci avec ma cellule, maître, se plaignit Reacher. Vous devez vraiment venir voir.

18

— Quel problème avez-vous avec votre cellule? demanda Sullivan, un peu méfiante, mais sans impatience.

Elle n'allait pas d'emblée refuser de considérer la requête. Les avocats de la défense se coltinent tout un tas de salades. Les suspects tentent toujours de trouver une faille ou une faiblesse. Pour l'inévitable pourvoi en appel. Manque de respect, injustice supposée, tout doit être étudié et évalué. Reacher le savait. Il connaissait les règles du jeu.

— Je ne veux pas vous influencer, dit-il. Je ne veux pas devancer votre jugement impartial. Je veux que vous constatiez les choses par vous-même.

— Maintenant?

— Pourquoi pas?

— OK, répondit-elle un peu méfiante.

Elle se leva. Avança jusqu'à la porte. Appuya sur la sonnette.

Et laissa sa mallette sur la table.

Reacher se leva et attendit derrière l'avocate.

Une minute.

Deux.

Puis l'étroite vitre s'obscurcit, la porte s'ouvrit et le capitaine de garde demanda:

— Vous avez terminé, maître?

— Non, il a un problème avec sa cellule.

Le grand échalas regarda Reacher d'un air interrogateur, en partie résigné, en partie surpris, comme pour dire: *Ah vraiment? Toi? Tu lui sers ce vieux bobard?*

Mais il répondit :

– OK, si vous voulez… On va jeter un coup d'œil.

Comme il le devait. Il connaissait les règles du jeu.

Reacher sortit le premier. Sullivan le suivit. Le capitaine fermait le rang. Ils avancèrent en file indienne, tournèrent à gauche, puis à droite, jusqu'à la porte de la cellule, déverrouillée puisqu'il ne se trouvait pas à l'intérieur. Il l'ouvrit et la tint pour les autres. Le grand sourit, la tint lui-même et lui adressa le signe « après vous ». Il était idiot, mais tout de même pas atteint de lésions cérébrales.

Reacher entra le premier. Puis ce fut le tour de Sullivan. Et enfin du grand échalas. Reacher s'arrêta et tendit le doigt.

– Là, dit-il. Dans la fissure.

– Quelle fissure ? demanda Sullivan.

– Au sol, près du mur. Sous la fenêtre.

L'avocate avança. Le capitaine s'arrêta avant le lit.

– Je ne vois pas de fissure, dit Sullivan.

– Il y a un truc dedans. Ça gigote, insista Reacher.

Sullivan se figea. Le capitaine se pencha. C'était dans la nature humaine. Reacher se pencha dans le sens opposé. Inclinaison très légère, mais suffisante pour que le centre de gravité du gardien se déporte d'un côté et le sien de l'autre. Reacher lui poussa violemment le bras, sous l'épaule, tel un nageur qui repousse le mur de la piscine, et le grand échalas s'effondra sur le lit comme s'il tombait du haut d'échasses. L'avocate se retourna. Reacher gagna la porte, se retrouva dans le couloir, ferma derrière lui et verrouilla.

Puis il refit le chemin en sens inverse en courant, gêné par ses bottes sans lacets, dépassa la pièce où se trouvait la mallette de Sullivan, atteignit l'autre bureau, se tint bien en retrait, et regarda par la petite vitre rectangulaire.

Et vit Susan Turner pour la première fois.

Ça valait vraiment la peine d'attendre.

Vraiment.

Elle était assise du côté droit de la table. Portait un treillis de l'armée auquel on avait retiré toutes les bandes Velcro et les écussons, et des bottes de combat sans lacets. Elle mesurait trois ou quatre centimètres de plus que la moyenne. Mince, ossature fine, cheveux bruns ramenés en arrière, peau mate et yeux noisette au regard profond. Son visage trahissait surtout la fatigue, mais laissait aussi deviner la force de caractère, l'intelligence, et une sorte de malice, de détachement ironique.

Époustouflante, tout bien considéré.

Ça valait vraiment la peine d'attendre, se dit-il à nouveau.

Son avocat, un général de division en uniforme classe A, était assis à gauche de la table. Cheveux gris et visage ridé. Âge moyen, carrure moyenne.

Un homme.

Blanc.

Face.

Et de trois.

***

Il avança jusqu'à la porte, entre l'endroit où il se trouvait et le hall du fond. Il n'y avait pas de poignée à l'intérieur. Juste une sonnette, comme dans les salles de réunion. Il ôta ses chaussures d'un coup de pied, appuya sur le bouton, énergiquement, avec insistance. Moins de cinq secondes plus tard, la porte s'ouvrait sur le réceptionniste du hall, main sur la poignée. Ses clefs étaient accrochées à un anneau en métal à crochets qui ressemblait à un équipement d'alpinisme, tout ça fixé à une boucle de sa ceinture.

– Votre capitaine a une attaque! lança-t-il à bout de souffle. Ou une crise cardiaque. Il s'agite dans tous les sens. Vous devez aller voir. Tout de suite, soldat!

Sens du commandement. Très précieux dans l'armée. Le type hésita moins d'une seconde avant de s'engager dans le couloir. La porte commençant à se fermer, Reacher glissa sa botte gauche dans l'interstice avec le chambranle, puis se retourna pour suivre le type. Il courut derrière lui, sans ses chaussures, sans faire de bruit, puis le dépassa et ouvrit brutalement la première porte qu'il trouva. Déverrouillée parce que la pièce était vide.

Mais plus pour longtemps.

– Là, lui indiqua Reacher.

Le type de la réception entra tête baissée. Reacher lui arracha les clefs, et l'anneau de ceinture au passage, le bouscula violemment, l'envoya valser à l'intérieur et verrouilla.

Puis inspira profondément, et souffla.

Le plus dur restait à faire.

19

Pieds nus et à pas feutrés, il retourna jusqu'au bureau où l'attaché-case de Sullivan était toujours posée sur la table. Il ouvrit le battant en grand, se précipita à l'intérieur, prit la mallette, fit rapidement volte-face et passa la porte avant qu'elle ne se referme bruyamment derrière lui. Il s'agenouilla dans le couloir et se pencha sur l'attaché-case. Négligea les dossiers et la paperasse juridique, fouilla, et trouva une clef de voiture qu'il rangea dans une poche de son pantalon. Il découvrit ensuite le portefeuille, puis mit la main sur la carte militaire. Sullivan se prénommait Helen. Il glissa la carte dans sa poche de chemise. Prit l'argent et le rangea dans l'autre poche de son pantalon. Trouva un stylo, arracha un petit triangle de papier à une photocopie de formulaire, écrivit : *Chère Helen, j'ai une dette de 30 dollars envers vous*, et signa Jack Reacher. Il plaça le bout de papier dans le compartiment à monnaie, ferma le portefeuille, et ferma la mallette.

Et se releva, l'attaché-case à la main.

Inspira profondément, souffla.

Le spectacle commençait.

Il avança. De quatre mètres. Jusqu'à la pièce suivante. Jeta un coup d'œil par la vitre étroite. Susan Turner parlait, calmement, rassemblant ses arguments en se servant de ses mains pour distinguer chacune de ses idées. Son avocat, la tête penchée sur le côté, écoutait et prenait des notes sur un bloc à feuilles lignées jaunes. Son attaché-case était ouvert sur la table, repoussé sur le côté. Moins rempli que celui de Sullivan. Mais les poches du type étaient plus pleines. Son uniforme n'était pas très bien coupé. Trop ample. La bande patronymique sur le rabat de sa poche indiquait « Temple ».

Reacher avança de nouveau, jusqu'à la porte entre lui et le hall. Il remplaça sa botte gauche par les clefs de voiture de Sullivan pour que la porte ne se verrouille pas et remit ses chaussures, sans leurs lacets. Puis il retourna vers la salle où Turner était interrogée et s'arrêta devant.

Inspira profondément, souffla.

Il ouvrit, vite et sans mal, entra, se tourna, se baissa, plaça encore une fois l'attaché-case de Sullivan contre le montant de la porte pour l'empêcher de se refermer. Se retourna. Turner et son avocat le regardaient. Le visage de ce dernier ne trahissait pas grand-chose, mais Turner, elle, parut subitement le reconnaître.

— Colonel, je dois contrôler votre carte, dit Reacher.

— Qui êtes-vous ? demanda Temple.

— J'appartiens à l'agence de renseignements du ministère de la Défense. C'est un contrôle de routine, monsieur.

Le sens du commandement. Très précieux dans l'armée. Le type marqua un temps d'arrêt, puis sortit sa carte militaire d'une poche intérieure. Reacher avança vers lui, la lui prit, et l'examina. *John James Temple*. Il haussa les sourcils comme s'il était surpris, l'examina de nouveau, puis la glissa dans sa poche de chemise, contre celle de Sullivan.

— Excusez-moi, colonel, mais je dois vous accaparer une minute.

Il recula jusqu'à la porte, la tint ouverte. *Après vous.* Le type eut l'air d'hésiter un instant, puis il se leva, lentement. Reacher jeta un coup d'œil à Turner par-dessus son épaule et lui lança :

— Attendez ici, mademoiselle. Nous revenons tout de suite.

L'avocat marqua une pause, puis le précéda d'un pas traînant.

— À droite, monsieur, je vous prie, lui indiqua Reacher.

Qui le suivit, en traînant les pieds lui aussi, mais littéralement, à cause de ses bottes délacées. Le point faible. Les avocats ne sont pas forcément les individus les plus observateurs, mais ils ont un cerveau et raisonnent en général avec logique. Et cette phase du plan était une opération à vitesse réduite. Sans urgence, ni précipitation, ni panique. Pratiquement au ralenti. Le type avait donc le temps de réfléchir.

Ce dont évidemment il tira profit.

Environ six mètres avant la première cellule vide, il s'arrêta brusquement, se retourna et porta son regard vers le bas. Sur les bottes de Reacher. Celui-ci le fit aussitôt pivoter à cent quatre-vingts degrés et lui décocha la prise « arrestation d'un officier supérieur d'état-major » que tous les membres de la police militaire apprennent en début de carrière, mais qui n'est mentionnée nulle part dans le manuel militaire, et n'est enseignée d'aucune manière sinon à travers des allusions et des exemples. Avec la main gauche, Reacher saisit le coude droit de Temple par-derrière, serra fort, puis le tira vers le bas et le projeta en avant. Comme toujours, le type dut concentrer ses forces pour s'opposer à la traction vers le bas au point d'en oublier complètement de résister à la poussée horizontale. Il chancela en avant, en crabe, tordu et voûté, un peu pantelant, pas vraiment à cause de la douleur, plutôt parce qu'il avait honte de voir sa dignité ainsi offensée. Ce dont Reacher se réjouit. Il ne voulait pas le blesser. Après tout, ce type n'y était pour rien.

Il le conduisit jusqu'à une cellule ouverte et vide, où il supposa, au juger, que Turner avait été détenue, le poussa à l'intérieur et verrouilla.

Puis il resta un instant dans le couloir, inspira profondément et souffla.

Paré à virer.

Il retourna à la seconde salle de réunion, entra. Susan Turner se tenait debout, entre la table et la porte. Il lui tendit la main.

— Jack Reacher, dit-il.

— Je sais qui vous êtes. J'ai vu votre photo. Dans votre dossier. Et j'ai reconnu votre voix. À cause de notre conversation au téléphone.

Et il reconnut la sienne. À cause de leur conversation au téléphone. Chaude, légèrement rauque, un peu voilée, déjà un peu familière. Aussi séduisante que dans son souvenir. Peut-être même mieux en vrai.

— Je suis vraiment ravi de vous rencontrer, reprit-il.

Elle lui serra la main. Poignée de main chaleureuse, ni ferme, ni molle.

– Je suis vraiment ravie de vous rencontrer, moi aussi. Mais que faites-vous exactement ?

– Vous savez ce que je fais. Du moins, je l'espère. Parce que si ce n'est pas le cas, vous ne méritez pas que je le fasse.

– Je ne voulais pas que vous vous en mêliez.

– D'où l'interdiction de vous rendre visite ?

– J'ai pensé que vous pourriez venir. Et si vous le faisiez, je voulais que vous preniez vos jambes à votre cou et que vous fichiez le camp, immédiatement. Dans votre intérêt.

– Ça n'a pas marché.

– Quelles sont nos chances de sortir d'ici ?

– Jusqu'à présent, on a eu de la veine.

Il sortit de sa poche la carte d'identité de Sullivan. Compara la photo avec le visage de Turner. Même sexe. À quelque chose près même couleur de cheveux. Mais ça s'arrêtait là. Il lui tendit la carte.

– Qui est-ce ? demanda-t-elle.

– Mon avocate. Une de mes avocates. Je l'ai rencontrée ce matin.

– Où est-elle en ce moment ?

– Dans une cellule. Sans doute en train de cogner à la porte. Nous devons partir tout de suite.

– Et vous, vous prenez la carte de mon avocat ?

Il tapota sa poche.

– Elle est là.

– Mais vous ne lui ressemblez pas du tout.

– C'est pour ça que vous allez prendre le volant.

– Il fait déjà nuit ?

– Ça en prend le chemin.

– Alors allons-y.

Ils gagnèrent le couloir et atteignirent la porte du sas de sécurité encore maintenue ouverte par la clef de voiture de Sullivan. Reacher la poussa. Turner ramassa la clef, puis ils entrèrent dans le petit hall carré, et la porte se referma derrière eux en chuintant. L'accès extérieur était bloqué par un petit mécanisme bien pensé, sans aucun doute hors de prix et hautement sécurisé. Reacher sortit les clefs du réceptionniste, les essaya l'une après l'autre. Il y en avait huit en tout. La première ne fonctionna pas. Ni la seconde. Ni la troisième. Ni la quatrième.

Mais la cinquième si. La serrure s'ouvrit avec un petit *clic*. Il tourna la poignée, la tira. De l'air frais s'engouffra à l'intérieur. La lumière de l'après-midi déclinait.

— Quelle voiture cherchons-nous? demanda Turner.

— Une berline vert foncé.

— Ça m'aide beaucoup. Sur le parking d'une base militaire.

Chaude, rauque, voilée, familière.

Ils sortirent. Reacher referma le battant derrière eux et verrouilla. Ça pourrait leur laisser une minute supplémentaire. Devant eux sur la gauche, à environ trente mètres, un petit parking sur une étendue de bitume déserte. Dix-sept voitures y étaient garées. Véhicules personnels pour la plupart. Dont seulement deux berlines, aucune des deux verte. Derrière, la route dessinait un coude vers l'ouest. Sur la droite, cette même voie ébauchait un virage, puis disparaissait à la vue.

— D'après vous? demanda Turner.

— Dans le doute, tourner à gauche, répondit Reacher. J'ai toujours appliqué cette méthode.

Ils prirent à gauche et découvrirent un autre parking caché derrière l'angle du bâtiment. Il était petit, rien de plus qu'une bande de terrain avec des places en épi délimitées par des plots en béton. Six voitures y étaient garées, toutes en marche avant. Toutes des berlines du même vert foncé.

— C'est mieux, fit remarquer Turner.

Elle se posta à égale distance des six pare-chocs arrière et actionna la clef électronique.

Rien.

Elle réessaya. Rien.

— La batterie est peut-être morte, suggéra-t-elle.

— Celle de la voiture?

— Non, celle de la clef.

— Alors comment Sullivan est-elle venue ici?

— Elle a tourné la clef dans la serrure. Comme on le faisait dans le temps. On va devoir essayer de les ouvrir une par une.

— On ne peut pas. On aura l'air de voleurs.

– C'est ce que nous sommes.

– Peut-être qu'aucune n'est la bonne. Je n'ai pas pu lire la plaque. Il faisait sombre ce matin.

– On ne peut pas traîner sur cette base plus longtemps.

– On aurait peut-être dû tourner à droite.

Ils revinrent sur leurs pas, aussi rapides et discrets qu'ils le pouvaient avec leurs bottes sans lacets, passèrent à nouveau devant la porte de derrière de la maison d'arrêt, et avancèrent un peu vers l'angle du bâtiment. Marcher leur faisait du bien. La liberté, l'air frais. Reacher avait toujours imaginé que le plus agréable quand on sortait de prison, c'était de parcourir les trente premiers mètres. Et la présence de Turner à ses côtés lui plaisait. Elle était nerveuse comme un chat, mais elle gardait son sang-froid. Elle avait l'air confiant. Ils n'étaient rien de plus que deux personnes en train de discuter, des imposteurs comme les autres : *Faire comme si on était censé se trouver là.*

Il y avait une autre aire de stationnement à proximité de l'angle est, six places en épi, symétriques à celles qu'ils avaient déjà vues à l'ouest. Trois voitures y étaient garées. Une seule berline. Vert foncé. Turner appuya sur la clef.

Rien ne se produisit.

Elle s'approcha, essaya de l'introduire dans la serrure.

Ce n'était pas la bonne.

– Par où entre un avocat qui visite le poste de garde ? demanda-t-elle. Le portail principal, non ? Il y a un parking devant ?

– Forcément. Mais j'aimerais mieux qu'il n'y en ait pas. Nous y serions très visibles.

– On ne peut pas rester ici. On est des proies faciles.

Ils avancèrent jusqu'à l'angle de la façade du bâtiment et s'arrêtèrent juste avant, dans l'ombre. Reacher pressentait qu'il y avait un espace dégagé devant eux, peut-être des lampadaires et peut-être de la circulation.

– À trois, lança Turner. Un, deux, trois.

Ils passèrent l'angle du bâtiment. *Faire comme si on était censés se trouver là.* Ils avancèrent d'un pas pressé, tels des gens affairés qui savent où ils vont. Une voie de dégagement d'urgence courait le long de la façade du bâtiment, puis, au-delà d'un terre-plein central, s'étendait un long parking à une seule file, où il ne restait qu'une place libre. Et à gauche était garée une berline vert foncé.

– C'est elle, dit Reacher. J'ai l'impression de la reconnaître.

Turner fonça droit vers le véhicule, appuya sur la clef. L'habitacle s'éclaira, les feux de direction clignotèrent une fois et le *clic* d'ouverture des portières se fit entendre. Devant, à environ cent mètres sur la gauche, une voiture roulait lentement vers eux, à une vitesse prudente, habituelle sur une base, phares allumés pour combattre l'obscurité. Ils se séparèrent. Reacher prit à droite et Turner à gauche le long des flancs de la voiture verte, Reacher côté passager, Turner côté conducteur. Ils ouvrirent, et montèrent de concert, sans aucune hésitation. L'autre voiture approchait. Ils claquèrent leurs portières tels deux employés débordés qui disposent seulement de quelques minutes entre deux rendez-vous d'une importance capitale. Turner mit la clef dans le contact et démarra le moteur.

La voiture qui venait vers eux s'engagea sur le parking et roula dans leur direction, par la gauche, les éclairant avec les faisceaux de ses phares.

– Démarrez, lança Reacher. Allez-y.

Turner n'en fit rien. Elle passa la marche arrière, appuya sur l'accélérateur, mais le véhicule ne bougea pas. Il se contenta de se cabrer, bloqué par le frein à main.

– Merde! s'écria-t-elle.

Elle abaissa le levier tant bien que mal, mais il était déjà trop tard. L'autre voiture se trouvait juste derrière eux. Elle s'arrêta, les bloquant, puis le conducteur braqua à fond et avança lentement de nouveau pour se garer sur la place libre à côté d'eux.

C'était le capitaine Tracy Edmonds. L'avocate de Reacher. Celle qui travaillait pour les Ressources humaines. L'affaire Candice Dayton. Le second rendez-vous de l'après-midi.

Il se laissa glisser sur son siège et se prit la tête dans les mains comme s'il avait mal au crâne.

– Quoi? lui demanda Turner.

– C'est mon autre avocate. Le capitaine Edmonds. J'ai planifié deux rendez-vous à la suite.

– Pourquoi?

– Je voulais être sûr d'être sorti de ma cellule quand votre avocat se pointerait.

– Débrouillez-vous pour qu'elle ne vous voie pas.

– C'est le moindre de nos soucis. Les choses vont se gâter une minute après qu'elle sera entrée, vous ne croyez pas?

– Vous auriez pu deviner qu'un avocat suffirait.

– Vous l'auriez deviné, vous?

– Sans doute que non.

À côté d'eux, Edmonds manœuvra pour se ranger bien droit sur sa place attitrée. Et éteignit ses phares. Turner alluma les siens, recula aussitôt et donna un violent coup de volant. Edmonds ouvrit sa portière et sortit de la voiture. Reacher se cacha le visage avec les mains. Turner enclencha la position marche avant du levier, redressa, puis démarra, lentement. Edmonds attendait patiemment qu'elle ait fini. Turner lui adressa un geste de remerciement et accéléra.

– Portail sud, vous ne croyez pas? proposa Reacher. Je pense que tous ces types sont entrés par le nord.

– D'accord, répondit Turner.

Elle traversa le complexe en roulant vers le sud, vite, mais sans être suicidaire, longea des bâtiments, grands et petits, tourna de temps en temps, ralentit de temps à autre, marqua les stops, regarda sur la droite, sur la gauche, avança de nouveau, puis la base à proprement parler fut enfin derrière eux et ils se retrouvèrent sur la route de sortie en direction de la première barrière du poste de garde.

Le premier des trois.

20

Passer la première barrière fut un jeu d'enfant. *Faire comme si on était censés se trouver là.* Turner prit la carte empruntée par Reacher, la présenta avec la sienne en éventail comme une paire de trois, ralentit pour rouler au pas, appuya sur le bouton d'ouverture de sa vitre, sur celui du coffre, puis s'arrêta. Prestation exécutée avec naturel, en une série de gestes fluides, comme si ça faisait partie de son quotidien.

Le planton dans la guérite répondit parfaitement à la prestation, comme Turner devait l'espérer. Il jeta un coup d'œil de moins d'une seconde aux papiers en éventail, inspecta moins d'une seconde le coffre ouvert, et le referma en moins d'une seconde.

Elle appuya sur la pédale d'accélérateur, roula.

Et souffla.

— Edmonds doit être à l'intérieur maintenant, lui dit Reacher.

— Vous avez des idées brillantes à proposer ?

— Au moindre problème, accélérez. Traversez la barrière. Bousiller un bout de métal à rayures ne peut pas nous causer beaucoup plus d'ennuis que nous en avons déjà.

— On risque d'écraser une sentinelle.

— Elle s'écartera vite. Les sentinelles sont des hommes comme les autres.

— Et de cabosser une voiture de l'armée.

— J'en ai déjà cabossé une. Hier soir. Avec le crâne de deux types.

— On dirait que vous aimez endommager les biens de l'armée avec des crânes, fit-elle remarquer.

Voix chaude, rauque, voilée, familière.

— Mon bureau par exemple, ajouta-t-elle.

Il acquiesça. Il lui avait raconté l'anecdote au téléphone. Depuis le Dakota du Sud. Une vieille enquête, et la légère frustration qui en avait résulté. Un bref incident, copieusement relaté. Juste pour qu'elle continue de parler. Juste pour entendre sa voix un peu plus longtemps.

— Qui sont les deux types d'hier soir ? demanda-t-elle.

— C'est compliqué. Je vous raconterai plus tard.

— J'espère que vous serez en mesure de le faire.

Ils roulèrent vers le deuxième poste de garde. Où un passage en force s'avéra inenvisageable. Il était 17 heures tout juste passées. L'heure de pointe, à la sauce armée. Une modeste file de véhicules attendait pour sortir et une modeste file attendait pour entrer. Deux voitures s'étaient déjà alignées sur la voie de sortie et trois sur la voie d'entrée. Il y avait deux hommes en faction. L'un observait à gauche et à droite, laissait entrer un véhicule, puis en laissait sortir un autre, en respectant un roulement précis.

L'autre était à l'intérieur de la guérite.

Au téléphone. Il écoutait attentivement.

Turner s'arrêta. Troisième voiture dans la queue, sur une voie qui rétrécissait, guérite devant elle sur la gauche, et rangée serrée de dents de dragon sur la droite : de massives pyramides tronquées, hautes d'environ quatre-vingt-dix centimètres, en béton armé et profondément ancrées dans le sol.

Le deuxième type était toujours au téléphone.

Dans l'autre file, la barrière se leva et une voiture entra. Le premier type se pencha un bref instant, examina la carte d'identité, examina le coffre, puis appuya sur un bouton. La barrière se leva, et une voiture sortit.

— Peut-être que l'heure de pointe joue en notre faveur, dit Reacher. Les contrôles sont vite expédiés.

— Tout dépend de la teneur du coup de fil.

Reacher s'imagina Tracy Edmonds pénétrant dans le poste de garde par l'entrée principale, entrant ensuite dans le bureau de l'accueil et n'y trouvant pas le capitaine de permanence. Un réceptionniste hocherait la tête et daignerait aller vérifier, en traînant les pieds. Jusqu'où irait la patience d'Edmonds ? Et celle du réceptionniste ? Bien sûr, le système hiérarchique jouerait son rôle. Edmonds était capitaine, elle aussi. Comme le capitaine de permanence. Deux officiers de même grade. Elle serait indulgente avec lui. Elle ne monterait pas tout de suite sur ses grands chevaux, comme pourrait le faire un major ou un colonel. Et le réceptionniste mettrait sûrement du temps avant d'intervenir.

Le type de la guérite était toujours au téléphone. À l'extérieur, le premier lançait toujours des regards d'un côté et de l'autre. Une deuxième voiture entra, et une deuxième sortit. Turner avança, s'arrêta. Elle était la première dans la file sortante à présent, mais elle était aussi complètement coincée. Sur la gauche, sur la droite, derrière par deux voitures et devant par la barrière de métal à rayures. Elle inspira profondément, ouvrit le coffre, agita les cartes militaires, puis abaissa sa vitre.

Le deuxième type raccrocha. Reposa le combiné sur son socle et fixa la file sortante. La balaya du regard, de gauche à droite et de droite à gauche en commençant par Turner et en finissant par elle. Il sortit de la guérite et s'approcha de la fenêtre.

— Désolé pour l'attente, dit-il.

Il jeta un coup d'œil aux papiers, recula, jeta un coup d'œil au coffre, le referma lui-même, pressa le bouton fixé sur le côté de la guérite, et la barrière se leva. Turner démarra.

Et souffla.

— Encore une, dit Reacher. Et ça va bien se passer. Jamais deux sans trois.

— Vous y croyez vraiment ?

— Non, pas vraiment. Les probabilités que trois propositions en oui ou non se réalisent favorablement sont d'environ douze pour cent.

Plus loin devant, le troisième point de contrôle semblait être la parfaite réplique du second. Même queue, mêmes voitures côté sortie, queue similaire côté entrée, deux sentinelles en faction, l'une dehors à se pencher pour les contrôles, l'autre à l'intérieur au téléphone. À écouter attentivement.

— Ces appels doivent être importants, non ? Parce qu'ils ont mieux à faire, là, tout de suite. Ça retarde un tas d'officiers supérieurs. Et certains doivent être des marines. Ils n'apprécient pas ce genre de chose.

— Parce que nous si ?

— Non, mais pas dans la même mesure qu'eux. On ne se tient pas toujours prêts à intervenir pour sauver le monde.

— Mon père était un marine.

— Il a sauvé le monde ?

— Il n'était pas officier supérieur d'état-major.

— J'aimerais savoir qui était à l'autre bout du fil.

Reacher repensa à l'époque où il était capitaine. Combien de temps aurait-il attendu pour qu'un autre capitaine termine ses contrôles ? Pas longtemps, sans doute. Mais Edmonds était peut-être plus aimable que lui. Plus patiente. Ou peut-être se sentait-elle un peu larguée dans une prison militaire. Cela dit, elle était avocate. Elle avait dû en voir d'autres. À moins qu'elle soit surtout gratte-papier. Genre avocate paperassière. C'était possible. Elle était assignée aux Ressources humaines, après tout. Ça devait bien vouloir dire quelque chose. Quelle proportion des activités des Ressources humaines est réalisée dans les cellules ?

— C'est une grande base, la rassura Reacher. Ces appels ne viennent pas nécessairement de la prison.

— Qu'est-ce qui pourrait avoir autant d'importance ?

— Ils doivent peut-être libérer le passage pour un général. Ou peut-être qu'ils commandent des pizzas. Ou annoncent à leurs copines qu'ils seront bientôt rentrés à la maison.

— Espérons que c'est pour une de ces raisons, dit-elle. Ou pour toutes.

La barrière de la file opposée se leva et une voiture entra. Le garde traversa jusqu'à la file sortante, contrôla les papiers, le coffre, leva la barrière, et une voiture partit. Turner avança d'une place. Le type dans la guérite était toujours au téléphone.

Toujours à écouter attentivement.

— Ils n'ont même pas besoin de coup de fil, lui fit remarquer Turner. Je ne porte ni ruban ni badges. On me les a confisqués. J'ai la parfaite dégaine du prisonnier en fuite.

— Ou du dur à cuire des Forces spéciales. Infiltré et anonyme. Voyez les choses du bon côté. Évitez juste qu'ils voient vos bottes.

Une autre voiture entra, une autre sortit. Turner avança et gagna le devant de la file. Déclencha l'ouverture du coffre, présenta les papiers en éventail, baissa sa vitre. Le type de la guérite était toujours au téléphone. Le type de dehors s'occupait de l'autre file. Devant, au-delà de la dernière barrière, il n'y avait plus d'obstacles antichars et la voie de sortie s'élargissait pour devenir une rue ordinaire de Virginie.

Où était garée une voiture de patrouille de la police du comté d'Arlington.

– Vous voulez toujours que je me fasse la malle?

– Uniquement si c'est nécessaire.

Le type de dehors termina son contrôle et leva la barrière de l'entrée. Le type de dedans cessa d'écouter et raccrocha. Il sortit, se pencha et examina les papiers que tenait Turner. Et ne se contenta pas d'y jeter un coup d'œil. Son regard passait des photos aux visages. Reacher détourna les yeux, fixa un point droit devant lui, resta enfoncé dans son siège et essaya d'avoir l'air d'un quinquagénaire de taille moyenne. Le type s'approcha du coffre. Y donna plus qu'un coup d'œil. Puis il posa la main sur le hayon, le rabaissa lentement et le referma avec douceur.

Gagna le côté de la guérite.

Et actionna le bouton de sortie.

La barrière se leva bien haut. Turner appuya sur l'accélérateur. La voiture démarra, passa sous la barrière, puis devant les dernières dents de dragon et se retrouva dans une jolie petite rue de banlieue, large, florissante et bordée d'arbres. Turner dépassa la voiture de police d'Arlington et continua au-delà.

Le capitaine Tracy Edmonds doit être bigrement patiente, songea Reacher.

21

Susan Turner semblait connaître le réseau routier local. Elle tourna à gauche, à droite, contourna l'angle nord du cimetière, tourna encore et longea en partie son côté gauche.

– On prend la direction d'Union Station, dit-elle. Pour abandonner la voiture et leur laisser croire qu'on a pris le train.

– Ça me va.

– Comment voulez-vous vous y rendre?

– Quel est l'itinéraire le plus stupide?

– À cette heure-ci ? Les voies secondaires, sans doute. Constitution Avenue, c'est sûr. On ira lentement et on sera repérables pendant tout le trajet.

– C'est ce qu'on va faire. Ils ne s'y attendront pas.

Turner se mit en position dans la file pour traverser le fleuve. Ça roulait mal. Chez les civils aussi, c'était l'heure de pointe. Pare-chocs contre pare-chocs, une sorte de parking mobile. Elle tambourinait sur le volant, regardait dans le rétroviseur, espérant passer d'une file à l'autre pour avancer un peu.

– Détendez-vous, lui dit Reacher. L'heure de pointe joue vraiment en notre faveur maintenant. On ne risque plus de nous prendre en chasse.

– À moins qu'ils se servent d'un hélico.

– Ils ne le feront pas. Pas ici. Ils auraient trop peur de tuer un membre du Congrès s'ils s'écrasaient. Ça n'arrangerait pas leur budget.

Ils montèrent sur le pont, lentement, passèrent au-dessus du fleuve et laissèrent le comté d'Arlington derrière eux.

– À propos de budget, reprit Turner, je n'ai pas d'argent. Ils ont pris toutes mes affaires et les ont mises dans un sac en plastique.

– Moi aussi. Mais j'ai emprunté trente dollars à mon avocate.

– Pourquoi vous a-t-elle prêté de l'argent ?

– Elle ne sait pas qu'elle m'en a prêté. Pas encore. Mais elle le découvrira bientôt. Je lui ai laissé une reconnaissance de dette.

– Il va nous falloir plus que trente dollars. J'ai besoin de vêtements civils, pour commencer.

– Et moi de lacets. Il va falloir trouver un distributeur.

– On n'a pas de cartes.

– Il existe plusieurs modèles de distributeurs.

Ils descendirent du pont, lentement, s'arrêtant, redémarrant, et atteignirent le district de Columbia. Sous contrôle de la police municipale. Reacher repéra aussitôt deux voitures de patrouille devant eux. Garées nez à nez le long du trottoir derrière le Lincoln Memorial. Leurs moteurs tournaient, et elles comptaient à elles deux une dizaine d'antennes radio. Chaque véhicule contenait un flic, bien au chaud, bien installé. Il espéra qu'il s'agissait d'une mesure de sécurité ordinaire. Turner changea de file et les dépassa en prenant la voie la plus éloignée, celle qu'ils ne pouvaient pas voir à cause de la circulation pare-chocs contre pare-chocs. Les flics ne bronchèrent pas.

**

Ils progressèrent dans la pénombre grandissante, lentement, en s'arrêtant sans cesse, anonymes dans la meute glaciale des cinquante mille véhicules qui encombraient les quelques kilomètres de rues. Ils roulèrent vers le nord dans la 23e Rue, celle où se trouvait le pâté de maisons que Reacher avait longé la veille, puis ils tournèrent à droite dans Constitution Avenue, longue ligne droite devant eux, flot interminable de feux arrière rouges.

— Parlez-moi des deux types d'hier soir, reprit Turner.

— Je suis arrivé en bus et je suis allé directement à Rock Creek. J'avais l'intention de vous inviter à dîner. Mais vous n'étiez pas là, manifestement. Et le type qui vous remplaçait m'a parlé d'une accusation d'agression bidon portée contre moi. Un membre de gang auquel on s'est intéressé il y a pas moins de seize ans. Comme ça ne m'impressionnait pas, il m'a déballé le titre 10 et m'a rappelé au service.

— Comment? Vous êtes de retour dans l'armée?

— Depuis hier après-midi.

— Remarquable.

— Ce n'est pas l'impression que ça me donne. Pour l'instant.

— Qui me remplace?

— Un lieutenant-colonel, un certain Morgan. Un gestionnaire, à le voir. Il m'a cantonné dans un motel situé au nord-ouest du bâtiment, et environ cinq minutes après mon arrivée, deux mecs se sont pointés en voiture. Des sous-officiers, c'est sûr, la vingtaine, des fanfarons qui prétendaient que j'avais discrédité l'unité et qui m'ont conseillé de quitter la ville pour leur épargner le désagrément d'un passage en cour martiale et m'ont menacé de me casser la gueule si je restais. J'ai donc envoyé leurs crânes cogner contre la portière de leur voiture.

– Mais qui étaient-ils ? Vous avez pu avoir des noms ? Je ne veux pas de ce genre d'individu dans mon unité.

– Ils n'étaient pas de la 110e. C'était très clair. Il faisait chaud dans leur voiture. Ils l'avaient conduite sur une distance bien plus longue que les deux kilomètres depuis Rock Creek. Qui plus est, leur maîtrise du combat était très en dessous du niveau requis. Ils n'étaient pas des vôtres. J'en suis certain parce que j'ai procédé à une espèce de décompte officieux des effectifs quand j'étais dans le bâtiment. Je me suis baladé et j'ai regardé dans toutes les pièces. Et ils ne s'y trouvaient pas.

– Alors qui étaient-ils ?

– Deux petites pièces d'un grand puzzle.

– À quoi ressemble le modèle sur la boîte ?

– Je l'ignore, mais je les ai revus aujourd'hui. De loin seulement. Ils sont passés au motel, avec des renforts. Deux autres gars, quatre au total. Pour moi, ils étaient venus vérifier que j'étais bien parti ou alors ils avaient l'intention d'accélérer ma décision.

– S'ils ne sont pas de la 110e, pourquoi voudraient-ils que vous partiez ?

– Exactement. Ils ne me connaissent même pas. En général les gens ne veulent me voir partir qu'après m'avoir rencontré.

Ils avancèrent lentement, passèrent devant le mémorial des vétérans du Vietnam. Une autre voiture de la police locale s'y trouvait. Moteur en marche, hérissée d'antennes.

– On peut considérer que les choses se sont gâtées à l'heure qu'il est, non ?

– À moins que votre capitaine Edmonds ne se soit endormie.

Ils roulèrent au ralenti à la hauteur du véhicule de police, assez près pour que Reacher puisse voir le flic à l'intérieur. C'était un grand Noir, mince comme une brindille. Il aurait pu être le frère du capitaine de permanence, celui de Fort Dyer. Ce qui aurait été malencontreux.

– De quelle agression remontant à seize ans êtes-vous accusé ?

– Un membre de gang de L.A. vendait de l'équipement au marché noir après le retrait des forces de l'opération Tempête du désert. Un gros idiot obèse qui se faisait appeler Dog. Je me rappelle lui avoir parlé. Difficile de l'oublier, en fait. C'était une vraie armoire à glace. Il vient de mourir, apparemment. En laissant derrière lui une déclaration sous serment où mon nom figure partout. Mais je ne l'ai pas frappé. Je n'ai même pas posé la main sur lui. Je peine à imaginer comment j'aurais pu. J'aurais été plongé dans la graisse jusqu'au coude avant d'atteindre du solide.

– Que s'est-il passé vraiment ?

– Je dirais qu'un client mécontent s'est pointé avec une bande de potes et tout un présentoir de battes de baseball. Et un peu plus tard, le gros a commencé à réfléchir aux moyens d'obtenir un dédommagement. Vous savez bien, quelque chose contre rien dans notre société où le litige est roi. Alors il est allé voir un requin spécialisé dans les affaires de dommages et intérêts qui n'a vu aucun avantage à poursuivre les types aux battes. Mais le gros a peut-être parlé de la visite d'un militaire. Du coup, l'avocat s'est dit que l'Oncle Sam était plein aux as et ils ont pondu une plainte bidon. Et il doit en exister des centaines de milliers d'autres, depuis le temps. Nos dossiers doivent en être farcis. Et, comme il se doit, elles sont toutes examinées, on en rigole et on les remise dans un tiroir où elles sont oubliées à jamais. Sauf que celle-là a été exhumée au grand jour.

– Parce que… ?

– C'est une autre pièce du puzzle. Morgan m'a dit que mon dossier était marqué « sensible ». Il a précisé que l'alerte ne s'est pas déclenchée quand vous avez demandé à le voir, mais qu'elle a fonctionné quand vous l'avez rendu. Je n'y crois pas. Nos bureaucrates sont plus doués que ça. Je ne pense pas du tout que mon dossier soit sensible. Je crois qu'on s'est précipité à la dernière minute. Quelqu'un a paniqué.

– À cause de vous ?

Reacher hocha la tête.

– Non, dit-il. À cause de vous au début. De vous et de l'Afghanistan.

Il cessa de parler parce que l'habitacle se remplissait de lumières bleu et rouge. Reflétées par les rétroviseurs. Une voiture de police forçait le passage derrière eux. Sa sirène hurlait, passant par toutes ses variantes digitales, rapide et insistante. Hurlement, gloussement frénétique, gémissement plaintif à deux tons. Reacher se retourna.

La voiture se trouvait environ vingt véhicules derrière eux. Devant lui, la file se rabattait contre le trottoir, se dispersait, chacun essayant de se faufiler pour gagner une voie sur la chaussée embouteillée.

Turner jeta elle aussi un coup d'œil en arrière.

– Détendez-vous, dit-elle. C'est une voiture de police locale. L'armée va nous poursuivre elle-même. Nous ne faisons pas appel à la police locale. Au FBI, peut-être, mais pas à ces clowns.

– Les flics me recherchent pour l'affaire Moorcroft. Votre avocat. Un inspecteur du nom de Podolski me croit coupable.

– Pourquoi?

– Je suis le dernier à avoir parlé à Moorcroft. Après, je me suis débarrassé de mes vêtements et je suis resté seul et sans témoin au moment important.

– Pourquoi avez-vous jeté vos vêtements?

– C'est moins cher que le pressing, l'un dans l'autre.

– De quoi avez-vous parlé avec Moorcroft?

– Je voulais qu'il vous sorte de prison.

Le flic était maintenant dix voitures derrière eux et se frayait un passage dans l'embouteillage, plutôt vite.

– Enlevez votre veste, lança Reacher.

– D'habitude, je demande un cocktail et un ciné avant d'enlever mes vêtements.

– Je ne veux pas qu'il voie votre uniforme. S'il me cherche, il vous cherche aussi.

– Il a sûrement le numéro de notre plaque d'immatriculation.

– Il peut ne pas la voir. On est pare-chocs contre pare-chocs.

Devant, les véhicules déviaient vers le caniveau. Turner les suivit, la main gauche sur le volant, la droite sur sa veste pour ouvrir la patte de boutonnage et la fermeture. Elle se pencha, haussa vivement l'épaule gauche pour la libérer, puis la droite. Retira son bras gauche de la manche. Même chose à droite. Reacher tira le vêtement par-derrière et le jeta sur le tapis de sol à l'arrière. Sous sa veste, Turner portait un tee-shirt kaki à manches courtes. Taille XS, sans doute. Un peu court. Mais il lui allait très bien. Le tissu arrivait tout juste au niveau de la ceinture du pantalon. Il aperçut deux centimètres de peau, lisse, ferme et bronzée.

Il regarda de nouveau derrière eux. Le flic était à présent deux voitures en arrière et remontait toujours la file, les lumières rouge et bleu toujours allumées, la sirène hurlant, gloussant et gémissant encore.

— Vous seriez venue dîner avec moi si vous aviez été à votre bureau hier ? Ou ce soir si Moorcroft vous avait fait sortir ?

— Vous avez vraiment besoin de le savoir ? répliqua Turner, les yeux rivés sur le rétroviseur.

Ils étaient à quelques mètres de la 17ᵉ Rue. Devant eux sur la gauche s'élevait le Washington Monument, illuminé dans l'obscurité.

La voiture de flic arriva à leur hauteur.

Et y resta.

22

Elle restait là parce que le véhicule qui la précédait ne s'était pas déporté vers le trottoir et parce que le suivant était un large pick-up avec des garde-boue arrière surdimensionnés au-dessus de ses roues jumelles. Le flic, un Blanc au cou épais, n'avait pas la place de passer. Reacher le vit jeter un coup d'œil à Turner, bref et dénué de curiosité, puis détourner le regard et le baisser sur le tableau de bord où se trouvaient manifestement les commandes de la sirène parce que, juste à ce moment-là, elle se mit à glousser en continu, frénétique, interminable et assourdissante.

Mais de toute évidence il y avait autre chose entre les sièges, et de toute évidence cette chose était bien plus intéressante que les commandes de la sirène. Parce que le flic gardait la tête penchée. Il observait avec attention. Un écran d'ordinateur, peut-être. Ou un autre moyen de communication moderne. Reacher avait déjà vu ce genre d'objets. Il était monté à bord de voitures de flics en civil de temps en temps. Certaines étaient munies de minces panneaux de bord gris montés sur des tiges en col de cygne et pleins d'informations en temps réel, de communiqués et de signaux d'alerte lumineux.

– On va avoir des ennuis, dit-il.

– De quel genre? demanda Turner.

– Je pense que ce type est en route pour Union Station, lui aussi. Ou pour la gare routière. Il nous cherche. D'après moi, il a des renseignements et des photos. C'est facile de se procurer des photos, auprès de l'armée, non? Je pense qu'il les a sous les yeux, là, maintenant. Vous voyez comme il s'efforce de ne pas nous regarder?

Turner jeta un coup d'œil sur sa gauche. Le type avait toujours les yeux baissés. Son bras droit bougeait. Peut-être essayait-il d'attraper son téléphone. Devant eux, la circulation se débloqua un peu. La voiture qui les précédait libéra le passage. Le pick-up aux garde-boue élargis s'écarta de quinze centimètres. Le flic avait la place de passer.

Mais il ne releva pas la tête. Et sa voiture ne bougea pas.

La sirène continuait de hurler. Il se mit à parler. Pas moyen d'entendre ce qu'il disait. Puis il se tut et écouta. On lui posait une question. Sans soute un protocole radio alambiqué pour dire : *Vous en êtes sûr ?* Parce que aussitôt il regarda dans leur direction en tendant un peu le cou vers la fenêtre passager pour mieux voir. Il dévisagea Turner une seconde, puis ses yeux se posèrent sur Reacher.

Ses lèvres bougèrent.

Une seule syllabe, brève, inaudible, mais assurément une labio-vélaire voisée suivie d'une voyelle fermée antérieure non arrondie. Donc presque à coup sûr : *Oui.*

Il détacha sa ceinture. Sa main droite se déplaça vers sa hanche.

– On quitte le navire, lança Reacher.

Il ouvrit grand sa portière et fit un roulé-boulé pour atterrir sur le bord du trottoir. Turner se précipita à sa suite par la portière opposée à la voiture du flic, enjambant la console centrale, sautant par-dessus le siège passager. La voiture avança et vint doucement se nicher dans celle de devant, comme pour lui donner un baiser. Turner se retrouva dehors, sens dessus dessous, gênée par ses bottes délacées. Reacher lui prit la main pour l'aider à se relever. Ils se dépêchèrent de traverser le trottoir pour atteindre le Mall. Les arbres dénudés et l'obscurité du soir se refermèrent sur eux. Derrière, on n'entendait plus que les gloussements stridents de la sirène. Ils firent une boucle à l'extrémité du bassin de la Reflecting Pool. Il faisait froid et Turner était en tee-shirt. Reacher enleva sa veste et la lui tendit.

– Mettez-la. Ensuite on se sépare. C'est plus sûr. Retrouvez-moi dans un quart d'heure devant le mémorial des vétérans du Vietnam. Si je ne viens pas, ne m'attendez pas, fuyez.

– Pareil pour moi, répondit-elle.

Elle partit d'un côté et lui de l'autre.

***

À cause de sa taille, on remarquait Reacher quel que soit le contexte. Il commença donc par chercher un banc. Il se força à avancer lentement, d'un pas tranquille, les mains dans les poches, imperturbable, parce qu'un homme qui court attire l'attention cent fois plus vite qu'un homme qui marche. Encore un vieil héritage de l'évolution. Le prédateur et la proie, le mouvement et l'immobilité. Il ne regardait pas non plus derrière lui. Et ne donnait pas de coups d'œil furtifs. Il regardait droit devant et se dirigeait vers ce qu'il voyait. La nuit tombait vite, mais le National Mall était encore très fréquenté. Pas autant qu'en été, mais beaucoup de touristes hivernaux y terminaient leurs journées et, un peu plus loin, le mémorial attirait la foule habituelle. Certains venaient se recueillir, d'autres rendre un hommage moins personnel. Il y avait aussi le troupeau d'hurluberlus que le monument semblait toujours attirer. Reacher ne voyait Turner nulle part. La sirène s'était tue, relayée par des klaxons tonitruants. Vraisemblablement, le flic était sorti de sa voiture et, vraisemblablement aussi, sa voiture et celle de Sullivan bloquaient la circulation.

Reacher repéra un banc libre dans l'obscurité vingt mètres plus loin, parallèle au bord du bassin à la surface immobile. Il s'en approcha d'un pas nonchalant, s'arrêta comme s'il se demandait s'il allait s'asseoir, s'assit et, penché en avant, posa les coudes sur ses genoux. Puis il baissa la tête dans l'attitude contemplative de l'homme plongé dans la méditation. Un regard prolongé et appuyé l'aurait trahi mais, de prime abord, rien dans sa posture ne laissait supposer « homme, grand », et rien ne suggérerait « fugitif ». Seul élément suspect : l'absence de veste. Le temps n'incitait pas vraiment à porter des manches courtes.

Trente mètres derrière lui les klaxons retentissaient toujours.

Il attendit, sans changer de position. Immobile et calme.

Puis, du coin de l'œil, il aperçut à quarante mètres le flic au cou épais. Il avançait, lampe torche à la main, mais sans arme. Il hochait la tête de gauche à droite, tendu, concentré sur sa recherche, sans doute dans le collimateur de son chef pour s'être fait feinter si près du but. Reacher entendit deux nouvelles sirènes, au loin, une au sud, en bas de C Street peut-être, et une au nord, dans la 15e Rue sans doute, ou la 14e, peut-être au niveau de la Maison-Blanche ou de l'aquarium.

Il patienta.

Le flic au cou épais se dirigeait vers le mémorial, mais s'arrêta à mi-chemin, et fit volte-face. Reacher sentit son regard glisser sur lui. Un type assis sans bouger, à fixer la surface de l'eau, ne présentait aucun intérêt quand il y avait partout des tas de possibilités bien plus vraisemblables, par exemple dans une foule de trente ou quarante personnes qui avancent vers la base du monument. Visite organisée ou inconnus qui marchent tous par hasard dans la même direction au même moment, ou peut-être un peu des deux. Des cibles mobiles. L'évolution. Le flic entreprit de les suivre. Assez bien vu côté pourcentage de réussite, se dit Reacher. Normalement, on se serait attendu à ce qu'il se déplace. Qu'il reste assis là sans rien faire n'était pas une évidence.

Les sirènes se rapprochèrent, mais pas tant que ça. Une espèce de centre de gravité semblait les attirer vers l'est. Une fois encore, c'était assez bien vu côté pourcentage de réussite. La police connaissait son secteur. Vraisemblablement. À l'est, les musées et les galeries, donc la foule. Venait ensuite le Capitole et, derrière lui, les meilleurs itinéraires pour fuir vers le nord ou le sud, par la route ou en train.

Il attendit sans bouger d'un millimètre, sans jeter un regard autour de lui, se contentant de fixer la surface de l'eau. Puis quand le chronomètre dans sa tête atteignit dix minutes précises, il se leva doucement et exécuta tous les mouvements auxquels il put penser qui suggéraient le moins l'homme en cavale. Il bâilla, posa fermement les mains sur ses reins, s'étira, bâilla à nouveau. Puis il se mit en chemin vers l'ouest, d'un pas tranquille, comme s'il avait tout son temps et, la Pool sur sa gauche, décrivit sans se presser une longue courbe entre les arbres dénudés qui le conduisit au mur en quatre minutes. Il s'y tint en marge de la foule, pèlerin parmi les autres. Chercha Susan Turner.

Et ne la vit nulle part.

23

Reacher parcourut le remblai au-dessus du mur : légère montée, terrain plat, puis la pente. De 1959 à 1975. Il reprit ensuite en sens inverse, de 1975 à 1959, passant ainsi au-dessus de plus de cinquante-huit mille noms gravés à deux reprises, mais sans voir Susan Turner nulle part. *Si je ne viens pas, ne m'attendez pas, fuyez*, lui avait-il conseillé. Elle avait répondu : *Pareil pour moi*. Et le quart d'heure dont ils étaient convenus était largement écoulé. Mais il resta. Il refit un passage, depuis les panneaux de vingt centimètres de haut qui portent la liste des premiers soldats tombés au début des affrontements, puis ceux de plus de trois mètres dédiés aux victimes du pic des combats en 1968 et 1969, jusqu'aux plaques de vingt centimètres à nouveau, rappelant les derniers morts isolés. Il observa tous les individus qu'il aperçut, directement ou reflétés dans le marbre noir. Pas de Susan Turner. Il quitta le monument par le côté évoquant la fin de la guerre. Devant lui sur le trottoir, les groupes habituels de marchands de souvenirs, vétérans pour certains, d'autres prétendant l'être, tous vendant à la criée de vieux écussons d'unités, des insignes de divisions, des Zippo gravés et mille autres objets sans aucune valeur hormis sentimentale. Comme toujours, les touristes s'approchaient, choisissaient, payaient et s'en allaient. Et, comme toujours, un petit comité pittoresque de rebelles traînait aux abords du site.

Reacher sourit.

Parce que l'une de ces rebelles était une fille mince avec un rideau de cheveux bruns devant le visage, une veste trop grande qui lui arrivait aux genoux enroulée deux fois autour d'elle, un pantalon de treillis et des bottes dont les languettes pendaient. Les manches de sa veste étaient roulées sur ses poignets et elle avait les mains dans les poches. Recroquevillée, tête baissée, hébétée, elle se balançait imperceptiblement d'une jambe sur l'autre, déconnectée, comme une camée.

Susan Turner, bien dans le rôle, se fondant dans le décor, cachée bien en évidence.

***

Il s'avança vers elle.

— Vous êtes très douée, lui dit-il.

— J'avais intérêt à l'être, répondit-elle. Je viens de croiser un flic. Aussi près que vous. C'est le type qu'on a vu dans la voiture de patrouille garée là-bas.

— Où est-il maintenant ?

— Il est parti vers l'est. Ils doivent faire comme un cordon de sécurité. Il ne m'a pas remarquée. Vous non plus, j'imagine.

— Je ne l'ai pas vu.

— Il a pris de l'autre côté de la Pool. Vous n'avez pas levé la tête une seule fois.

— Vous m'avez observé ?

— Oui. Et vous êtes plutôt doué vous aussi.

— Pourquoi m'observiez-vous ?

— Au cas où vous auriez eu besoin d'aide.

— S'ils ratissent l'est, on ferait mieux de prendre vers l'ouest.

— À pied ?

— Non, en taxi. Rien n'est plus invisible qu'un taxi dans cette ville.

Deux ou trois véhicules attendaient devant chaque site touristique important le long du Mall. Et le mur ne faisait pas exception. Des voitures fatiguées, à la peinture sale et avec des lumineux « taxi » sur le toit, étaient stationnées derrière le dernier kiosque à souvenirs. Reacher et Turner montèrent dans la première de la file.

– Cimetière d'Arlington, indiqua Reacher. Entrée principale.

Il lut la notice imprimée sur la portière. La course allait coûter trois dollars de prise en charge, plus deux dollars et seize *cents* par *mile*. Plus le pourboire. Ça ferait dans les sept dollars, au total. Et leur en laisserait dans les vingt-trois. Ça valait mieux que rien, mais était bien loin de ce dont ils allaient avoir besoin.

Ils s'assirent sur la banquette affaissée, puis le taxi s'aplatit et rebondit comme s'il était monté sur des roues carrées. Mais il accomplit le trajet. Par l'arrière du Lincoln Memorial, puis au-dessus du fleuve par le Memorial Bridge et jusqu'au comté d'Arlington. Jusqu'à l'arrêt de bus, à l'entrée du cimetière. À l'endroit exact d'où Reacher était parti, quasiment vingt-quatre heures plus tôt.

Progression assez étrange.

***

Une petite foule attendait à l'arrêt de bus à l'entrée du cimetière. Des hommes, tous hispaniques, tous petits, la peau mate, tous travailleurs, tous épuisés, patients et résignés. Reacher et Turner prirent place parmi eux. Turner se fondait plutôt bien dans le groupe. Pas Reacher. Il dépassait tout le monde d'au moins une tête et était deux fois plus large. Et beaucoup plus pâle. Il avait l'air d'un phare sur un rivage de rochers sombres. L'attente fut donc tendue. Et longue. Mais aucun véhicule de police ne passa et le bus finit par arriver. Reacher paya les tickets. Turner s'installa près d'une fenêtre. Il s'assit à côté d'elle, côté couloir et arrondit le dos tant qu'il put. Le bus démarra, lentement, laborieusement, pour effectuer le même parcours que Reacher avait fait la veille, passa devant l'arrêt où il était descendu au pied de la côte, et monta la pente raide qui menait au QG de la 110ᵉ.

– Ils vont appeler le FBI parce qu'ils vont se dire qu'on file dans un autre État. La seule question à se poser est donc : qui va appeler le premier ? Je parie sur la police de Washington. L'armée attendra demain matin, très probablement.

– Ça va aller, dit Reacher. Le FBI ne mettra pas de barrages routiers en place. Pas ici sur la côte Est. En fait, ils ne vont probablement même pas se bouger le cul. Ils vont se contenter de mettre nos papiers et nos cartes bancaires sous surveillance, ce qui n'a aucune importance de toute façon puisqu'on n'a rien de tout ça.

– Ils pourraient demander à la police locale de contrôler les gares routières.

– On va rester sur nos gardes.

– J'ai quand même besoin de vêtements. Au moins d'un pantalon et d'une veste.

– On a dix-neuf dollars. Vous pouvez avoir l'un ou l'autre.

– Un pantalon alors. Et je vous rends votre veste et en échange vous me donnez votre chemise.

– Sur vous, elle va avoir l'air d'une tente de cirque.

– J'ai vu des femmes porter des chemises d'homme. Comme des châles, façon chic et ample.

– Vous allez avoir froid.

– Je suis née dans le Montana. Je n'ai jamais froid.

Le bus monta péniblement la côte, passa devant le QG de la 110e. Le vieux bâtiment en pierre. Les grilles étaient ouvertes. Et la sentinelle dans sa guérite. Le garde de jour. La voiture de Morgan était encore sur le parking. La porte peinte était fermée. Il y avait de la lumière à toutes les fenêtres. Turner pivota sur son siège, pour garder l'endroit en vue aussi longtemps que possible. Jusqu'au dernier moment. Puis elle détourna les yeux et déclara :

– J'espère y retourner.

– Vous y retournerez.

– J'ai travaillé tellement dur pour y arriver… C'est un commandement super. Mais vous le savez déjà.

– Tous les autres nous détestent.

– Seulement si on fait notre boulot comme il faut.

Le bus tourna en haut de la côte pour accéder à la trois-voies toute proche, celle qui conduisait au motel de Reacher. La pluie s'annonçait. Juste un peu, mais suffisamment pour que le chauffeur enclenche les essuie-glaces.

– Alors, expliquez-moi pourquoi tout est ma faute. Pour l'Afghanistan, demanda Turner.

La route s'aplanit et le bus accéléra. Il passa en ferraillant devant le motel. Le parking était vide. Pas de voiture aux portières cabossées.

— Voici la seule explication logique : vous avez mis un renard dans le poulailler de quelqu'un et ce quelqu'un a voulu vous arrêter, répondit Reacher. Ce qui était assez facile. Parce qu'il s'est trouvé que personne d'autre dans l'unité ne savait en quoi consistait l'affaire. Votre capitaine des transmissions l'ignorait. Le sergent Leach aussi. Tout le monde l'ignorait. Il n'y avait que vous. Ils vous ont tendu un piège avec l'histoire du compte sur les îles Caïmans et ils vous ont arrêtée, ce qui a coupé vos lignes de communication. Qui sont restées coupées quand ils ont tabassé votre avocat, Moorcroft, dès qu'il a manifesté l'intention de vous sortir de prison. Le problème était réglé : vous étiez isolée. Vous ne pouviez parler à personne. Donc tout baignait. Sauf que les comptes rendus indiquaient que vous aviez passé des heures en communication téléphonique avec un type dans le Dakota du Sud. Et la rumeur dans le bâtiment a révélé que ce type avait été commandant de la 110e par le passé. Votre capitaine des transmissions le savait pertinemment puisque je le lui ai dit la première fois que j'ai appelé. Peut-être que plein de gens étaient au courant. En tout cas, on a bien reconnu mon nom quand je suis arrivé hier. Et on pouvait supposer que vous et moi avions des intérêts communs. Nous aurions pu parler du sujet brûlant. Soit on se contentait de tailler une bavette, soit vous me demandiez mon avis.

— Mais je ne vous ai pas du tout parlé de l'Afghanistan.

— Ils l'ignoraient. Le relevé téléphonique indique la durée de l'appel, pas son contenu. Ils n'avaient pas d'enregistrement. Donc, potentiellement, j'étais un détail à régler. Je savais peut-être ce que vous saviez. Ce qui n'était pas vraiment un problème puisqu'il y avait peu de chances que je vienne. Apparemment, ils s'étaient renseignés sur moi. Ils affirment savoir comment je vis. Mais, au cas où, ils ont échafaudé un plan. Ils avaient l'affaire Big Dog sous le coude, pour commencer.

— Je ne vois pas en quoi ça les aurait aidés. Vous auriez été dans le système avec tout le temps pour parler.

– J'étais censé m'enfuir. J'étais censé disparaître et ne plus rien avoir à faire avec l'armée pour le restant de ma vie. C'était leur plan. C'était le principe. Ils sont même venus au motel pour s'assurer que j'avais bien compris. Et l'affaire Big Dog était un choix parfait. Le type est mort et il y a une déclaration sous serment. Il n'y a pas vraiment de moyen de lutter contre ça. M'enfuir aurait été une décision parfaitement rationnelle. Le sergent Leach s'est dit que si elle trouvait un moyen de m'avertir, je ne demanderais pas mon reste.

– Pourquoi vous n'avez pas fui ?

– Je voulais vous inviter à dîner.

– Non, franchement ?

– Ce n'est pas mon style. Je l'ai compris vers l'âge de cinq ans. Soit on fuit soit on se bat. C'est un choix binaire et je suis un bagarreur. En plus, ils avaient autre chose en réserve.

– Quoi donc ?

Samantha Dayton.

Sam.

Quatorze ans.

Je m'en occupe.

– Je vous raconterai plus tard. C'est une histoire compliquée.

***

Le bus progressait péniblement, en première et seconde, et son moteur Diesel était plus que bruyant. Il passa devant la rue commerçante que Reacher connaissait bien : quincaillerie, pharmacie, boutique d'encadrement, armurerie, dentiste et restaurant grec. Puis il entra dans un quartier que Reacher ne connaissait pas. Et poursuivit au-delà.

– Voyez les choses du bon côté. Votre problème n'est pas sorcier. C'est le lièvre que vous chassiez en Afghanistan qui est à l'origine de tout ce merdier. Il nous faut donc remonter à partir de là. Nous devons découvrir qui sont les amis du lièvre, qui a fait quoi, quand, comment et pourquoi, et après, nous devrons frapper fort.

– Ça va poser problème.

Il hocha la tête.

– Je sais. Ce ne sera pas facile. Pas de l'extérieur. C'est comme si on avait une main attachée dans le dos. Mais on fera de notre mieux.

– Malheureusement, ce n'est pas à ça que je pense.

– C'est-à-dire?

– Quelqu'un croit que j'ai une information que je ne détiens pas. C'est ça, le problème.

– Qu'est-ce que vous ne savez pas?

– Je ne sais pas qui est le lièvre. Ni ce qu'il peut bien ficher, où et pourquoi. Ni comment. En fait, je n'ai aucune idée de ce qui se passe en Afghanistan.

– Mais vous y avez envoyé deux hommes.

– Ça, c'était bien avant. Pour une raison complètement différente. À Kandahar. Pure routine. Aucun lien avec notre affaire. Mais, en cours de route, un informateur pachtoune leur a confié une rumeur selon laquelle un officier américain avait été vu évoluant vers le nord pour rencontrer un chef de tribu. L'identité de l'Américain était inconnue, tout comme son but, mais ça ne sentait pas bon. On est en train de se retirer. On est censés se diriger vers le sud, pas le nord, vers Bagram et Kaboul, avant de nous tirer de là. On n'est pas censés se déplacer vers le nord à l'intérieur des terres pour se rendre à des rendez-vous secrets avec des enturbannés. J'ai donc envoyé mes gars enquêter sur cette rumeur. C'est tout.

– Quand ça?

– La veille de mon arrestation. Je n'aurai donc même pas de nom tant qu'ils ne m'auront pas donné leur rapport. Ce qu'ils ne pourront pas faire. Pas avant que je réintègre la base.

Reacher garda le silence.

– Quoi? demanda-t-elle.

– C'est pire que ça.

– C'est possible?

– Ils ne pourront jamais vous faire leur rapport. Parce qu'ils sont morts.

24

Il lui parla des contrôles radio qui n'avaient pas été assurés, de l'agitation dans le vieux bâtiment en pierre, de la recherche aérienne semi-autorisée dans les environs de Bagram et des deux cadavres retrouvés sur le sentier de montagne. Turner se figea.

– C'étaient des types bien. Natty Weeks et Duncan Edwards. Weeks était un vieux de la vieille et Edwards était prometteur. Je n'aurais pas dû les laisser partir. L'Hindu Kush est trop dangereux pour deux hommes seuls.

– Ils n'ont pas été abattus par les membres d'une tribu. On leur a tiré dans la tête avec des cartouches de neuf millimètres. Des armes de poing de l'armée américaine, très probablement. Des Beretta M9, c'est presque certain. Des membres de tribu les auraient décapités. Ou auraient utilisé des AK-47. Les orifices d'entrée sont très différents.

– Alors ils ont dû s'approcher d'un Américain qu'il fallait éviter.

– Sans même le savoir. Vous avez réfléchi? Un pistolet contre la tempe, c'est plutôt intime comme contact. Ils n'auraient sûrement pas permis une telle proximité s'ils avaient eu le moindre doute.

– C'est très habile. Ils m'ont coincée, et des deux côtés. Ici et là-bas. Avant que j'obtienne quoi que ce soit. Et effectivement, là, maintenant, je n'ai rien. Rien du tout. Donc je suis complètement foutue. Je tombe, Reacher. Je ne vois pas comment je pourrais m'en sortir.

Il garda le silence.

***

Ils descendirent du car en Virginie, à Berryville, la dernière ville avant le terminus. C'était ce qu'il y avait de mieux à faire, selon eux. Un chauffeur pourrait se rappeler deux passagers atypiques restés à bord jusqu'au bout de la ligne. Surtout si des avis de recherche étaient passés à la radio ou à la télé, ou si la police procédait à des interrogatoires de routine, ou encore si des photographies d'ennemis publics étaient affichées dans les bureaux de poste.

La pluie avait cessé, mais l'air était encore humide et froid. Le centre-ville était assez agréable, mais ils rebroussèrent chemin, à pied, en suivant l'itinéraire du car. Ils traversèrent une voie ferrée, passèrent devant une pizzeria, et atteignirent une quincaillerie qu'ils avaient aperçue par la fenêtre. Elle était sur le point de fermer. Ce n'était pas idéal parce que les vendeurs ont tendance à se souvenir des premiers et des derniers clients de la journée. Mais ils jugèrent que passer plus de temps en treillis serait pire. Ils entrèrent donc. Turner se trouva un pantalon de travail en toile semblable à celui de Reacher. La plus petite taille disponible dans le magasin allait être trop large à la ceinture et trop longue. Pas terrible. Mais Turner se dit que cette disproportion serait un atout. Une fonctionnalité, pas une faille, comme elle le formula. Parce que les jambes du pantalon lui tomberaient sur les bottes, les dissimulant donc en partie et les rendant moins repérables.

Ils achetèrent le pantalon et trois paires de lacets pour bottes. Une pour celles de Reacher, une pour celles de Turner et une qu'elle doublerait pour faire office de ceinture. Ils menèrent leur entreprise de façon à éviter autant que possible qu'on se souvienne d'eux. Ni polis, ni malpolis, sans se presser ni traîner, sans vraiment parler. Turner n'utilisa pas la cabine d'essayage. Elle voulait se changer, mais l'image de la dernière cliente de la journée entrée vêtue d'un treillis et ressortie avec un vêtement tout juste acheté resterait probablement gravée dans la mémoire du vendeur.

Le magasin possédait un grand parking vide et sombre sur un côté. Elle put donc enfiler son pantalon neuf dans l'ombre et jeter sa tenue militaire dans une benne à ordures à l'arrière du bâtiment. Quand elle revint, ils échangèrent la veste contre la chemise, s'assirent au bord d'un trottoir et lacèrent leurs bottes.

Fin prêts, avec les quatre dollars que Reacher avait encore en poche.

***

Quatre dollars représentaient peut-être la paie d'une semaine dans certains pays du monde, mais ça ne valait pas un clou à Berryville. Ça ne couvrirait ni le prix du transport pour quitter l'État, ni une nuit d'hôtel, ni même un simple repas pour deux, dans aucun restaurant ou *diner* connu.

— Vous m'avez dit qu'il existe plusieurs modèles de distributeurs, lui rappela Turner.

— Effectivement. Mais quatre-vingts kilomètres devant nous ou quatre-vingts derrière. Pas ici.

— J'ai faim.

— Moi aussi.

— Ça ne sert à rien de conserver nos quatre dollars.

— Je suis d'accord. Soyons fous.

Ils retournèrent à la voie ferrée, d'un pas rapide et assuré avec leurs bottes fraîchement lacées, et se rendirent à la pizzeria qu'ils avaient repérée. Elle n'avait rien d'un établissement gastronomique, et c'était tout aussi bien. Ils achetèrent une part chacun, à emporter, *pepperoni* pour Reacher, fromage pour Turner, et une cannette de soda à se partager. Cela leur laissait environ quatre-vingts *cents* de monnaie. Ils burent et mangèrent, assis côte à côte sur un rail du passage à niveau.

— Vous avez perdu des gars quand vous étiez commandant ? demanda Turner.

— Quatre. L'un d'eux était une femme.

— Vous en avez souffert ?

— Je n'ai pas sauté au plafond. Mais ça fait partie du jeu. On sait tous à quoi on s'expose quand on s'engage.

— J'aurais dû y aller moi-même.

— Vous êtes déjà allée dans les îles Caïmans ?

— Non.

— Vous avez déjà eu un compte bancaire à l'étranger ?

– Vous plaisantez ? Pourquoi j'en aurais eu un ? Je suis grade O4. Je gagne moins qu'un prof de lycée.

– Pourquoi avez-vous attendu un jour entier avant de transmettre le nom du contact de Fort Hood ?

– Vous êtes en train de me cuisiner ?

– Je réfléchis, c'est tout.

– Vous savez bien pourquoi. Je voulais le pincer moi-même. Pour m'assurer que ce soit fait correctement. Je me suis donné vingt-quatre heures. Mais je ne l'ai pas trouvé. Alors j'ai prévenu le FBI. Ils devraient s'estimer heureux. J'aurais pu me laisser une semaine.

– Moi aussi. Ou même un mois.

Ils finirent leur part de pizza et vidèrent leur cannette de soda commune. Reacher s'essuya la bouche du dos de la main, puis s'essuya le dos de la main sur le pantalon.

– Qu'est-ce qu'on fait maintenant ? lui demanda Turner.

– On traverse la ville et on part vers l'ouest en stop.

– Ce soir ?

– C'est mieux que dormir sous un buisson.

– À l'ouest jusqu'où ?

– Jusqu'à la côte. Los Angeles.

– Pourquoi ?

Samantha Dayton.

Sam.

Quatorze ans.

– Je vous le dirai plus tard. C'est compliqué.

***

Ils traversèrent le centre-ville par une rue qui, appelée East Main, devenait West Main après un carrefour central. Toutes les vitrines étaient éteintes. Tous les rideaux de fer baissés. Berryville était sans doute une ville américaine convenable, pratique et sans prétention, mais ce n'était en aucun cas un pôle d'activité. Ça, c'était sûr. Elle s'était déjà barricadée et endormie, bien que la soirée fût à peine entamée.

Ils continuèrent de marcher. Turner avait belle allure avec sa chemise, même si elle aurait pu y faire entrer sa sœur avec elle. Elle en avait roulé les manches, avait fait quelques mouvements d'épaules, s'était tortillée comme le font les femmes et le vêtement s'était drapé autour d'elle et avait fini par prendre une forme cohérente. En un sens, le fait qu'il soit immense soulignait sa minceur. Ses cheveux étaient toujours lâchés. Elle se déplaçait d'un pas énergique et souple, affichant sans cesse un regard perplexe, mais sans la moindre peur. Aucune tension. Seulement une sorte d'appétit. D'appétit pour quoi, Reacher ne le savait pas exactement.

Elle valait vraiment la peine d'attendre, songea-t-il.

Ils continuèrent de marcher.

Puis à la sortie ouest de la ville, ils arrivèrent devant un motel.

Et là, sur le parking, était garée la voiture aux portières cabossées.

25

Bien tenu, le motel correspondait parfaitement à ce qu'ils avaient vu du reste de la ville. Briques rouges, peinture blanche, un drapeau et un aigle au-dessus de la porte de la réception. Il y avait un distributeur de boissons estampillé Coca, une machine à glace et probablement une vingtaine de chambres sur deux rangées, l'une et l'autre s'étirant en retrait de la route et séparées par une large cour.

La voiture aux portières cabossées était garée de biais devant la réception, n'importe comment, comme si quelqu'un était passé en coup de vent demander un renseignement.

— Vous êtes sûr? demanda doucement Turner.

— Ça ne fait aucun doute. C'est leur voiture.

— Mais comment est-ce possible?

— Quelle que soit la personne qui commande ces gars, elle tient vraiment à l'affaire, et elle est futée. Voilà comment c'est possible. Il n'y a pas d'autre explication. Elle a entendu dire qu'on s'était échappés, qu'on avait emporté trente dollars avec nous et que ce flic de la police de Washington nous avait trouvés dans Constitution Avenue. Puis elle a pris un moment pour réfléchir : où peut-on aller avec trente dollars ? Il n'y a que quatre possibilités. Soit on se terre en ville et on dort dans un parc, soit on va à Union Station, soit on rejoint la grande gare routière derrière et on file vers Baltimore, Philadelphie ou Richmond, soit on se dirige de l'autre côté, vers l'ouest, avec le petit car municipal. Et celui qui mène cette réflexion s'est dit qu'on allait privilégier l'option petit car municipal. Parce que le trajet coûte moins cher et parce que Union Station et la gare routière sont trop faciles à surveiller pour les flics, comme toutes les gares ferroviaires et routières à l'autre bout de la ligne, à Baltimore, Philly et Richmond et parce que dormir dans le parc permet juste de se faire épingler le lendemain plutôt que le jour même. Et, par-dessus le marché, ils disent connaître mon mode de vie et savent que je ne passe pas beaucoup de temps sur la côte Est. J'ai toujours été enclin à me déplacer vers l'ouest.

— Mais vous étiez d'accord pour qu'on se rende à Union Station.

— J'essayais d'être démocrate. De sortir de mes petites habitudes.

— Mais comment ont-ils su que nous descendrions à Berryville ?

— Ils ne le savaient pas. Je parie qu'ils ont déjà cherché partout depuis Leesburg. Dans chaque motel visible. À Hamilton, Purcellville, Berryville et Winchester. S'ils ne nous trouvent pas ici, ce sera leur prochaine destination.

— Est-ce qu'ils vont nous trouver ici ?

— Je l'espère sincèrement.

***

Le bureau de la réception du motel avait de petites fenêtres à but décoratif comme dans les vieilles demeures coloniales, agrémentées de voilages quelconques. Aucun moyen de savoir qui se trouvait dans la pièce. Turner avança jusqu'à une fenêtre, approcha le visage de la vitre, regarda à l'intérieur, à gauche, à droite, en haut, en bas.

— Il n'y a personne là-dedans, murmura-t-elle. Juste le réceptionniste. Ou peut-être le propriétaire. Il est assis, au fond.

Reacher inspecta les portières de la voiture. Verrouillées. Le coffre aussi. Il posa les mains sur le capot, au-dessus du chrome du radiateur. Le métal était chaud. Le véhicule n'était pas là depuis longtemps. Il partit à gauche, vers l'entrée de la cour. Personne. Personne qui serait allé de chambre en chambre, qui aurait examiné les portes ou regardé à travers les carreaux.

Il recula.

— Allons parler au gars, dit-il.

Turner tira la porte du bureau et Reacher entra le premier. La pièce était beaucoup plus jolie que celles auxquelles il était habitué. Beaucoup plus jolie que celle du motel à deux kilomètres de Rock Creek, par exemple. Le sol était recouvert de PVC de qualité, les murs tapissés et ornés de toutes sortes de recommandations élogieuses décernées par les autorités touristiques et exposées dans des cadres. Le bureau était un vrai bureau, d'un style qui n'aurait pas déplu à Thomas Jefferson pour rédiger un courrier. Derrière, un type, la soixantaine, grand, grisonnant et impressionnant, était assis dans un fauteuil en cuir rouge. Il avait l'air d'un dirigeant de grande société plus que d'un gérant de petit motel.

— Nous cherchons des amis, lui expliqua Reacher. C'est leur voiture dehors.

— Les quatre messieurs ? répondit le type en hésitant un peu, sceptique, avant de prononcer le mot « messieurs ».

— Oui, acquiesça Turner.

— Je crains que vous ne les ayez ratés de peu. Ils vous ont demandés il y a dix minutes. Enfin… j'imagine que c'est vous qu'ils voulaient voir. Un homme et une femme, m'ont-ils dit. Ils ne savaient pas si vous étiez déjà arrivés.

— Et que leur avez-vous répondu ? demanda Reacher.

— Eh bien, naturellement, je leur ai dit que vous n'étiez pas encore arrivés.

— OK.

— Êtes-vous prêts à prendre une chambre ? demanda le gérant sur un ton suggérant que ça ne lui briserait pas le cœur s'ils s'en abstenaient.

– Nous devons d'abord trouver nos amis, répondit Reacher. Nous devons causer. Où sont-ils allés ?

– Ils ont supposé que vous étiez allés manger un morceau. Je les ai dirigés vers le Berryville Grill. C'est le seul restaurant ouvert à cette heure-ci.

– La pizzeria ne compte pas ?

– Ce n'est pas vraiment un restaurant, n'est-ce pas ?

– Bon, où se trouve ce Berryville Grill ?

– À deux pâtés de maisons derrière nous. C'est tout près.

– Merci, répondit Turner.

***

Il y avait deux façons de parcourir les deux pâtés de maisons derrière le motel. En empruntant la rue transversale gauche ou en empruntant la rue transversale droite. Les couvrir toutes les deux en même temps aurait impliqué qu'ils se séparent, avec le risque d'un éventuel affrontement à un contre quatre. Ces probabilités convenaient à Reacher, mais il n'était pas sûr pour Turner. Elle était deux fois moins grande que lui, littéralement, et elle était désarmée. Ni pistolet ni couteau.

– On devrait attendre ici, proposa-t-il. On devrait les laisser venir à nous.

***

Mais ils ne vinrent pas. Reacher et Turner restèrent plantés dans l'ombre cinq longues minutes sans que rien ne se produise. Turner se déplaça légèrement, pour laisser la lumière jouer sur les flancs de la voiture.

– Elle est bien amochée.

– Combien de temps ça prend d'inspecter un restaurant, bon sang ? s'impatienta Reacher.

– On les a peut-être envoyés ailleurs. Il y a peut-être un bar qui sert des hamburgers. Ou plusieurs. Qui ne comptent pas comme des restaurants, selon le type du motel.

– Je n'entends aucun bar.

– Comment pouvez-vous entendre un bar?

– Quand j'entends du brouhaha, des verres qui s'entrechoquent, des bouteilles, un ventilateur. C'est un bruit caractéristique.

– Le bar pourrait être trop éloigné pour qu'on l'entende.

– Auquel cas ils seraient revenus chercher leur voiture.

– Ils doivent bien être quelque part.

– Ils mangent peut-être au grill. Ils ont peut-être pris une table. Décision de dernière minute. On avait faim, ils pourraient avoir eu faim, eux aussi.

– J'ai encore faim.

– Ce serait peut-être plus facile de les coincer dans un restaurant. Un endroit fréquenté, un peu d'inhibition de leur part. Et des couteaux sur les tables. Ensuite on pourrait manger leurs plats. Ils ont dû commander maintenant. Des steaks, dans l'idéal.

– Mais le serveur risque d'appeler les flics.

Reacher partit contrôler la rue transversale sur la droite. Rien. Il contrôla celle de gauche. Déserte. Il retourna à l'endroit où l'attendait Turner.

– Ils sont en train de manger, dit-elle. C'est forcé. Qu'est-ce qu'ils pourraient faire d'autre? Ils ont eu le temps de ratisser tout Berryville. Deux fois. Donc ils sont au restaurant. Ils peuvent y rester encore une heure. Et on ne peut pas traîner ici longtemps. On est dans une propriété privée. Je suis sûre qu'il y a des lois à Berryville. Et un poste de police. Le type du motel pourrait passer un coup de fil d'ici deux minutes.

– OK, allons voir.

– Gauche ou droite?

– Gauche.

Ils furent prudents en tournant au coin de la rue. Mais elle était toujours déserte. Et c'était plutôt une ruelle. D'un côté, la barrière en bois du motel. De l'autre, la façade nue d'un bazar construit en brique. Coupée cent mètres plus loin par une voie plus large parallèle à West Main. Le second pâté de maisons était plus court et plus hétéroclite, avec des immeubles individuels et d'étroits terrains vagues. Plus loin on distinguait l'arrière des bâtiments de la rue parallèle suivante, dont un sur la droite surmonté d'une haute cheminée de cuisine en métal qui dégageait de la vapeur, et assez puissamment. Le Berryville Grill, c'était certain, en plein coup de feu de milieu de soirée.

— Porte de derrière ou porte de devant? demanda Turner.

— Devanture. La reconnaissance est primordiale.

Ils tournèrent dans la rue transversale et firent de nouveau preuve de prudence. Ils passèrent d'abord devant une vitrine sombre. Peut-être celle d'un fleuriste. Puis vint le restaurant, deuxième de l'enfilade de bâtisses. C'était un grand établissement, plus profond que large. Il y avait quatre panneaux vitrés devant, divisés en deux paires par une porte centrale et qui arrivaient jusqu'au sol. Peut-être des baies vitrées qu'on ouvrait l'été. Peut-être installait-on des tables en terrasse.

Reacher, sans s'écarter du mur, gagna le coin le plus proche de la première fenêtre. De ce poste d'observation, il avait dans son champ de mire à peu près un tiers de la salle. Qui était immense. Et bien remplie. Les tables étaient petites et proches les unes des autres. C'était un restaurant familial. Sans fantaisie. Apparemment, le service n'était assuré que par des filles, des lycéennes probablement. Les tables étaient en bois naturel. Environ la moitié était occupée. Par des couples, des groupes de trois, et des familles. Des personnes âgées et leurs enfants adultes, dont certains passaient un bon moment et d'autres étaient un peu tendus et silencieux.

Mais aucune n'était occupée par quatre hommes. Pas dans la partie du restaurant qu'il pouvait voir. Il recula. Arrivée à sa hauteur, Turner continua et passa d'un pas décidé devant le restaurant, sans regarder à l'intérieur, puis s'arrêta après la dernière vitre. Reacher surveilla la porte. Rien. Personne ne sortit. Turner se colla au mur, recula discrètement et observa la salle du coin le plus éloigné de la dernière fenêtre. Reacher se dit que, de là, elle voyait un tiers symétrique à celui qu'il avait examiné. Laissant ainsi une portion centrale non inspectée.

Elle hocha la tête. Il se mit en mouvement, elle se mit en mouvement, et ils se rejoignirent devant la porte. Qu'il tira. Turner entra la première. La zone centrale était pleine de tables. Mais aucune n'était occupée par quatre hommes. Il n'y avait pas de pupitre de maître d'hôtel. Ni de guichet d'accueil. Juste un espace vide derrière la porte. Une jeune femme vint vers eux, l'air affairée. Une jeune fille en réalité. Dans les dix-sept ans. L'hôtesse. Elle portait un pantalon noir et un polo noir à manches courtes sur lequel était brodé un logo Berryville Grill. Et avait une tache de naissance violette sur un avant-bras.

— Deux personnes ? Pour dîner ? leur demanda-t-elle.

— Nous cherchons des gens, répondit Turner. Ils sont peut-être passés nous demander.

La fille se tut. Elle regarda Turner, puis Reacher. Elle venait de comprendre : *un homme et une femme.*

— Vous les avez vus ? demanda Reacher. Quatre hommes, trois grands et un encore plus grand.

La fille acquiesça d'un hochement de tête et se frotta le bras, inconsciemment. Ou nerveusement. Reacher l'observa.

Ce n'était pas une tache de naissance.

Ça changeait de forme. Et de couleur.

C'était un bleu.

— Ce sont eux qui vous ont fait ça ?

Elle fit oui de la tête.

— Le grand, précisa-t-elle.

— Avec le crâne rasé et les petites oreilles ?

— Oui. Il m'a serré le bras très fort.

— Pourquoi ?

— Il voulait savoir où vous pouviez être puisque vous n'étiez pas ici. Et je n'ai pas su lui répondre.

C'était une grosse ecchymose. Faite par une grosse main. De plus de quinze centimètres de largeur.

— Il m'a vraiment fait peur, continua la fille. Il a un regard cruel.

— Quand sont-ils venus ?

— Il y a dix minutes à peu près.

— Où sont-ils allés ?

— Je ne sais pas. Je n'ai pas su leur dire où aller chercher.

— Il n'y a pas de bar ? Pas de fast-food ?

— Il m'a posé exactement la même question. Mais il n'y a rien de ce genre ici.

Elle était au bord des larmes.

— Ils ne reviendront pas, la rassura Reacher.

C'est tout ce qu'il trouva à dire.

***

Ils la laissèrent là, à se frotter le bras, et prirent la rue transversale qu'ils n'avaient pas encore tentée. C'était une voie similaire, étroite, sans éclairage, à la chaussée irrégulière au début, puis plus uniforme au niveau du second pâté de maisons avec la barrière du motel sur la droite. Ils tournèrent prudemment et jetèrent un coup d'œil à la ronde avant de lever le camp.

Le parking du motel était vide.

La voiture aux portières cabossées avait disparu.

26

Trois cents mètres plus loin, ils atteignirent la limite de Berryville, où West Main devenait la bonne vieille State Route 7.

— Si ces gars ont pu deviner où on est allés, il faut se dire que l'armée aussi. Et même le FBI.

Ce qui faisait de l'auto-stop un cauchemar. La nuit était noire. Une nuit d'hiver, au milieu de nulle part. Une longue route rectiligne. Les phares des véhicules seraient visibles à des kilomètres, mais il n'y aurait aucun moyen de savoir qui se cachait derrière. Qui serait au volant. Civil ou non? Ami ou ennemi?

Le risque était trop grand pour être pris.

Ils optèrent pour un compromis, une sorte de « on y gagne autant qu'on y perd » qui présentait une part égale d'inconvénients et d'avantages. Ils revinrent sur leurs pas. Turner attendit sur le bas-côté, environ cinquante mètres avant le dernier pâté de maisons éclairé. Reacher continua jusqu'à l'angle d'un bâtiment où il pourrait s'appuyer, dans le renfoncement sombre d'une ruelle perpendiculaire, mais à proximité d'un réverbère qui répandait de la lumière sur le goudron. C'était une mauvaise idée dans la mesure où n'importe quelle voiture tournant à l'ouest au-delà de leur position serait une occasion ratée d'être pris en stop, mais une bonne dans la mesure où Reacher pourrait réaliser une rapide et grossière évaluation des conducteurs quand apparaîtraient des véhicules traversant la ville. Ils convinrent qu'il devrait pécher par excès de prudence, mais que s'il estimait que ça s'annonçait bien, il s'avancerait, puis ferait signe à Turner, qui s'approcherait ensuite du trottoir et tendrait le pouce.

Ce qui, se dit-il au début, permettrait peut-être globalement de gagner plutôt que de perdre. Parce que par hasard, leur tactique improvisée imitait une très vieille astuce d'auto-stoppeur. Une jolie fille tend le pouce, un conducteur s'arrête, plein d'enthousiasme, puis le petit ami gros et moche la rejoint au petit trot et monte aussi.

Mais une demi-heure plus tard, Reacher constatait que c'était plutôt une perte qu'un gain. Il y avait très peu de passage et il n'avait pas du tout le temps de se faire une opinion des conducteurs. Il voyait arriver des phares, attendait, puis la voiture passait comme un éclair en une fraction de seconde et il analysait : *berline, familiale, année de fabrication du modèle, spécifications techniques*, et bien avant qu'il soit parvenu à une conclusion, elle avait dépassé Turner depuis longtemps et était déjà loin.

Il choisit donc de procéder à un tri préalable. Il décida de rejeter toutes les berlines et tous les SUV de moins de cinq ans et de ne retenir que les pick-up et les SUV plus vieux. À ce qu'il savait, l'armée ne prenait jamais les pick-up en chasse, et il supposait qu'avant d'atteindre leurs cinq ans tous les véhicules militaires de route étaient échangés pour des modèles plus récents. Il en allait certainement de même pour le FBI. Le risque subsidiaire se manifesterait sous la forme des shérifs adjoints locaux, en civil, qui se joindraient à la fête dans leurs véhicules personnels. Mais il fallait bien prendre des risques pour ne pas rester coincés toute la nuit et, au final, ça reviendrait au même que dormir dans un parc à Washington. Ils se feraient pincer le lendemain dès les premiers rayons du soleil plutôt que le soir même à la tombée de la nuit.

Il attendit. Pendant une minute il ne vit rien, puis il aperçut des phares venant de l'est, pas très vite. À une allure réduite pour circuler en ville. Il se pencha en avant. Attendit. Un véhicule passa en trombe devant lui.

Une berline.

Rejetée.

Il s'adossa de nouveau au mur du bâtiment.

Et attendit encore. Cinq minutes. Sept. Huit. Puis il vit d'autres phares. Se pencha. Et distingua un pick-up.

Il avança jusqu'au trottoir à sa suite, leva haut le poing gauche et aussitôt, cinquante mètres plus loin, Turner se posta au bord de la chaussée et tendit le pouce. Précision parfaite. Comme un double jeu de fin de saison au baseball, rapide, net et déterminant dans l'air froid de la nuit. Le faisceau des phares balaya la silhouette immobile de Turner comme si elle se tenait là depuis toujours.

Mais le pick-up ne s'arrêta pas.

Merde, se dit Reacher.

Le candidat potentiel suivant était un vieux Ford Bronco, et il ne s'arrêta pas non plus. Pas plus que le F150 d'âge moyen, ni le Dodge Ram neuf. Après quoi la route redevint silencieuse. L'aiguille de l'horloge dans sa tête marquait 22 h 30. L'air devenait plus froid. Reacher portait deux tee-shirts et sa veste à doublure miracle. Il commençait à s'inquiéter pour Turner. Elle n'avait qu'un tee-shirt et une chemise standard. Et le tee-shirt avait l'air élimé par les lavages. *Je suis née dans le Montana. Je n'ai jamais froid.* Il espéra qu'elle était sincère.

Pendant encore cinq minutes, rien n'arriva par l'est. Mais ensuite, d'autres phares apparurent, espacés et bas, épousant les creux et les bosses du bitume dans des cahots amortis de gomme très humide. Une berline, sans doute. Il se pencha, à peine, déjà pessimiste.

Puis recula, vite. C'était une berline, rapide, aux lignes pures, une Ford Crown Victoria, lustrée, de couleur sombre, avec des vitres noires et des antennes sur le coffre. Police militaire, peut-être, ou FBI, ou marshals fédéraux, ou flics de la police de Virginie. Ou pas. Peut-être une toute autre agence en mission sans aucun rapport avec eux. Il se pencha de nouveau et la regarda s'éloigner. Le conducteur ne remarqua pas Turner cachée dans l'ombre et accéléra pour disparaître au loin.

Il attendit. Une minute de plus. Deux. Rien que l'obscurité.

Puis il distingua d'autres phares, loin, peut-être encore dans East Main, avant le carrefour du centre-ville, arrivant à vitesse constante, dans West Main à présent, assurément. Ils se rapprochaient. Ils étaient jaunes et éclairaient peu. Vieillots et faibles. Ni modernes, ni halogènes. Il se pencha. Ils approchaient toujours, lentement et régulièrement. Ils passèrent, fulgurants.

Un pick-up.

Même double jeu : poing droit de Reacher, pouce de Turner.

Le véhicule ralentit aussitôt.

S'arrêta.

Turner descendit du trottoir, se pencha par la fenêtre passager, se mit à parler, et Reacher parcourut à petites foulées les cinquante mètres pour la rejoindre.

***

Cette fois, Juliet appela Romeo. Le fait était rare. La plupart du temps, c'était Romeo qui détenait les dernières informations. Mais leurs tâches étant réparties, parfois c'était Juliet.

– Aucun signe d'eux jusqu'à Winchester, déclara-t-il.

– Tu es sûr ? lui demanda Romeo.

– Ils ont vérifié très minutieusement.

– OK, mais qu'ils restent dans le coin. Cette ligne de car est notre meilleure option.

– Ça marche.

***

Reacher arriva un peu essoufflé. Le pick-up était un vieux Chevrolet, quelconque, conçu et acheté pour son côté pratique, pas pour la frime, et le conducteur semblait être un vieux malin, dans les soixante-dix ans, la peau sur les os, le cheveu blanc et rare. Turner le présenta.

– Ce monsieur se rend à Mineral County en Virginie-Occidentale. Près de Keyser, une ville proche de la frontière du Maryland.

Ce qui ne disait absolument rien à Reacher sinon que « Virginie-Occidentale » sonnait légèrement mieux que « Virginie » tout court. Il se pencha par la fenêtre.

– Monsieur, nous vous serions très reconnaissants si vous nous preniez.

– Alors montez, c'est parti !

Il y avait une banquette, mais la cabine était étroite. Turner s'installa la première. Si Reacher se collait contre la portière il y avait tout juste assez de place pour elle entre lui et le vieil homme. Mais le siège était confortable et il faisait chaud dans l'habitacle. Et le pick-up roulait bien. Cent à l'heure, sans problème. Et il donnait l'impression de pouvoir avaler les kilomètres jusqu'à la fin des temps.

– Alors, où allez-vous ? demanda le vieux.

– On cherche du boulot, répondit Reacher en pensant au jeune couple de l'Ohio dans le Silverado rouge à double cabine avec le chien qui perdait ses poils. Alors en gros, n'importe où fera l'affaire.

– Et vous cherchez quel genre de boulot ?

Ainsi débuta une conversation d'auto-stop tout à fait typique au cours de laquelle chaque interlocuteur raconte des histoires inspirées de semi-vérités et d'expériences enjolivées. Reacher avait quitté l'armée depuis longtemps et quand il le fallait, il prenait le premier boulot qu'il trouvait. Il avait été videur de boîte de nuit, avait creusé des piscines, rangé du bois, démoli des immeubles, ramassé des pommes, chargé des cartons dans des camions et il en parlait comme s'il avait passé sa vie à faire tout ça. Turner, elle, prétendit avoir été serveuse, travaillé dans des bureaux et vendu des ustensiles de cuisine au porte-à-porte, anecdotes que Reacher suspecta tirées de souvenirs remontant aux soirées et aux week-ends de ses années de lycée et de fac. Le vieil homme parla d'exploitations de tabac en Caroline du Nord et du Sud, de chevaux dans le Kentucky, et de transport de charbon dans des semi-remorques en Virginie-Occidentale.

Ils traversèrent Winchester, coupant deux fois la I-81, puis poursuivirent jusqu'à la frontière de l'État, dans le pays des Appalaches, vers les derniers contreforts au nord de la chaîne des Shenandoah. La route montait en sinuant vers George Peak et le moteur peinait. Les faibles phares jaunes tressautaient d'un côté à l'autre dans les virages en épingle. Puis à minuit, ils arrivèrent en Virginie-Occidentale, encore haut dans les contrées sauvages, et franchirent des cols au milieu de forêts en direction des monts Allegheny qui s'élevaient au loin.

Reacher aperçut soudain un incendie, loin devant à l'ouest, au flanc d'un coteau boisé un peu plus au sud de la route. Lueur jaune et orange découpée sur le ciel noir, comme un feu de joie ou un gyrophare. Ils traversèrent une ville endormie appelée Capon Bridge, et se rapprochèrent de l'incendie. D'un ou deux kilomètres, puis beaucoup moins tout à coup, parce que la route s'étendait dans sa direction.

— Monsieur, vous pouvez nous déposer là? demanda Reacher.

— Ici? s'étonna le vieux.

— C'est un bon endroit.

— Pour faire quoi?

— Je pense qu'on y trouvera ce qu'on cherche.

— Vous êtes sûrs?

— Il nous plaira beaucoup.

Le vieux grommela quelque chose, dubitatif, ne comprenant pas du tout, mais il leva le pied et le véhicule ralentit. Turner ne saisissait pas, elle non plus. Elle dévisageait Reacher comme s'il était fou. Le pick-up s'arrêta sur un bout de route de montagne goudronnée, forêt à gauche, forêt à droite, rien devant, rien derrière. Reacher ouvrit sa portière et se déplia pour sortir. Turner se glissa derrière lui. Ils remercièrent chaleureusement le vieil homme puis lui adressèrent un salut de la main. Et se retrouvèrent dans la nuit noire, silencieuse et froide.

— Pouvez-vous m'expliquer pourquoi on vient de sortir d'un camion chauffé, pour se retrouver au milieu de nulle part ? demanda Turner.

Reacher montra l'incendie, devant eux sur la gauche.

— Vous voyez ça ? C'est un distributeur automatique.

27

Ils marchèrent en suivant la courbe de la route, direction ouest, sud-ouest, pour se rapprocher de l'incendie, jusqu'à arriver à son niveau, environ deux cents mètres à l'intérieur de la forêt vallonnée. Dix mètres plus loin, sur la gauche, se trouvait l'entrée d'un sentier rocailleux. Une sorte de voie privée qui montait entre les arbres. Turner resserra les pans de la chemise prêtée par Reacher.

— C'est juste un banal feu de broussailles, dit-elle.

— Ce n'est pas la saison. Il n'y a pas de feux de broussailles ici.

— Alors de quoi s'agit-il ?

— Où est-on ?

— En Virginie-Occidentale.

— Exact. À des kilomètres de nulle part, dans un coin paumé. Cet incendie, c'est ce que nous attendions. Mais soyez aussi discrète que possible. Il pourrait y avoir quelqu'un là-haut.

— Des pompiers, sans doute.

— Ça, ça ne risque pas. Je peux vous le garantir.

Ils s'engagèrent sur le sentier rocailleux. Le sol était instable et bruyant sous leurs pas. Progression difficile. Plus praticable avec un véhicule qu'à pied. De part et d'autre du chemin, la forêt était dense. Des pins et des essences à feuilles caduques, dénudées. Le sentier serpentait à droite, puis à gauche, toujours en côte, et se terminait par une large courbe. L'incendie les attendait au-delà. Ils sentaient déjà sa chaleur et percevaient un vague ronflement mêlé de craquements et de détonations.

– Plus un bruit maintenant, dit Reacher.

Ils prirent le dernier tournant et découvrirent une clairière, comme une trouée dans les bois. Droit devant, il y avait une vieille bâtisse en ruine, un genre de grange, et sur la gauche un vieux chalet délabré, tous les deux faits de planches de bois, tour à tour desséchées et détrempées par un siècle de climat local. Plus loin sur leur droite, le feu faisait rage dans une large structure basse et rectangulaire montée sur roues, et se propageait autour. Des flammes jaunes, bleues et orange jaillissaient de toutes parts, et les arbres proches se consumaient. Une épaisse fumée grise bouillonnait, tournoyait, tourbillonnait puis, aspirée dans le courant d'air ascendant, était emportée brusquement dans l'obscurité du ciel.

– Qu'est-ce que c'est? demanda de nouveau Turner dans un murmure.

– Ça fait penser à cette vieille blague, chuchota Reacher. Quelle est la différence entre un incendie dans un labo à méthamphétamine et le divorce d'un couple de ploucs?

– Je ne sais pas.

– Aucune. Quelqu'un va y perdre une caravane.

– C'est un labo à meth?

– C'était.

– D'où l'absence de pompiers. Activité illégale. Ces gars ne pouvaient pas les appeler.

– Les pompiers ne seraient pas venus de toute façon. S'ils s'occupaient de tous les labos à meth qui prennent feu, ils n'auraient plus de temps pour le reste. Ces machins sont des accidents qui n'attendent qu'à se produire.

– Où sont les dealers?

– Il n'y a probablement qu'une personne. Quelque part par là.

Ils s'avancèrent dans la clairière, se dirigèrent vers la cabane, bien à l'écart de l'incendie, en restant près des arbres. La fumée était chassée par le vent. La lumière et les ombres dansaient tout autour d'eux, païennes et primitives. Le feu continuait de ronfler à cinquante mètres de là, imperturbable. Le chalet était une simple construction de plain-pied, avec des toilettes extérieures. Le tout vide. Il n'y avait personne. La grange était assez large pour y loger deux véhicules, et deux véhicules y étaient garés : un gros pick-up Dodge violet, neuf, avec d'énormes pneus et des hectares de carénage de chrome en relief et une voiture de sport rouge décapotable, une Corvette Chevrolet, lustrée et reluisante avec des tuyaux d'échappements aussi imposants que les poings de Reacher. Neuve elle aussi, ou presque.

– Ce péquenaud s'en sort bien.

– Non, répliqua Turner. Pas si bien que ça.

Elle tendit le doigt en direction du brasier.

Le squelette de la caravane était encore visible, tordu et racorni au milieu des flammes, et des débris incandescents étaient éparpillés tout autour. Contrastant avec la structure rectangulaire, une protubérance aplatie gisait devant elle, comme une langue pendante, complètement embrasée, dévorée par des flammes d'une couleur et d'une intensité différentes. Du genre de celles qu'on voit quand on laisse une côtelette d'agneau trop longtemps sur le grill, mais cent fois plus hautes.

– Il a dû essayer de sauver la caravane, dit Reacher. Réflexe stupide. Il vaut toujours mieux laisser brûler.

– Qu'est-ce qu'on fait ?

– On va retirer de l'argent. Au distributeur. C'était un labo de taille correcte, et le gars avait deux belles voitures, donc je pense que notre plafond de retrait va être plutôt confortable.

– On va prendre l'argent d'un mort ?

– Il n'en a plus besoin. Et nous n'avons plus que quatre-vingt-huit *cents*.

– C'est un crime.

– C'en était déjà un. Le type était dealer. Et si on ne le prend pas, les flics le feront. Quand ils viendront demain. Ou après-demain.

– Où se trouve-t-il ?

– C'est le côté amusant. Il faut le trouver.

– Vous avez déjà fait ça, n'est-ce pas ?

– En général, pendant qu'ils sont encore en vie. J'avais l'intention de me promener derrière Union Station. Mettez-vous à la place du fisc. On est employés du gouvernement après tout.

– C'est horrible.

– Vous voulez dormir dans un lit ce soir? Vous voulez manger demain?

– Bon sang…, soupira Turner.

***

Mais elle chercha tout autant que lui. Ils commencèrent par le chalet. L'air était vicié. Il n'y avait rien de caché dans la cuisine. Pas de double cloison dans les placards, pas de prétendues boîtes de conserve de haricots, rien d'enfoui dans les paquets de farine, pas de vide derrière le Placo. Rien non plus dans le salon. Ni trappes dans le plancher, ni livres évidés, rien dans les coussins du canapé, rien dans le conduit de la cheminée. Pas plus que dans la chambre. Ni entailles dans le matelas, ni table de chevet aux tiroirs fermés à clef. Rien au-dessus de l'armoire et aucune boîte sous le lit.

– Où cherche-t-on maintenant? demanda-t-elle.

– J'aurais dû y penser plus tôt.

– Où?

– Où le type avait-il l'impression d'être vraiment tranquille?

– Cet endroit tout entier est vraiment tranquille. C'est loin de tout.

– Mais où particulièrement?

Elle saisit. Et hocha la tête.

– Les toilettes.

***

L'argent était caché dans le plafond. Juste au-dessus de la cuvette, il y avait un faux panneau que Reacher souleva et tendit à Turner. Il passa ensuite le bras dans le trou, chercha de la main, trouva une boîte en plastique et la sortit. C'était le genre d'objet qu'il avait vu dans les magasins d'articles de cuisine. Elle contenait dans les quatre mille dollars en liasses de billets de vingt, un double des clefs du Dodge et de la Corvette, un acte de propriété, et un certificat de naissance au nom d'un certain William Robert Claughton, né en Virginie-Occidentale quarante-sept ans plus tôt.

– Billy Bob, dit Turner. Repose en paix.

Reacher fit sauter les clefs dans sa main et la laissa choisir.

– Pick-up ou voiture de sport ?

– On va aussi voler sa voiture ?

– Ce sont déjà des véhicules volés. Il n'y avait pas de carte grise dans la boîte. Sans doute un toxico, qui gonfle le moteur des voitures pour rembourser une dette. Et notre alternative, c'est la marche à pied.

Turner resta sans rien dire encore une seconde, comme si ça allait trop loin, mais finit par hocher la tête, haussa les épaules et répondit :

– La voiture de sport, bien sûr.

Ils gardèrent l'argent et la clef de la Corvette et replacèrent le reste dans le plafond des toilettes. Puis ils retournèrent à la grange et déposèrent les liasses dans le coffre du véhicule. À la lisière de la clairière, le feu faisait toujours rage. Reacher passa la clef de la voiture à Turner et prit place sur le siège passager. Turner démarra le moteur, trouva la manette de commande des phares et serra bien sa ceinture.

Une minute plus tard, ils se retrouvaient sur la route, filant en direction de l'ouest dans les ténèbres de la nuit, au chaud, bien installés, et riches.

28

Il fallut deux kilomètres à Turner pour prendre en main la Corvette, puis elle accéléra et trouva un rythme de conduite parfait sur la route en lacets. La voiture semblait imposante et basse, sèche et nerveuse. Ses phares projetaient leurs longs faisceaux très blancs loin devant et le ronron sonore de son moteur V8 persistait longtemps derrière elle.

– On ferait mieux de tourner bientôt. On ne peut pas rester beaucoup plus longtemps sur cette route. Parmi les voitures qui ont traversé Berryville, il y en avait une du FBI, je pense. Vous l'avez vue ?

– La Crown Vic ? demanda-t-il.

– Oui. Alors il faut qu'on quitte les prolongements logiques de cette ligne de car. Surtout que le vieux du pick-up pourrait leur indiquer l'endroit exact où il nous a déposés. Il n'est pas près d'oublier ça.

– Il ne parlera pas aux flics. Il a camionné du charbon en Virginie-Occidentale.

– Il pourrait parler aux types de la voiture cabossée. Ils pourraient l'intimider. Ou lui graisser la patte.

– OK, prenez au sud. Le sud, c'est toujours bien en hiver.

Elle accéléra encore un peu, et l'échappement se mit à ronfler. C'était une chouette voiture. Peut-être la meilleure au monde sur routes américaines. Normal, puisque c'était une américaine. Soudain, Reacher sourit et lança :

– Mettons le chauffage à fond et rabattons la capote.

– Vous prenez votre pied, hein ?

– Il y a de quoi. On croirait vivre un morceau de rock à la radio. Une voiture rapide, de l'argent en poche, et un peu de compagnie pour une fois.

Elle monta le chauffage à fond, puis s'arrêta le long de l'accotement. Ils se familiarisèrent avec les loquets et les boutons, puis la capote se replia dans son logement derrière eux. L'air de la nuit les inonda, froid et vivifiant. Ils s'enfoncèrent dans leurs sièges et repartirent. Les sensations de la conduite étaient décuplées. La vitesse, la lumière, le bruit. Reacher sourit.

– Ça, c'est la vraie vie.

– Je pourrais m'y habituer. Mais j'aimerais avoir le choix.

– Vous pourriez.

– Comment ça ? On n'a aucune piste.

– Pas vraiment aucune. On a une anomalie évidente et un procès-verbal fiable. Et ces deux éléments réunis pourraient suggérer une conclusion préliminaire.

– Laquelle par exemple ?

– Weeks et Edwards ont été tués en Afghanistan, mais vous n'avez pas été tuée, moi non plus et Moorcroft non plus. Et il aurait pu mourir. Une fusillade opérée depuis un véhicule en marche dans le sud-est de Washington aurait été aussi plausible qu'un passage à tabac. Et on aurait pu me tabasser. Qui l'aurait remarqué ? Et vous aussi auriez pu y rester. Un accident à l'entraînement, ou un moment d'inattention en maniant votre arme. Mais ils ont choisi de ne pas s'engager dans cette voie. Du coup, il semble y avoir une espèce de frilosité du côté de Washington. Ce qui est significatif si on le compare à l'autre truc.

– C'est-à-dire ?

– Sauriez-vous comment ouvrir un compte bancaire dans les îles Caïmans ?

– Je pourrais me renseigner.

– Exactement. Vous feriez une recherche sur Internet, vous passe-riez des coups de fil, vous obtiendriez ce dont vous auriez besoin et vous ouvririez le compte. Mais combien de temps ça prendrait ?

– Une semaine, peut-être.

– Et ces types l'ont fait en moins d'une journée. En une heure, vrai-semblablement. À 10 heures, votre compte était ouvert. Ce qui laisse supposer une connexion préalable. Ils ont expliqué à leur banquier ce dont ils avaient besoin et l'opération a été réalisée sur-le-champ, sans poser de questions. Ce sont donc des clients privilégiés, avec beaucoup de liquidités. Mais on le sait déjà puisqu'ils étaient prêts à claquer cent mille dollars, juste pour vous coincer. Certes, c'est une grosse somme, mais ils s'en fichaient. Ils ont foncé, l'ont virée sur votre compte et rien ne garantit qu'ils la récupèrent un jour. Elle pourrait être saisie à titre de preuve. Et même si elle ne l'est pas, je ne vois pas comment ils pourraient se raviser ensuite et dire : « Oh, à propos, ces cent mille dollars étaient à nous depuis le début et nous voulons qu'ils nous soient rendus. »

– Alors qui sont-ils ?

– Ce sont des gens très convenables, qui organisent une arnaque qui génère un profit considérable. Prêts à orchestrer des désordres de toute sorte à treize mille kilomètres d'ici en Afghanistan, mais qui veulent que tout soit nickel chez eux. Qui tutoient des banquiers offshore, sont capables de réaliser des opérations financières en une heure, pas en une semaine, de se procurer d'anciens dossiers dans n'importe quelle branche du service pour les falsifier, et qui disposent de gros bras plutôt efficaces pour surveiller leurs arrières. Ce sont des officiers d'état-major à Washington, c'est presque certain.

***

Turner tourna à gauche juste après une ville appelée Romney, sur une petite route qui les conduisit au sud, mais toujours dans les collines. C'était plus sûr. Ils ne voulaient pas s'approcher de la I-79. Trop surveillée, même de nuit. Trop de flics locaux cherchaient à doper les recettes municipales en coinçant les usagers pour excès de vitesse. Le seul inconvénient des petites routes était l'absence totale d'infrastructures dignes de ce nom. Ni stations-service ni cafés. Aucun *diner*. Aucun motel. Et ils avaient faim, soif et sommeil. Et la voiture avait un moteur géant, avec une consommation aux 100 vraiment pas réjouissante. À l'endroit où ils avaient tourné, un panneau de signalisation isolé leur avait promis une ville, trente kilomètres plus loin. Une demi-heure, sur petite route.

– Je tuerais pour une douche et un repas.

– C'est sûrement ce que vous allez devoir faire. Ce ne sera pas la ville qui ne dort jamais, mais plutôt le patelin qui ne se réveille jamais.

Ils n'eurent pas l'occasion de le vérifier car ils ne l'atteignirent jamais. Une minute plus tard, ils rencontraient un autre genre de problème propre aux routes de campagne.

29

Turner négocia un virage, puis freina à fond. Une fusée routière de détresse rouge était posée sur le bitume juste devant eux. Il y en avait une autre plus loin et, au-delà, des phares éclairaient dans des directions étranges : deux paires à la verticale vers le ciel nocturne et une autre à l'horizontale, mais perpendiculairement à la route.

Turner se faufila à gauche et à droite entre les deux fusées, puis elle repassa au point mort pour s'arrêter, et les tuyaux d'échappement émirent un claquement sec suivi d'un ronronnement. Les faisceaux verticaux étaient ceux des phares d'un pick-up qui avait fait une sortie de route pour finir le cul dans un fossé. Il tenait plus ou moins droit sur sa benne. Le dessous de caisse, un enchevêtrement de pièces encrassées, était entièrement visible.

Les faisceaux horizontaux étaient ceux d'un autre pick-up, un robuste double-cabine à capacité de chargement d'une demi-tonne, qui avait tourné, fait marche arrière et s'était garé en travers de la route. Une chaîne courte et lourde était accrochée à sa barre de remorquage. Elle était déroulée au maximum vers le haut et son autre extrémité était enroulée autour de la suspension avant du véhicule planté le nez en l'air. L'idée de départ consistait à le tirer pour le remettre sur ses roues, puis de l'extraire du fossé comme un arbre tombé. Mais cela allait s'avérer compliqué d'un point de vue géométrique. Il fallait que la chaîne soit courte parce que la route était étroite. Mais le fait qu'elle soit courte impliquait que l'avant du véhicule écroulé heurte l'arrière du gros pick-up, à moins que ce dernier continue de se déporter vers la droite et libère lentement le passage. Tout ça sans basculer dans l'autre fossé. Ça promettait un ballet automobile complexe.

Trois hommes étaient présents sur les lieux. L'un était assis sur le bas-côté, sonné, les coudes sur les genoux, tête baissée. Ce devait être le conducteur du pick-up vertical, étourdi par l'accident et peut-être encore soûl ou défoncé, ou les deux. Les autres étaient venus le secourir. L'un, dans la cabine du pick-up double cabine, regardait derrière lui, le coude appuyé sur la portière. Le troisième allait d'un côté à l'autre et se préparait à diriger les opérations.

Reacher songea que ce genre d'accident devait arriver tous les jours. Ou toutes les nuits. Trop de bière, ou trop de meth, ou trop des deux, une route sombre et tortueuse, un virage pris trop vite, un freinage en panique, des roues arrière qui se bloquent sous un plateau de chargement vide, peut-être du verglas en hiver, un tête-à-queue. Et le fossé. Ensuite l'escalade bizarre pour se dégager du siège, la longue glissade le long du flanc dressé à la verticale, le coup de fil passé avec le portable et les minutes à attendre des amis pleins de bonne volonté équipés d'un gros pick-up.

Rien de vraiment grave, dans l'absolu. Quasiment la routine. Mis à part l'aspect géométrique, ces locaux avaient l'air de savoir ce qu'ils faisaient. Peut-être avaient-ils déjà résolu ce genre de problème, souvent même. Reacher et Turner allaient être retardés de cinq minutes. Dix au maximum. Rien de plus.

Sauf que ce n'était pas tout.

Le type sonné sur le bas-côté prit lentement conscience de la présence de nouveaux phares, leva la tête, jeta un coup d'œil à la route, puis détourna les yeux.

Et les dirigea de nouveau vers la route.

Il se leva tant bien que mal, fit un pas en avant.

— C'est la voiture de Billy Bob, déclara-t-il.

Il avança encore d'un pas, et encore d'un autre, les fusillant du regard, d'abord Turner, puis Reacher. Il tapa du pied, balança son bras droit comme s'il chassait une immense nuée d'insectes et hurla :

— Qu'est-ce que vous faites là-dedans ?

Qui sonna comme : *Qu'est-ce vous faidans*, peut-être à cause d'une dentition bancale, de l'alcool, de l'étourdissement ou de tous ces facteurs réunis. Reacher hésitait. Le type qui s'apprêtait à diriger les opérations commença à s'intéresser lui aussi au problème et le type au volant du double-cabine sortit, les trois formant un petit demi-cercle irrégulier à un peu plus de deux mètres du pare-chocs avant de la Corvette. Ils étaient tous secs, musclés et épuisés. Ils portaient tous une veste de travail sans manches en tissu écossais sur un sweat-shirt incolore, un jean et des bottes. Ils avaient tous un bonnet en laine. Le type sonné devait mesurer dans les un mètre soixante-douze, le directeur des opérations dans les un mètre soixante-dix-huit et le conducteur du gros pick-up dans les un mètre quatre-vingt-trois. Small, medium et large dans un catalogue de vêtements de chasse, sélection bas de gamme.

— Foncez dans le tas, lança Reacher à Turner.

Elle n'en fit rien.

Le type du gros pick-up déclara :

— C'est la voiture de Billy Bob.

Le type sonné hurla :

— Je l'ai déjà dit!

Jl'ai jadit.

Très fort.

Peut-être son ouïe avait-elle été endommagée dans l'accident.

— Pourquoi vous roulez dans la voiture de Billy Bob? demanda le type du double-cabine.

— C'est ma voiture, répondit Reacher.

— Non, c'est pas la tienne. Je reconnais la plaque.

Reacher détacha sa ceinture de sécurité.

Turner l'imita.

— Qu'est-ce que ça peut vous faire de savoir qui conduit la voiture de Billy Bob? reprit Reacher.

— Ça nous fait que Billy Bob est notre cousin, répondit le type.

— Vraiment?

— Ah ça oui. Il y a des Claughton dans le comté d'Hampshire depuis trois cents ans.

— Tu as un costume foncé?

— Pourquoi?

— Parce que tu vas à un enterrement. Billy Bob n'a plus besoin de voiture. Son labo a brûlé cette nuit. Il n'est pas sorti à temps. On passait par là. On n'a rien pu faire pour lui.

Les trois types se turent un moment. S'agitèrent, clignèrent des yeux, s'agitèrent encore et crachèrent sur la route. Le type du gros pick-up demanda :

— Vous avez rien pu faire pour lui sauf lui voler sa caisse?

— Vois ça comme du recyclage.

— Avant que son cadavre soit froid?

— On ne pouvait pas attendre aussi longtemps. C'était un sacré incendie. Il faudra un jour ou deux pour que le corps refroidisse.

— Comment tu t'appelles, connard?

— Reacher, répondit Reacher. Il y a des Reacher dans le comté d'Hampton depuis cinq minutes.

— Tu te fous de moi?

– Pas vraiment. Tu sembles t'en sortir très bien tout seul.

– C'est peut-être vous qui avez mis le feu.

– Non. Ce bon vieux Billy bossait dans un secteur commercial à risque. Il a vécu par l'épée, il est mort par l'épée. Pareil pour la voiture. Bien mal acquis, toujours mal acquis.

– Vous pouvez pas la garder. On devrait l'avoir, nous.

Reacher ouvrit sa portière. Il sauta du véhicule comme un ressort, passant en une seconde de la position accroupie, les fesses à ras du sol, à la position debout, dressé de tout son mètre quatre-vingt-dix. Il contourna le capot, avança, puis s'arrêta pile au centre du petit demi-cercle inégal.

– Ne nous engageons pas dans une grande discussion au sujet des droits de succession.

Le type du gros pick-up répliqua :

– Et son fric ?

– Possession vaut titre, répondit Reacher à l'instar d'Espin dans la salle d'interrogatoire de Fort Dyer.

– Vous avez aussi pris son fric ?

– Autant qu'on en a trouvé.

Sur quoi le type sonné s'élança et balança violemment le poing, décrivant un arc de cercle. Reacher se pencha en arrière et laissa le poing siffler devant lui, inoffensif, puis agita son bras droit et battit d'avant en arrière comme s'il chassait d'autres insectes invisibles. L'autre suivit des yeux le va-et-vient, et de la paume gauche Reacher lui donna une claque sur le côté de la tête, juste sous le bord du bonnet, à la manière d'un flic d'autrefois avec le petit dur à cuire du quartier, juste une tape, rien de plus, mais le type s'effondra quand même, comme si une cartouche de fusil puissant lui avait explosé le crâne. Il gisait sur la route, immobile.

Le type du double-cabine demanda :

– C'est comme ça que tu fais ? Tu t'en prends au plus petit d'abord ?

– Je ne m'en prenais pas à lui. C'est lui qui s'en prenait à moi. Tu comptes faire la même erreur ?

– Ce sera peut-être pas une erreur.

– C'en serait une, répondit Reacher.

Il porta le regard sur le pick-up vertical, derrière le type.

— Merde, ce truc va se renverser.

Le type ne se retourna pas. Ne vérifia pas. Ses yeux restaient fixés sur ceux de Reacher.

— Jolie tentative. Mais je ne suis pas né d'hier.

— Je ne plaisante pas, abruti.

Et il ne plaisantait pas. Peut-être la transmission du double cabine était-elle desserrée. Peut-être s'était-il affaissé de vingt centimètres vers l'avant quand le type avait coupé le moteur avant de descendre. Quoi qu'il en soit, la tension exercée sur la chaîne avait augmenté. Elle était rigide. Elle ronflait presque. Et dans le fossé, le pick-up vacillait sur son point d'équilibre, à deux centimètres près il s'écroulait comme un arbre. Un souffle de vent aurait terminé le boulot.

Et un souffle de vent vint terminer le boulot.

Tout autour, les branches gémirent et tressaillirent doucement, juste une fois. Le hayon du pick-up accidenté racla des petits cailloux coincés dessous. La chaîne se détendit. Le véhicule se mit à basculer vers l'avant, presque imperceptiblement, millimètre par millimètre, puis il atteignit le point de non-retour, s'abattit de plus en plus vite, et ce fut comme si une masse de forgeron géante écrasait le plateau de chargement du double-cabine. Dans un choc violent, le bloc-moteur en acier s'effondra de tout son poids sur le plancher de tôle ondulée, brisant l'essieu en dessous. Les roues du gros pick-up s'affaissèrent en oblique, le bas vers l'extérieur, le haut en dedans, comme des genoux cagneux ou des pattes de chiot, tandis que celles du plus petit se pliaient à l'envers sur les essieux brisés. La chaîne tomba par terre avec un bruit de ferraille. Les suspensions opposées se détendirent et le petit pick-up finit par se reposer en s'enfilant en partie sur le gros. Les deux engins étaient à bout de forces, inertes et immobiles.

— On dirait qu'ils ont fait l'amour, dit Reacher. Vous ne trouvez pas?

Personne ne répondit. Le plus petit des types était toujours au tapis, et les deux autres allaient faire face à un tout nouveau problème. Dans un avenir proche, aucun des véhicules n'allait filer où que ce soit, pas sans une grosse grue et un semi-remorque à plateau. Reacher sauta par-dessus la portière de la Corvette pour remonter dedans.

L'accident bloquait la route d'un fossé à l'autre. Turner n'avait pas le choix. Elle fit marche arrière, se faufila entre les deux fusées et repartit par où ils étaient venus.

30

— Ces types nous balanceront dès qu'on leur parlera de nous, s'inquiéta Turner. Ils téléphoneront tout de suite. À leurs contrôleurs judiciaires. Ils négocieront toutes sortes d'arrangements. Ils se serviront de nous comme joker antiprison pour leurs dix prochains délits.

Reacher acquiesça. La route ne pouvait pas rester bloquée indéfiniment. Tôt ou tard, d'autres automobilistes alerteraient les flics. Ou les Claughton appelleraient eux-mêmes puisqu'ils avaient épuisé toutes les autres solutions. Puis les flics se pointeraient et leurs inévitables questions mèneraient à des réponses qui disculperaient les cousins, ils passeraient des marchés, il y aurait des promesses et des échanges.

— Essayez la prochaine route au sud, suggéra-t-il. On n'a pas d'autre solution.

— Vous vous amusez toujours?

— Comme jamais.

Ils tournèrent dans la deux-voies tranquille qu'ils avaient quittée vingt minutes plus tôt. Elle était déserte. Arbres à gauche, arbres à droite, rien devant, rien derrière. Ils prirent un pont pour traverser le Potomac étroit et insignifiant à cet endroit, coulant vers le nord, loin de sa source, avant de décrire une courbe à l'est, puis de s'élargir pour devenir à son embouchure le courant paresseux qu'on connaît. Il n'y avait pas un seul véhicule sur la route. Rien dans leur sens, rien dans l'autre. Pas de lumières. Aucun bruit sauf celui de leur moteur.

— Si on était dans un film, ce serait le moment où le cow-boy se frotterait la joue et dirait que tout semble trop calme, plaisanta Reacher.

— C'est pas drôle. Ils ont peut-être placé un barrage sur cette route. La police d'État pourrait se trouver au prochain tournant.

Elle n'y était pas. Ni au suivant, ni à celui d'après. Mais il en apparaissait toujours. L'un après l'autre, comme autant de motifs d'interrogation et de moments de tension.

— Comment connaissent-ils votre mode de vie? demanda Turner.

— Qui ça?

— Les officiers supérieurs d'état-major.

— C'est une très bonne question. Connaissent-ils le vôtre?

Ils n'ont pas réussi à vous trouver avant. Ils ne vous trouveront pas maintenant. L'armée ne dispose pas de détectives. Et aucun détective ne vous trouverait de toute façon.

— Ils semblent savoir que je n'ai pas acheté de maison familiale quelque part en banlieue. Et que je ne suis pas entraîneur en Little League, que je ne cultive pas de légumes et que je n'ai pas entrepris de deuxième carrière.

— Mais comment sont-ils au courant?

— Aucune idée.

— J'ai lu votre dossier. Il contient plein de points positifs.

— Plein de négatifs aussi.

— Mais peut-être que le négatif est positif. Dans le sens où vous pouvez intéresser quelqu'un. En termes de personnalité. Ils vous suivaient depuis vos six ans. Vous présentiez des traits de caractère uniques.

— Pas uniques.

— Rares, alors. En termes de réaction agressive au danger.

Reacher hocha la tête. À six ans, il était allé au cinéma sur une base des marines quelque part dans le Pacifique. Une projection en matinée pour les enfants. Un film de science-fiction, une production alimentaire de second ordre. Un monstre surgissait soudain d'un lagon vaseux. Le jeune public était filmé en secret avec une caméra haute sensibilité. Expérience menée par les Opérations psychologiques. La plupart des gamins, terrifiés, avaient sursauté de peur à l'apparition du monstre. Pas lui. Au contraire. Il avait bondi vers l'écran, prêt à se battre, cran d'arrêt déjà ouvert. Les responsables avaient affirmé que son temps de réaction avait été de trois quarts de seconde.

À six ans.

On lui avait confisqué son cran d'arrêt.

Et donné l'impression d'être un psychopathe.

— Et puis vous avez obtenu de bons résultats à West Point. Et vos années de service ont été impressionnantes.

— Tant qu'on n'y regarde pas de trop près. Personnellement, je me souviens surtout de cris et de frictions. J'étais souvent sur la sellette.

— Mais peut-être que le négatif est positif. D'un certain point de vue. Supposez qu'il y ait un bureau quelque part. Au Pentagone, peut-être. Supposez que quelqu'un ait pour seule mission de suivre le parcours d'un certain genre de personnes, qui pourrait s'avérer utile dans l'avenir, dans un certain genre de circonstances. Comme un plan d'urgence à long terme pour une nouvelle unité supersecrète. Et dont les commanditaires pourraient nier l'existence. Une sorte de liste des personnels adaptés. Pour savoir qui appeler quand les emmerdes arrivent, par exemple.

— Maintenant c'est vous qui avez l'air d'avoir trop regardé de films.

— Tout ce qui se passe dans les films se passe aussi dans la vraie vie. C'est une chose que j'ai apprise. On ne peut pas inventer.

— Simples spéculations.

— Est-ce qu'il ne pourrait pas exister une base de données avec cent, deux cents ou mille noms, qui recense les individus que l'armée veut suivre, juste au cas où ?

— Ce n'est pas impossible, j'imagine.

— Ce serait une base de données très secrète. Pour des raisons évidentes. Ce qui implique que si ces gars l'ont consultée, et connaissent donc votre mode de vie, ce ne sont pas de simples officiers supérieurs d'état-major. Ce sont des officiers supérieurs d'état-major très haut gradés. Vous l'avez dit vous-même. Ils ont accès à des dossiers dans n'importe quelle branche du service.

— Simples spéculations, répéta Reacher.

— Mais logiques.

— Peut-être.

– Des officiers supérieurs d'état-major très haut gradés, répéta-t-elle.

Reacher hocha la tête. C'était comme tirer à pile ou face. Une chance sur deux. Vrai, ou faux.

**

La première bifurcation qu'ils atteignirent fut la Route 220, sensiblement plus large que celle sur laquelle ils roulaient, et plus plate, avec un meilleur revêtement, plus rectiligne et d'une manière générale plus importante sous tous rapports. Par comparaison, il semblait s'agir d'une voie principale. Pas vraiment d'une autoroute, mais elle offrait un tout autre tableau à leurs sens aiguisés.

– Non, dit Turner.

– D'accord, dit Reacher.

Ils y trouveraient du carburant et du café, sans doute, des *diners* et des motels, mais il pourrait aussi y avoir la police, d'État ou locale. Voire fédérale. Parce que c'était le genre de route qui avait belle allure sur une carte. Il imagina une réunion d'urgence quelque part, un tracé pointé par des doigts impatients, des voix insistantes qui ordonnaient : barrage routier ici, ici et ici.

– On prendra la prochaine, ajouta-t-il.

Ce qui leur valut dix minutes de tension supplémentaires. La chaussée était toujours déserte. Arbres à gauche, arbres à droite, rien devant, rien derrière. Pas de lumière, aucun bruit. Mais il ne se passa rien. Et la deuxième sortie se présentait mieux. Sur une carte, ce serait une simple piste grise ou, plus vraisemblablement, elle n'apparaîtrait pas du tout. C'était une route de crête, qui ressemblait beaucoup à celle qu'ils avaient déjà essayée. Étroite, pleine de bosses, sinueuse, avec des accotements irréguliers et des fossés peu profonds des deux côtés. Ils la prirent bien volontiers et l'obscurité les engloutit. Turner adapta son rythme, roulant à vitesse constante et appropriée, le geste efficace. Reacher se détendit et la regarda. Elle était bien calée dans son siège, bras tendus, mains sur le volant, sensible aux légères vibrations transmises par les roues. Elle avait glissé ses cheveux derrière ses oreilles et il voyait les muscles fins de ses cuisses se contracter quand elle appuyait sur une pédale, puis sur l'autre.

– Combien gagnait le Big Dog? demanda-t-elle.

– Beaucoup. Mais pas assez pour gaspiller cent mille dollars dans une magouille de la défense, si c'est à ça que vous pensez.

– Mais il était tout au bout de la chaîne. Ce n'était pas le chef. Ce n'était pas un vendeur en gros. Il ne touchait qu'une petite partie du profit. Et c'était il y a seize ans. Les choses ont changé.

– Vous pensez qu'on a affaire à du vol de pièces d'artillerie?

– Ça se pourrait. Retrait de l'opération Tempête du désert à cette époque, de l'Afghanistan maintenant. Même genre de circonstances, mais armes différentes. Que vendait-il?

– Onze caisses de fusils mitrailleurs quand on a entendu parler de lui.

– Dans les rues de L.A.? C'est du lourd.

– C'était le problème du LAPD, pas le mien. Tout ce que je voulais, c'était un nom.

– Vous pouviez vendre des fusils mitrailleurs aux talibans.

– Mais pour combien?

– Des drones, alors. Ou des missiles antiaériens. Des appareils d'une très grande valeur. Ou des MOAB[1]. Il y en avait à votre époque?

– À vous entendre, on dirait qu'on se servait d'arcs et de flèches.

– Donc, vous n'en aviez pas.

– Non, mais je sais ce que c'est. Des bombes de destruction massive par souffle. « La mère de toutes les bombes. »

– Les armes thermobariques les plus puissantes qui soient, mis à part les armes nucléaires. On trouve plein d'acheteurs au Moyen-Orient pour des engins comme ça. Aucun doute là-dessus. Et ces acheteurs sont pleins aux as. Aucun doute là-dessus non plus.

– Elles font neuf mètres de long. C'est plutôt dur à glisser dans sa poche.

– On a déjà vu plus étrange.

Puis elle se tut pendant deux kilomètres.

– Quoi? lui demanda Reacher au bout d'un moment.

1. *Mother of all bombs.*

— Supposez que ce soit une politique gouvernementale. On pourrait être en train d'armer une faction contre une autre. On fait ça tout le temps.

Il garda le silence.

— Vous ne le voyez pas de cette façon ?

— Il y a quelque chose qui cloche. Le gouvernement peut agir comme bon lui semble. Alors pourquoi vous tendre un piège avec cent mille dollars ? Pourquoi n'avez-vous tout simplement pas disparu ? Et moi ? Et Moorcroft ? Pourquoi on n'est pas à Guantanamo en ce moment ? Ou morts ? Et pourquoi les types qui sont venus au motel le premier soir étaient aussi nuls ? Ils n'avaient rien de sbires du gouvernement sous couverture. J'ai à peine levé le petit doigt. Et d'abord, pourquoi en arriver là ? Ils auraient pu vous faire revenir sur vos positions autrement. Ils auraient pu vous donner l'ordre de retirer Weeks et Edwards. Ils auraient pu vous donner l'ordre de lever le dispositif.

— Pas sans éveiller mes soupçons. Les projecteurs auraient été braqués sur l'affaire. C'est un risque qu'ils ne pouvaient pas prendre.

— Ils auraient trouvé un meilleur moyen. Ils auraient ordonné un retrait stratégique de tout le pays, jusqu'à la zone verte. Sous un prétexte politique bidon. Pour respecter la souveraineté de l'Afghanistan, ou un truc dans le genre. Ç'aurait été une avalanche de salades. Vos gars auraient été pris dedans avec les autres, et vous n'y auriez pas regardé à deux fois. Ç'aurait juste été un événement parmi tant d'autres. Le merdier habituel.

— Donc vous n'êtes pas convaincu ?

— Tout ça ressemble à du boulot d'amateur. Des gens comme il faut, collet monté, un peu timides, un peu dépassés maintenant, et qui comptent sur des gros bras médiocres pour couvrir leurs arrières collectifs. Ce qui nous pose un petit problème et nous offre une belle occasion. Le petit problème étant que ces quatre gars savent qu'ils doivent nous coincer d'abord, avant la police militaire ou le FBI, parce qu'on est dans la merde jusqu'au cou maintenant, concrètement, à cause de l'évasion et du reste. Ils se disent donc que nous dirons n'importe quoi pour améliorer notre situation. Et même si personne ne nous croit, l'histoire sera sortie, rumeur ou éventualité, et ils ne peuvent pas se permettre une investigation supplémentaire, même conduite dans les règles, sans y croire. Donc voilà le petit problème. Ces quatre types vont continuer de nous coller au train. Ça ne fait pas un pli.

— Et la belle occasion ?

— Ces quatre types. Leurs boss vont être perdus sans eux. Ils seront pris à la gorge. Ils seront vulnérables et isolés. On n'aura qu'à les cueillir.

— Alors c'est ça, le plan ? On laisse ces quatre gars nous trouver, on les cueille et on avise ?

— Sauf qu'on ne va pas les cueillir. On va leur faire ce qu'ils allaient nous faire.

— C'est-à-dire ?

— On va les sortir du jeu. Et on va écouter leurs boss hurler dans le vide. Et après, on leur expliquera dans les détails pourquoi c'est une très mauvaise idée de se frotter à la 110ᵉ.

31

Ils franchirent la limite du comté de Grant et la route de crête isolée se prolongea, immuable, kilomètre après kilomètre. L'aiguille du compteur de vitesse oscillait entre quatre-vingts et cent, mais celle de la jauge d'essence ne se déplaçait que dans un sens, et vite. Puis un panneau sur le bord de la route annonça l'aéroport du comté de Grant trente kilomètres plus loin, et une ville nommée Petersburg.

— Il doit bien y avoir une station-service s'il y a un aéroport, fit remarquer Turner. Et un motel. Et dans un endroit où il y a un aéroport, une station-service et un motel, il doit aussi y avoir un *diner*.

— Et un poste de police, ajouta Reacher.

— Espérons que tout se passe bien.

— C'est ce que je fais toujours.

***

Ils atteignirent la ville avant l'aéroport. Elle était presque entièrement endormie. Mais presque seulement. Ils quittèrent la colline et s'engagèrent à gauche sur une route d'État qui, cent mètres plus loin, devenait North Main Street. Immeubles sur la gauche et la droite. Dans le centre-ville, elle croisait la Route 220, celle qu'ils avaient évitée plus tôt. Après le carrefour, North Main Street devenait South Main Street. L'aéroport se trouvait à l'ouest, non loin de là. Il n'y avait pas de circulation, mais derrière eux, certaines fenêtres étaient éclairées.

Turner roula vers le sud, traversa de nouveau l'étroit Potomac, puis elle prit à droite vers l'aéroport, une petite infrastructure destinée uniquement aux avions légers, fermée et plongée dans le noir. Elle fit donc un demi-tour sur place pour revenir en arrière. Reprit la direction du croisement du centre-ville.

— Prenez à droite, la 220, lui indiqua Reacher. Je parie que c'est là qu'on trouve tous les trucs chouettes.

À l'est du carrefour, la 220 s'appelait Virginia Avenue, et sur les deux cents premiers mètres, ils touchèrent presque à leur but, mais presque seulement. Il y avait bien une sandwicherie, mais fermée, et une pizzeria, fermée elle aussi. Une station-service Chevron en cessation d'activité et deux franchises de fast-food, toutes les deux fermées pour la soirée. Et un motel Motor Court antédiluvien, en ruine, les fenêtres obstruées, le terrain envahi de mauvaises herbes.

— Pas de truc chouette pour l'instant, dit-elle.

— C'est le principe de l'économie de marché. Une entreprise a fait fermer Chevron. Et ce motel. Il ne nous reste qu'à trouver laquelle.

Ils roulèrent encore, longèrent un autre pâté de maisons, puis un autre, quittèrent la ville et obtinrent le tiercé gagnant dans la zone plus modeste qui s'étendait au-delà. D'abord un petit café ouvert toute la nuit sur la gauche, derrière un vaste terrain gravillonné où étaient garés trois camions. À cent mètres, du côté droit, il y avait un motel, un établissement moderne à un étage bâti à la lisière d'un champ. Et derrière le motel, au loin, brillait l'enseigne rouge d'une station-service Exxon.

Parfait. À cela près qu'à mi-chemin entre le café et le motel étaient implantés les quartiers de la police d'État.

Construction fade, longue et basse, en brique brun-roux vernissée, coiffée d'antennes paraboliques et d'antennes fouets. Deux véhicules de patrouille étaient stationnés devant et de la lumière brillait à deux fenêtres. *Un dispatcheur et un sergent chargé de l'accueil, s'acquittant bien au chaud de leur service de nuit,* se dit Reacher.

– Ils sont déjà au courant pour la voiture ? demanda Turner.

Reacher regarda le motel et répondit :

– Ou le seront-ils avant notre réveil demain matin ?

– On doit au moins prendre de l'essence.

– D'accord, allons-y. Et on essaiera de se faire une idée de l'endroit.

Turner ralentit pour descendre la rue aussi discrètement que le permet une décapotable rouge vif de six cents chevaux. Elle s'arrêta à la station Exxon : deux îlots, quatre pompes et une cabine de paiement en planches blanches toutes neuves qui ressemblait à une minuscule maison. Sauf qu'elle aussi avait le toit coiffé d'antennes.

Turner se gara près d'une pompe et Reacher étudia les instructions. Sans carte de paiement à insérer, il allait devoir payer d'avance en espèces.

– Combien de litres ? demanda-t-il.

– Je ne sais pas combien contient le réservoir, répondit Turner.

– Beaucoup, sans doute.

– Disons soixante alors.

Le plein allait coûter cinquante-neuf dollars et quatre-vingts *cents*, selon le tarif indiqué. Reacher ôta trois billets de vingt d'une des liasses de Billy Bob et se dirigea vers la cabane. Une femme d'une quarantaine d'années se tenait derrière la vitre blindée. À hauteur du comptoir, une ouverture en forme de demi-lune permettait de passer l'argent. S'en échappaient les douces mélodies nasillardes d'une radio AM réglée sur une station de musique country, et les bavardages noyés dans le bruit de fond d'un scanner de police réglé sur la fréquence d'appel d'urgence.

Reacher glissa les billets par l'ouverture et la pompiste fit une manœuvre qui devait permettre à la pompe de délivrer soixante dollars d'essence, et pas une goutte de plus. Une chanson de country se termina, et une autre démarra. Entre les deux, un souffle de parasites venu du scanner de police. Reacher y jeta un coup d'œil et tenta de prendre l'air d'un voyageur fatigué.

— C'est calme, ce soir?

— Jusqu'à maintenant, y a rien eu de spécial, répondit la pompiste.

Il jeta un coup d'œil de l'autre côté, à la radio.

— La country ne vous suffit pas?

— Mon frère a une dépanneuse. Et pour réussir dans sa branche, faut être le premier sur les lieux. Il me donne dix dollars pour chaque accident où je l'envoie.

— Alors pas d'accidents ce soir?

— Pas un seul.

— Pas d'action du tout?

— C'est une jolie voiture que vous avez là.

— Pourquoi vous dites ça?

— Parce que j'ai toujours rêvé d'avoir une Corvette.

— Vous avez entendu parler de nous à la radio?

— Vous avez dépassé les limitations de vitesse?

— Difficile de s'en priver.

— Alors vous avez eu du bol. On vous a pas repérés.

— Pourvu que ça dure, conclut Reacher.

Il lui adressa ce qui, espérait-il, serait interprété comme un petit sourire de connivence, puis il regagna la voiture. Turner avait déjà commencé à remplir le réservoir, l'embout du tuyau coincé dans la trappe. Elle se tenait de trois quarts par rapport à lui, une cuisse contre le flanc du véhicule, le pied de la jambe opposée calé sur le rebord de l'îlot. Elle avait les mains derrière le dos et les reins cambrés, comme si elle soulageait une douleur. Son visage était levé vers le ciel. Reacher imagina son corps sous la chemise large, visualisait une silhouette en S, élancée.

Ça valait vraiment la peine d'attendre.

— La pompiste écoute le scanner de police. Jusqu'ici tout va bien.

— Parce que vous le lui avez demandé? Elle va se souvenir de nous maintenant!

– Elle s'en souviendra de toute façon. Elle a toujours rêvé d'une Corvette.

– On devrait passer un marché avec elle. On devrait l'échanger avec le véhicule qu'elle conduit.

– Là, elle se souviendra de nous pour toujours.

– Peut-être que les autres rustauds n'appelleront pas les flics. Et que leurs pick-up sont volés, eux aussi. Peut-être qu'ils ont simplement disparu dans les bois.

– Possible. Je ne vois pas pourquoi ils auraient attendu aussi longtemps.

– On pourrait se garer tout à l'arrière du motel. Parfaitement hors de vue. Je crois qu'on devrait prendre le risque. On a vraiment besoin de manger et de dormir.

La pompe s'arrêta, juste avant quarante-cinq litres. Soit le réservoir était plus petit qu'ils le pensaient, soit la jauge était pessimiste.

– Maintenant elle sait que la voiture ne nous appartient pas, déplora Turner. On n'a aucune idée de la contenance du réservoir.

– Elle va nous rendre la monnaie ?

– On devrait peut-être la lui laisser.

– Il y en a pour douze dollars. On est en Virginie-Occidentale. Ça ferait tache.

– Dites-lui qu'on va prendre la 220. Dites-lui qu'il nous reste encore beaucoup de route à faire avant l'aube. Comme ça, quand elle entendra parler de nous avec le scanner, elle donnera de fausses infos.

***

Reacher récupéra les douze dollars et cinquante-deux *cents* de monnaie et raconta qu'ils allaient essayer de rejoindre la I-64 avant l'aube. La radio murmura ses chansons et le scanner de la police resta muet. La pompiste regarda par la fenêtre et sourit d'un petit sourire triste, comme s'il allait se passer longtemps avant qu'elle ne revoie une Corvette.

Turner retrouva Reacher devant la porte de la guérite de paiement. Ils repartirent en direction de la ville, puis s'arrêtèrent à nouveau trois cents mètres plus loin, devant le motel.

– On paye d'abord et ensuite on va au café ? proposa-t-elle.

– Parfait.

Elle marqua une longue pause, puis le regarda droit dans les yeux.

– Combien de chambres on prend ?

Il marqua à son tour une longue pause et répondit :

– Allons d'abord manger. On verra après.

– Pourquoi ?

– J'ai quelque chose à vous dire.

– Quoi donc ?

Samantha Dayton.

Sam.

Quatorze ans.

– Je vous le dirai quand on aura commandé. C'est une longue histoire.

32

Le café était une gargote de campagne parfaite, comme il en connaissait des dizaines. Un Noir en tricot de corps blanc se tenait à côté d'une plaque en fonte d'un mètre de large sur deux de long et luisante de saindoux. La salle était meublée de tables en pin usées et de chaises dépareillées. Ça sentait la graisse rance et le café frais. Deux vieux Blancs coiffés de casquettes étaient assis, l'un à gauche de la porte, l'autre à droite. Peut-être ne s'entendaient-ils pas. Peut-être pâtissaient-ils d'une querelle datant de trois cents ans.

Turner choisit une table au centre de la salle. Ils tirèrent les chaises, qui claquèrent sur le plancher, puis s'assirent.

Il n'y avait pas de menu. Pas d'ardoise avec la liste manuscrite des plats du jour. Ce n'était pas le genre d'établissement à en fournir. Les habitués passaient manifestement commande par télépathie. Pour les nouveaux clients, il s'agirait de demander bien fort, tout simplement.

Ce que confirma le cuisinier, qui leva le menton et tourna un peu la tête pour que son oreille droite soit offerte à la salle.

— Omelette! lança Turner. Champignons, oignons nouveaux et cheddar.

Aucune réaction de la part du cuisinier.

Vraiment aucune.

Turner répéta, un peu plus fort.

Toujours pas de réaction. Pas de mouvement. Immobilité totale, menton levé, yeux détournés, silence digne et implacable, à l'image du représentant de commerce expérimenté offensé par une contre-proposition. Turner regarda Reacher et murmura :

— Qu'est-ce que c'est que cet endroit?

— Vous êtes enquêtrice. Vous voyez l'ombre d'une poêle ici?

— Non, en effet. Tout ce que je vois, c'est une plaque en fonte.

— Alors le meilleur moyen de déclencher un peu d'enthousiasme de la part de ce type, c'est sans doute de commander un truc qui se cuisine sur plaque.

Turner marqua une pause.

— Deux œufs miroir sur toast grillé et du bacon, lança-t-elle.

— Bien, m'dame, répondit le cuisinier.

— La même chose, dit Reacher. Et du café.

— Bien, m'sieur.

Aussitôt, le type se tourna et se mit à l'œuvre avec un bout de saindoux frais et une palette. Il prépara la surface de métal, la lissa, dans un mouvement de va-et-vient d'un mètre d'amplitude, deux mètres en largeur aller-retour. Ce qui faisait de lui un manieur de plaque dans l'âme. Selon l'expérience de Reacher, ce genre de type était soit spécialiste du gril soit propriétaire, mais jamais vraiment les deux. Le premier réflexe d'un spécialiste du gril est de préparer la fonte, de la travailler pour obtenir un lustre de niveau moléculaire, de la polir au point que du Téflon aurait l'air de papier de verre par comparaison. Le premier réflexe d'un propriétaire aurait été d'apporter le café. Parce que la première tasse de café conclut le marché. Un client ne s'est pas engagé tant qu'il n'a rien consommé. Il peut toujours se lever et s'en aller s'il trouve l'attente trop longue ou s'il se rappelle qu'il a un rendez-vous urgent. Mais pas s'il a déjà entamé sa première tasse de café. Parce que alors il devra mettre la main à la poche. Et qui connaît le tarif exact d'une tasse de café dans un *diner*? Cinquante *cents*? Un dollar? Deux?

— OK, on a commandé, dit Turner. Alors, qu'avez-vous à me dire?

— Attendons le café. Je ne veux pas être interrompu.

— Alors il y a deux ou trois points que je voudrais aborder. Je veux en savoir plus sur ce Morgan. Je veux savoir qui s'est accaparé mon unité.

— C'est aussi la mienne. J'ai toujours pensé que je serais le pire de ses commandants, mais je dois avoir tort. Vos gars en Afghanistan ont raté deux contacts radio consécutifs et il n'a pas réagi.

— Sait-on d'où il vient?

— Aucune idée.

— C'est l'un des leurs?

— Difficile à dire. Bien entendu, l'unité avait besoin d'un commandant temporaire. En soi, ce n'est pas une preuve de culpabilité.

— Et en quoi vous rappeler au service entrerait-il dans leur stratégie? Ils auraient plutôt voulu se débarrasser de vous, pas vous garder sous la main.

— D'après moi, tout ça, c'était pour me faire fuir. Ce que j'aurais pu faire. J'aurais pu disparaître dans la nature. Ils ont bien insisté sur le fait que personne ne me rechercherait. Pas de détectives. Comme un enchaînement droite-gauche, avec la déclaration sous serment de Big Dog. Une accusation que je ne peux pas réfuter, et une obligation de rester dans les parages pour ne pas m'y dérober. Dans ma situation, la plupart des types auraient déguerpi à l'heure qu'il est. Je pense que c'est ce qu'ils avaient prévu, stratégiquement. Mais ça n'a pas fonctionné.

— Parce que quand un monstre surgit de la vase, il faut le combattre.

— Il aurait aussi pu s'agir d'un ordre du JAG, tout simplement. Il aurait pu y avoir une annexe au dossier, un élément spécifiant que si je ne coopérais pas, on devait m'y contraindre. À cause de sensibilités politiques au Bureau du secrétaire d'État. Ce n'était certainement pas la décision de Morgan. Un lieutenant-colonel ne décide pas de ce genre de choses. Ça devait venir de plus haut.

— D'officiers supérieurs d'état-major très haut gradés.

– D'accord, mais lesquels exactement ?

Elle ne répondit pas à la question. Le cuisinier apporta le café, enfin. Deux grands mugs en céramique. Et un petit panier rose en plastique contenant des dosettes de crème, de sucre, et deux cuillères en métal si fin qu'elles semblaient tenir en apesanteur. Reacher prit une tasse, huma les effluves du café et le goûta. Le contour de la tasse était froid et épais, mais le café était convenable. Chaud et pas trop léger.

Il reposa le mug sur la table, l'entoura de ses mains, comme s'il le protégeait, regarda Turner dans le blanc des yeux et se lança.

– Bien, dit-il.

– Encore une chose, l'interrompit-elle. Et ça va être difficile à dire. Alors excusez-moi.

– Oui ?

– Je n'aurais pas dû poser la question des chambres.

– Ça ne m'a pas gêné.

– Mais moi si. Je ne suis pas encore sûre d'être prête pour une seule chambre. J'ai l'impression de vous être redevable. Pour ce que vous avez fait aujourd'hui. Et je ne pense pas que ce soit un sentiment opportun, dans ces circonstances. Les circonstances chambre double, je veux dire.

– Vous ne m'êtes pas redevable. J'ai agi par pur égoïsme. Je voulais vous inviter à dîner. Ce que je fais en ce moment, j'imagine. En un sens. Peut-être pas de la manière dont je l'entendais. Mais quoi qu'il en soit, j'ai obtenu ce que je voulais. Le reste, ce sont des dommages collatéraux. Vous me devez rien.

– Je suis troublée.

– Parce que vous venez de vous faire arrêter et que vous vous êtes évadée de prison. Et maintenant, vous vous sauvez et vous volez des voitures et de l'argent.

– Non, c'est à cause de vous.

– Pourquoi ?

– Vous me mettez mal à l'aise.

– Je suis désolé.

– Ce n'est pas votre faute. C'est juste votre façon d'être.

– Qui serait… ?

– Je ne veux pas vous blesser.

– Vous ne pouvez pas. Je suis de la police militaire. Et je suis un homme. Je n'ai pas de sentiments.

– C'est bien ce que je veux dire.

– Je plaisantais.

– Non. Pas complètement.

Elle se tut un long moment. Puis elle reprit :

– Il y a du féral en vous.

Reacher ne répondit pas. *Féral*, de l'adjectif latin *ferus*, sauvage, d'où *bestia fera*, animal sauvage. Acception usuelle : qui a échappé à la domestication et est retourné à l'état naturel.

– C'est comme si vous aviez été raboté jusqu'à l'os pour ne plus concevoir les choses qu'en termes de oui ou non, vous et eux, noir et blanc, vivre ou mourir. Et je me demande ce qui peut provoquer ça chez quelqu'un.

– La vie. La mienne en tout cas.

– Vous êtes une sorte de prédateur. Froid, et dur. Comme toute cette histoire. Vous avez tout planifié. Les quatre types dans la voiture, et leurs boss. Vous montez au front en ce moment même et le sang va couler. Le vôtre ou le leur, mais ça va saigner.

– Pour l'instant, j'aimerais mieux me réfugier loin d'eux, en arrière-ligne. Et pourtant je ne sais ni qui ils sont ni où ils se trouvent.

– Mais vous le découvrirez. Vous y pensez tout le temps. Je vous vois y penser. Vous vous en inquiétez sans arrêt, vous essayez de flairer leur piste.

– Que pourrais-je faire d'autre ? Nous acheter des tickets de car pour un aller direct jusqu'au pénitencier de Leavenworth ?

– C'est la seule alternative ?

– À votre avis ?

Elle but lentement sa première gorgée de café, pensive.

– Je suis d'accord avec vous. Et c'est exactement le problème. C'est ce qui me met mal à l'aise. Je suis comme vous. Mais pas encore tout à fait. Et voilà où je veux en venir. Vous regarder, c'est comme regarder mon avenir. Vous êtes ce que je serai un jour. Quand je m'inquiéterai sans arrêt moi aussi.

– Alors je vous ressemble trop ? La plupart des femmes me disent non parce que je suis trop différent.

– Vous m'effrayez. Ou plutôt la perspective de devenir comme vous m'effraie. Je ne suis pas sûre d'être prête pour ça. Je ne suis pas sûre de l'être jamais.

– Ça n'est pas forcé d'arriver. Vous traversez juste une mauvaise passe. Vous avez encore une carrière devant vous.

– Si nous gagnons.

– On va gagner.

– Donc, dans le meilleur des cas, je m'écarte du chemin pour mieux y revenir. Et dans le pire, je reste à l'écart pour toujours.

– Non, dans le pire des cas, vous êtes morte, ou enfermée. Dans le pire des cas, ce sont les méchants qui gagnent.

– Il s'agit toujours de gagner ou de perdre avec vous, n'est-ce pas?

– Il y a une troisième possibilité?

– Ça vous rend dingue de perdre?

– Évidemment.

– C'est d'une arrogance... C'est pétrifiant. Les gens normaux ne se mettent pas en rogne quand ils perdent.

– Peut-être qu'ils devraient. Mais vous n'êtes pas vraiment comme moi. Ce n'est pas vous que vous voyez quand vous me regardez. C'est pour ça que j'ai fait tout ce chemin pour venir jusqu'ici. Vous êtes une version améliorée. C'est ce que j'ai pressenti au téléphone. Vous faites les choses comme il faut.

– Quelles choses?

– Tout. Votre boulot. Vivre votre vie d'être humain.

– Ce n'est pas mon impression. Pas en ce moment. Et je ne me considère pas comme une version améliorée. Si je ne peux pas voir ce qui va se passer en vous regardant, vous ne pouvez pas voir ce qui aurait dû se passer en me regardant.

Le cuisinier revint, cette fois avec des assiettes garnies d'œufs, de bacon et de toasts. Tout avait l'air appétissant et tout semblait cuit à la perfection. Les contours des œufs étaient nets et croustillants. Manifestement, le type prenait grand soin de sa fonte. Quand il fut reparti, Turner reprit :

– Tout cela suppose que vous avez une nette préférence, dans un sens ou dans l'autre, pour le nombre de chambres.

– Vous voulez une réponse honnête?

— Bien sûr.

— J'ai une nette préférence en effet.

— Pour ?

— Je dois vous parler d'abord.

— De quoi ?

— De l'autre affaire conçue pour me faire fuir.

— À savoir ?

— Une action en recherche de paternité. Apparemment, j'ai une fille à Los Angeles. Avec une femme dont je n'arrive pas à me souvenir.

33

Reacher parla et Turner mangea. Il lui raconta ce qu'on lui avait raconté. Red Cloud, entre Séoul et la zone démilitarisée, Candice Dayton, son journal, son logement à Los Angeles, sa vie de sans-abri à L.A., sa fille, sa voiture, et son avocat.

— Comment s'appelle la gamine ? demanda Turner.

— Samantha. On doit l'appeler Sam, sans doute.

— Quel âge a-t-elle ?

— Quatorze ans. Bientôt quinze.

— Comment vous sentez-vous maintenant que vous êtes au courant ?

— Mal. Si c'est la mienne, j'aurais dû être là pour elle.

— Vous ne vous souvenez vraiment pas de la mère ?

— Non, vraiment pas.

— C'est toujours comme ça ?

— Vous voulez dire, à quel point suis-je « féral » ?

— Quelque chose dans ce goût-là.

— Je ne crois pas que j'oublie les gens. J'espère que non. Surtout les femmes avec qui je couche. Mais si c'était le cas, je n'en aurais pas conscience, par définition. On ne peut avoir conscience de ce qu'on oublie.

— C'est pour ça que nous allons à Los Angeles?

— Il faut que je sache.

— Mais c'est du suicide! Ils vont tous vous y attendre. S'il y a un endroit où ils peuvent être sûrs que vous irez, c'est bien là-bas!

— Il faut que je sache, répéta-t-il.

Elle garda le silence.

— Bref, voilà l'histoire. C'est ce que je devais vous dire. Par souci de transparence. Au cas où il y aurait un rapport. Avec la question des chambres, surtout.

Elle ne répondit pas.

***

Ils terminèrent leur repas et demandèrent l'addition. Le montant apparaissait sous la forme de chiffres gribouillés entourés d'un cercle au-dessous de trois lignes griffonnées. Combien coûtait une tasse de café dans un *diner*? Personne ne le savait, car personne ne l'avait jamais découvert. Peut-être était-ce gratuit? Ce devait être gratuit parce que le total était modique. Reacher avait treize dollars et trente-deux *cents* dans la poche : les quelque quatre-vingts *cents* subsistants de Sullivan, plus la monnaie de la cahute de paiement de la station-service. Il laissa tout sur la table, adjoignant de ce fait un coquet pourboire. Un gars qui s'occupait toute la nuit d'une plaque de cuisson brûlante ne méritait pas moins.

La voiture était là où ils l'avaient laissée, indemne, et pas cernée : ni par projecteurs ni par une équipe du SWAT. Plus loin sur leur gauche, tout semblait calme dans les quartiers de la police d'État. Les véhicules de patrouille garés devant n'avaient pas bougé. Les fenêtres étaient toujours éclairées.

— On reste ou on s'en va? demanda-t-elle.

— On reste. Cet endroit est aussi bien qu'un autre. Aussi bizarre que ça paraisse, avec la cavalerie juste à côté, on ne trouvera pas mieux. Pas avant que tout ça soit fini.

— Pas avant que nous ayons gagné, vous voulez dire.

– Ça revient au même.

Ils s'installèrent tranquillement dans les sièges bas de la Corvette. Turner démarra le moteur, regagna le motel et s'arrêta devant la réception.

– Je vais attendre ici, dit-elle. Allez-y.

– D'accord.

Il retira quelques billets de vingt d'une des liasses de Billy Bob.

– Deux chambres, lança-t-elle.

***

Le réceptionniste de nuit était endormi dans son fauteuil, mais il n'en fallut pas beaucoup pour le réveiller. Le bruit de la porte s'acquitta de la moitié de la besogne et le tapotement poli de Reacher sur le comptoir fit le reste. Le type était jeune. Le motel devait être une entreprise familiale. C'était peut-être un fils ou un neveu.

– Vous avez deux chambres ? lui demanda Reacher.

Il vérifia sur l'écran de l'ordinateur en donnant l'impression que la tâche requérait des recherches complexes, comme le font souvent les types dans ce genre, ce que Reacher trouvait idiot. Ils ne géraient pourtant pas les opérations internationales d'une grosse chaîne d'hôtels. Ils bossaient dans des motels avec un nombre de chambres qu'ils pouvaient compter sur les doigts et les orteils. S'ils perdaient le fil, il leur suffisait de se tourner et de vérifier le nombre de clefs pendues aux crochets derrière eux.

Le réceptionniste quitta l'écran des yeux et répondit :

– Oui, monsieur, nous avons deux chambres.

– À combien ?

– Trente dollars la nuit, chacune. Avec un bon inclus pour prendre le petit déjeuner au café de l'autre côté de la rue.

– Ça marche.

Il échangea trois des billets de vingt de Billy Bob contre les clefs du jeune. Chambres onze et douze. Attenantes. Une petite attention de sa part. Pour la femme de chambre le matin. Elle aurait moins de distance à parcourir avec son lourd chariot.

– Merci, dit Reacher.

Il retourna à la voiture. Turner roula jusqu'à l'arrière de l'enceinte. Elle trouva un carré d'herbe plein de bosses derrière le dernier bâtiment et s'y gara. Ils remontèrent la capote, la fermèrent pour la nuit et laissèrent la Corvette à cet endroit, invisible depuis la rue.

Ils regagnèrent le motel ensemble, montèrent les marches en béton d'un escalier extérieur jusqu'au premier étage où se trouvaient leurs chambres. Reacher lui donna la clef de la onze et garda celle de la douze pour lui.

– Quelle heure demain ? demanda-t-elle.

– Midi. Et je conduirai un peu, si vous voulez.

– On verra. Dormez bien.

– Vous aussi.

Il attendit que Turner soit installée en sécurité avant d'ouvrir la porte. Derrière, il découvrit une boîte en béton avec un plafond en crépi et du papier peint vinyle sur les murs. Mieux que le motel à deux kilomètres de Rock Creek, mais à peine. Le radiateur était moins bruyant, mais loin d'être silencieux. La moquette était plus propre, mais pas de beaucoup. Tout comme le couvre-lit. La douche avait l'air correcte et les serviettes étaient élimées, mais pas transparentes. La marque sur les étiquettes qui habillaient la savonnette et le shampooing rappelait le nom d'un cabinet de vieux avocats de Boston. Le mobilier était en bois brut et le téléviseur, un petit écran plat de sous-marque, n'était pas plus grand qu'un bagage à main. Il n'y avait pas de téléphone. Ni de minibar, de bouteille d'eau fournie gracieusement, ou de chocolats sur l'oreiller.

Il alluma la télé, trouva CNN et lut le bandeau défilant au bas de l'écran, jusqu'au bout. On ne faisait pas mention de deux fugitifs évadés d'une prison militaire en Virginie. Il se rendit ensuite dans la salle de bains, fit couler l'eau dans la douche et resta sous le jet, sans raison, longtemps après que le savon avait été rincé. Des bribes de la conversation autour de la table balafrée du café lui revenaient, sans discontinuer. *Il y a du féral en vous. Vous êtes un prédateur. Froid et dur.*

Mais finalement, la phrase qui restait gravée était venue plus tôt dans l'échange. Turner avait posé des questions sur Morgan et il lui avait répondu : *Vos gars en Afghanistan ont loupé deux contrôles radio et il n'a pas réagi.* Il se la repassa, encore et encore, fit résonner les mots dans sa tête en remuant les lèvres, la prononça à voix haute, la décomposa, la bredouilla dans le jet d'eau, étudia en détail chaque proposition.

Vos gars en Afghanistan.

Ont loupé deux contrôles radio.

Et il n'a pas réagi.

Il coupa l'eau, sortit de la baignoire et attrapa une serviette. Puis, encore humide, il remit son pantalon, un de ses tee-shirts et gagna la passerelle. Il avança à pas feutrés, pieds nus dans l'air froid de la nuit, jusqu'à la chambre onze.

Et frappa.

34

Il attendit dans le froid car Turner n'ouvrit pas tout de suite. Mais il savait qu'elle était réveillée. La lumière artificielle perçait par le judas. Qui s'obscurcit brièvement quand elle y colla son œil pour voir qui était là. Il dut encore attendre. Il se dit qu'elle ramassait des vêtements. Elle avait pris une douche elle aussi, c'était presque sûr.

Puis la porte s'ouvrit, et elle apparut, une main sur la poignée, l'autre sur le chambranle, lui bloquant le passage, consciemment ou inconsciemment. Elle avait démêlé avec les doigts ses cheveux lissés par l'eau pour ne pas les avoir devant les yeux. Elle portait son tee-shirt de l'armée, son nouveau pantalon de travail et était pieds nus.

— J'aurais bien appelé, mais il n'y a pas de téléphone dans ma chambre, commença Reacher.

— Dans la mienne non plus. Qu'y a-t-il?

— Un truc dont je vous ai parlé à propos de Morgan. Je viens de me rendre compte de ce qu'il signifie.

— Que m'avez-vous dit?

– J'ai dit que vos gars en Afghanistan avaient loupé deux contrôles radio consécutifs et qu'il n'avait pas réagi.

– J'y pensais aussi. Selon moi, c'est la preuve qu'il est dans le coup. Il n'a pas réagi parce qu'il savait qu'il n'y avait rien à faire. Il savait qu'ils étaient morts. Et qu'il n'y avait aucun intérêt à mettre en place des recherches.

– Je peux entrer? Il fait froid dehors.

Pas de réponse.

– On peut aussi aller dans ma chambre, poursuivit-il. Si vous préférez.

– Non, entrez.

Elle retira sa main du montant et s'écarta. Il entra. Elle referma derrière lui. La chambre était identique à la sienne. La chemise qu'il lui avait prêtée était accrochée au dos d'une chaise. Elle avait rangé ses bottes dessous, soigneusement, l'une à côté de l'autre.

– Je suppose que je peux m'offrir des chaussures neuves maintenant, dit-elle.

– Vous pouvez vous offrir ce que vous voulez.

– Vous êtes d'accord? C'est la preuve qu'il est dans le coup?

– Ça pourrait aussi prouver qu'il est fainéant et incompétent.

– Aucun commandant ne serait bête à ce point.

– Depuis combien de temps êtes-vous dans l'armée?

Elle eut un bref sourire.

– D'accord, beaucoup de commandants pourraient être bêtes à ce point.

– Je ne pense pas que le plus important soit son absence de réaction.

Elle s'assit sur le lit. Le laissa debout près de la fenêtre. Elle nageait dans son pantalon et sa chemise moulait ses formes. Sans rien dessous. C'était clair. Il voyait les côtes et les courbes fines. Au téléphone depuis le Dakota du Sud, il l'avait imaginée blonde aux yeux bleus, peut-être originaire du nord de la Californie, et il s'était planté sur toute la ligne. Elle avait les cheveux bruns, les yeux marron et venait du Montana. Mais il avait vu juste pour le reste. *Un mètre soixante-sept ou un mètre soixante-dix*, avait-il supposé à voix haute, *mais mince. Vous avez une voix de gorge.* Elle avait éclaté de rire et demandé : *Vous voulez dire que je n'ai pas de poitrine ?* Il avait ri à son tour et répondu : *90 A, au mieux.* Elle avait répondu : *Bon sang !*

Mais la réalité dépassait ses estimations téléphoniques. En chair et en os, elle était totalement différente.

Elle valait vraiment la peine.

– Quel est le détail essentiel dans ce qu'a dit Morgan ? demanda-t-elle.

– Les deux contrôles radio manqués.

– Parce que… ?

– Vos gars ont appelé le jour de votre arrestation, mais ils n'étaient pas là pour les contrôles du lendemain et du surlendemain.

– Moi aussi, je les ai manqués parce que j'étais sous les verrous. Vous le savez. C'était un plan concerté. Ils nous ont fait taire aux deux bouts, là-bas et ici, simultanément.

– Mais ce n'était pas simultané. C'est là que je veux en venir. En Afghanistan, il y a neuf heures de plus qu'à Rock Creek. C'est pratiquement la durée du jour en hiver. Et personne ne s'engage sur un sentier de montagne dans l'Hindu Kush après la tombée de la nuit. Ce serait une mauvaise idée pour un grand nombre de raisons, parmi lesquelles le risque de tomber et de se casser une jambe. Donc il faisait jour quand vos gars là-bas se sont pris une balle dans la tête. Ça, ça ne fait pas un pli. Aucun doute là-dessus. Et la nuit tombe à environ 18 heures, heure locale.

– OK.

– Dix-huit heures en Afghanistan, ça fait 9 heures ici.

– OK.

– Mais mon avocate m'a dit que vous avez ouvert votre compte bancaire dans les îles Caïmans à 10 heures du matin, que les cent mille dollars sont arrivés à 11 heures et qu'on vous a arrêtée à midi.

– Je me rappelle cette dernière partie.

– Ça signifie que vos gars étaient morts au moins une heure avant qu'on commence à vous chercher des noises. Plusieurs heures, plus probablement. Une au minimum, huit ou neuf au maximum.

– D'accord, donc ça n'a pas vraiment été simultané. Les événements ne se sont pas passés en même temps, mais l'un après l'autre. Ça change quelque chose ?

– Je crois que oui. Mais d'abord il faut revenir un jour en arrière. Vous avez envoyé Weeks et Edwards dans les collines et la réaction a été instantanée. Tout était terminé à midi le lendemain. Comment ont-ils fait pour réagir si vite ?

– Ils ont eu de la chance ?

– Imaginez que ce soit pour une autre raison.

– Vous pensez qu'il peut y avoir une taupe dans la 110ᵉ ?

– J'en doute. Pas avec des gens comme nous. Ç'aurait été impossible à mon époque et j'imagine que les choses n'ont pu que s'améliorer.

– Alors comment ?

– Je pense qu'on vous a mise sur écoute.

– Les téléphones de Rock Creek sur écoute ? Je ne pense pas que ce soit possible. Nous avons des systèmes de détection en place.

– Pas à Rock Creek. Ça n'a aucun sens d'intercepter les communications locales du réseau. Elles sont trop nombreuses. Il vaut mieux se concentrer sur le centre de la toile. Là où vivent les araignées. Je pense qu'ils lisent tout ce qui entre à Bagram et en sort. Des officiers supérieurs d'état-major très haut gradés, disposant d'un accès à tout ce qu'ils veulent. Et à ce moment-là, c'était essentiel. Et c'est exactement ce qu'ils ont obtenu. Ils ont passé au crible la moindre conversation, ils ont été mis au courant de la rumeur de départ, de vos ordres, de la réaction de vos hommes et de tous les échanges.

– Possible.

– Ce qui change des trucs.

– Mais seulement comme un détail en arrière-plan.

– Non, plus que ça. Ils avaient déjà arrêté Weeks et Edwards entre une et neuf heures plus tôt, alors pourquoi ont-ils enfoncé le clou ? Pourquoi vous ont-ils poursuivie ?

– Vous savez pourquoi. Ils croyaient que j'avais des informations que je ne détenais pas.

– Mais ils n'avaient aucun besoin de croire quoi que ce soit. Ni de faire des suppositions ou de se préparer au pire. Pas s'ils lisaient les infos qui entraient à Bagram, mais surtout celles qui en sortaient. Ils n'avaient pas besoin de se lancer dans des conjectures. Ils savaient ce que Weeks et Edwards vous avaient dit. Ils en étaient sûrs. Ils l'avaient noir sur blanc. Ils savaient ce que vous saviez, Susan.

– Mais je ne savais rien. Parce que Weeks et Edwards ne m'ont rien dit.

– Si c'est vrai, alors pourquoi ont-ils continué? Pourquoi vous ont-ils poursuivie? Pourquoi? Pourquoi s'obstiner dans une magouille aussi complexe et coûteuse sans raison? Pourquoi risquer ces cent mille dollars?

– Où voulez-vous en venir?

– Au fait que Weeks et Edwards vous ont bien transmis une information. Que vous savez effectivement quelque chose. Qui vous a peut-être paru insignifiant sur le moment et dont vous ne vous souvenez peut-être plus. Mais Weeks et Edwards vous ont livré un scoop et, à cause de ça, quelqu'un s'est mis la rate au court-bouillon.

35

Turner posa ses pieds nus sur le lit et s'adossa à l'oreiller.

– Je ne suis pas sénile, Reacher. Je me souviens de ce qu'ils m'ont dit. Nous payons un indic pachtoune. Ils l'ont rencontré et il leur a appris qu'un officier américain avait été vu évoluant vers le nord pour rencontrer un chef de tribu. Mais à ce moment-là, l'identité de l'officier américain était absolument inconnue.

– Il y avait un signalement?

– Non, rien, si ce n'est que ce soldat était américain.

– C'est forcément un homme. Les chefs pachtounes ne reçoivent pas de femmes.

– Noir ou Blanc?

– Ils ne me l'ont pas précisé.

– De l'armée? Des marines? De l'Air Force?

– Pour eux, on se ressemble tous.

– Il avait un grade? Un âge?

– Je n'ai eu aucun détail. Un officier américain. C'est tout ce que nous savons.

– Il y a forcément autre chose.

– Je sais ce que je sais, Reacher. Et je sais ce que je ne sais pas.

– Vous êtes sûre?

– Qu'est-ce que ça signifie de toute façon? C'est comme vous et cette femme en Corée. On n'a pas conscience de ce qu'on oublie. Sauf que je n'oublie pas. Je me rappelle ce qu'ils ont dit.

– Combien d'échanges y a-t-il eu?

– Juste ceux dont je vous ai parlé, à propos de la rumeur, et puis mes ordres, qui étaient de suivre sa piste. C'est tout. Un signal vers l'extérieur, un signal en retour.

– Et leur dernier contrôle radio? Vous l'avez vu?

– C'est la dernière chose que j'ai vue avant qu'ils viennent me chercher. Ils n'avaient fait aucun progrès. Il n'y a rien à voir ici messieurs dames, circulez. Vous voyez ce que je veux dire.

– C'était donc dans le message d'origine. À propos de la rumeur. Vous allez devoir vous le remémorer, mot pour mot.

– Un officier américain inconnu a été vu évoluant vers le nord pour rencontrer un chef de tribu. Pour une raison non spécifiée. C'est ça, mot pour mot. Je m'en souviens déjà.

– Qu'est-ce qui dans ce message vaut cent mille dollars? Et votre avenir, et le mien, et celui de Moorcroft? Et un bleu sur le bras d'une lycéenne à Berryville, en Virginie?

– Je l'ignore.

***

Après ça, ils se turent. Finie la conversation. Finie la discussion. Turner s'allongea sur son lit, regarda le plafond. Reacher s'appuya au rebord de la fenêtre et se repassa le résumé de Turner dans la tête : dix-sept mots, une phrase parfaite avec sujet, verbe et complément, rythme plaisant et cadence agréable : *Un officier américain inconnu a été vu évoluant vers le nord pour rencontrer un chef de tribu.* Il se la repassa encore, et encore, puis il la coupa en trois, et l'examina, proposition par proposition.

Un officier américain inconnu
a été vu évoluant vers le nord
pour rencontrer un chef de tribu

Trente syllabes. Ce n'était pas un haïku. Ou alors c'était un peu moins de deux haïkus.

Signification?

Incertaine, mais il subodorait une légère incohérence entre le début de la phrase et sa fin, comme un grain de sable dans un mécanisme parfait sous tous autres rapports.

Un Américain inconnu.

Un chef de tribu.

Signification?

Il l'ignorait.

– Je vais y aller maintenant, dit-il. On en reparlera demain. Ça pourrait vous revenir pendant la nuit. Ça peut arriver. C'est lié à la manière dont le cerveau réagit au sommeil. Le traitement des souvenirs, une porte sur le subconscient, ou quelque chose comme ça. Je l'ai lu dans un article, dans un magazine que j'ai trouvé dans le bus.

– Non.

– Non quoi?

– Ne partez pas. Restez.

Il marqua une pause.

– Vraiment?

– Vous en avez envie?

– Est-ce que les oiseaux volent?

– Alors enlevez votre tee-shirt.

– Vraiment?

– Enlevez-le, Reacher.

Il s'exécuta. Il passa le fin tissu en coton extensible par-dessus ses épaules, puis sa tête, et jeta le tee-shirt par terre.

– Merci, dit-elle.

Et il attendit, comme il le faisait toujours, qu'elle compte ses cicatrices.

– Je me suis trompée. Vous n'êtes pas seulement féral. Vous êtes une vraie bête.

– On est tous des animaux, répliqua-t-il. C'est ce qui rend la vie intéressante.

– Vous faites beaucoup de sport?

– Je n'en fais pas. C'est génétique.

Et c'était vrai. La puberté lui avait apporté des améliorations sans qu'il ait rien demandé, dont sa stature, son poids et un corps extrêmement mésomorphe, avec des abdos découpés comme une rue pavée, des pectoraux dignes d'épaulières de football américain, des biceps comme des ballons de basket et de la graisse sous-cutanée de l'épaisseur d'un Kleenex. Il n'avait jamais rien trafiqué. Ni régimes. Ni haltères. Ni club de gym. « Si ce n'est pas abîmé, on ne répare pas », tel était son point de vue.

– Le pantalon maintenant, reprit-elle.

– Je ne porte rien dessous.

Elle sourit.

– Moi non plus.

Il défit le bouton. Ouvrit la braguette. Fit glisser la toile sur ses hanches. Dégagea ses pieds. Approcha du lit.

– À ton tour maintenant.

Elle redressa le buste.

Sourit.

Ôta sa chemise.

Elle était exactement comme il l'avait imaginée, et elle était tout ce qu'il avait toujours désiré.

***

Ils se réveillèrent très tard le lendemain, réchauffés, engourdis, profondément comblés. Seul un bruit de moteurs dans le parking sous leur fenêtre avait réussi à les tirer du sommeil. Ils bâillèrent, s'étirèrent, et s'embrassèrent. Un long baiser lent et doux.

– On a gaspillé l'argent de Billy Bob, dit-elle. Avec le coup des deux chambres. C'est entièrement ma faute. Je suis désolée.

– Qu'est-ce qui t'a fait changer d'avis?

– Le désir, je suppose. La prison, ça pousse à réfléchir.

– Non, sérieusement.

– Ton tee-shirt. Je n'en avais jamais vu d'aussi fin. C'était soit un article de luxe, soit du bas de gamme.

– Non, sérieusement.

– Depuis notre conversation au téléphone, c'était sur ma liste de choses à faire avant de mourir. Et puis j'ai vu ta photo.

– Je ne te crois pas.

– Tu as parlé de la fille de Berryville. Voilà ce qui m'a fait changer d'avis. Le bleu sur son bras. Ça t'a offusqué. Et tu n'as pas arrêté d'essayer de résoudre mon problème. Tu ne tiens aucun compte du tien, celui avec Big Dog. Qui est tout aussi sérieux. Donc tu te soucies encore des autres. Tu ne peux pas être vraiment « féral ». À mon sens, c'est le principal, de se soucier des autres. Et tu fais encore la différence entre le bien et le mal. Et tout ça veut dire que tu es un type bien. Ce qui implique que moi aussi, à l'avenir, je serai quelqu'un de bien. Ça ne sera pas si affreux, finalement.

– Tu deviendras général deux étoiles, si tu veux.

– Juste deux ?

– Plus, ça revient à se présenter aux élections. C'est pas du tout amusant.

Elle ne répondit pas. Les bruits de moteur montaient toujours du parking. Plusieurs véhicules semblaient tourner en rond. Peut-être trois ou quatre, les uns derrière les autres. Ils remontaient en longeant un mur du bâtiment et redescendaient de l'autre côté. En une boucle sans fin.

– Quelle heure est-il ? demanda-t-elle.

– Midi moins neuf.

– Comment le sais-tu ?

– Je sais toujours quelle heure il est.

– À quelle heure doit-on libérer la chambre ?

Ils entendirent des bruits de pas sur la passerelle, le froissement d'une enveloppe glissée sous la porte, puis les pas s'éloignèrent en sens inverse.

– Je suppose qu'il faut rendre les clefs à midi. Parce que cette enveloppe doit contenir la copie de notre facture, réglée en totalité.

– C'est très protocolaire.

– Ils ont un ordinateur.

Les moteurs vrombissaient toujours. Reacher se dit que la partie reptilienne de son cerveau avait déjà interprété : danger. S'agissait-il de véhicules de l'armée ? De voitures de police ? Du FBI ? Apparemment, son cerveau reptilien n'avait fait aucun commentaire. Avec raison, dans le cas présent, parce qu'il s'agissait clairement de véhicules civils. Moteurs à essence, dont un V8 mal réglé avec un silencieux percé et au moins une quatre-cylindres faiblarde, une bonne affaire pour un petit budget, plus des amortisseurs bruyants et de la tôle qui vibrait. Des bruits qui n'avaient rien de militaire ni de paramilitaire.

Ils s'amplifièrent et accélérèrent.

– Qu'est-ce que c'est ? demanda-t-elle.

– Va jeter un coup d'œil.

Elle gagna la fenêtre à pas de loup, nue et svelte. Écarta un tout petit peu le rideau pour s'aménager une sorte de judas et attendit pour observer l'intégralité de la scène.

– Quatre pick-up, déclara-t-elle. Âge, taille et entretien variés, deux personnes à bord. Ils font et refont le tour du bâtiment.

– Pourquoi ?

– Aucune idée.

– On est dans quelle ville ?

– Petersburg, en Virginie-Occidentale.

– Alors, c'est peut-être une vieille tradition folklorique de Virginie-Occidentale. Les rites du printemps, ou un truc dans ce goût-là. Comme la course de taureaux à Pampelune. Sauf qu'à Petersburg, ils la font avec des pick-up.

– Mais ça semble un peu hostile. Comme dans les films dont tu as parlé, ceux où on dit que tout paraît trop tranquille. Quand les Indiens tournent autour du chariot à la roue cassée. De plus en plus vite.

Reacher dirigea le regard vers la porte.

– Attends, dit-il.

Il se glissa hors du lit et ramassa l'enveloppe. Le rabat n'était pas collé. Il y avait une feuille pliée en trois à l'intérieur. Rien de sinistre. Comme prévu. Une facture imprimée indiquant un solde de zéro. Ce qui était exact. Chambre onze, trente dollars, moins trente dollars payés d'avance en liquide.

Mais…

Au bas du document figurait un joyeux *Merci-d'avoir-choisi-notre-motel*, puis le nom du propriétaire, imprimé pour faire office de signature, et en dessous encore une information complètement injustifiée.

– Merde! lança Reacher.

– Quoi?

Il rejoignit Turner sur le lit et lui montra le papier.

On a vraiment apprécié que vous nous choisissiez!

John Claughton, propriétaire.

Il y a des Claughton dans le comté de Grant depuis trois cents ans!

36

– Je pense qu'ils prennent tous cette affaire de Corvette très au sérieux. Ils ont dû faire une sorte de chaîne téléphonique hier soir. Conseil de guerre. Mobilisation générale. Claughton du comté d'Hampshire, Claughton du comté de Grant et Claughton des autres comtés aussi, j'en suis sûr. Sans doute des dizaines de comtés. Sans doute de vastes étendues de l'État des Rocheuses tout entier. Et si la Belle au bois dormant de la réception hier soir était un fils ou un neveu, alors c'est aussi un cousin. Et maintenant, c'est un initié. Parce qu'il nous a balancés.

– Cette Corvette ne vaut pas les ennuis qu'elle nous cause.

– Mais c'était amusant le temps que ça a duré.

– Des idées géniales à proposer?

– On va devoir leur faire entendre raison.

– Tu es sérieux?

– « Répands l'amour et la compréhension. Sers-toi de la force, si nécessaire. »

– C'est de qui?

– Trotski, je crois.

– Il a été poignardé avec un pic à glace. À Mexico.

– Ça n'invalide pas sa conception générale.

– Et sa conception générale est… ?

– Solide. Il a aussi dit : « Si vous ne pouvez pas faire entendre raison à un adversaire, vous devez lui faire entendre le bruit de sa tête contre le trottoir. » C'était un homme aux instincts sûrs. Dans sa vie privée, je veux dire. Enfin, excepté la fois où on l'a poignardé avec un pic à glace à Mexico.

– Qu'est-ce qu'on va faire ?

– On devrait sans doute commencer par s'habiller. Sauf que la plupart de mes vêtements sont dans l'autre chambre.

– C'est ma faute. Je suis désolée.

– N'en fais pas tout un plat. On survivra. Habille-toi. Ensuite on ira tous les deux dans ma chambre et je m'habillerai aussi. Ce n'est pas trop dangereux. On ne restera dehors que quelques secondes. Mais prends d'abord une douche. Il n'y a pas le feu. Ils attendront. Ils ne viendront pas ici. Ils ne vont pas casser une porte du motel de Cousin Trou-du-cul. Je suis persuadé que c'est stipulé dans le code familial des Claughton.

***

La durée de la douche de Turner correspondit exactement à celles de Reacher, onze minutes précises, de l'instant où la main se posait sur le robinet jusqu'à celui où elle ouvrait la porte d'entrée. Ce qui, dans le cas présent, comprit une longue pause, employée à décider du moment judicieux pour se rendre dans la pièce voisine sans se faire remarquer par la ronde des pick-up, puis à conclure que, avec quatre véhicules roulant à près de cinquante kilomètres-heure, envisager de passer inaperçu n'était pas réaliste. Alors ils se lancèrent, et menèrent le jeu sur dix des vingt mètres, jusqu'à ce qu'un pick-up arrive. Reacher entendit un bruit sous le capot quand le conducteur écrasa l'accélérateur, réaction instinctive à l'apparition de sa proie. La pourchasser. La capturer. Un mécanisme de l'évolution, comme bien d'autres. Reacher déverrouilla sa porte et ils se précipitèrent à l'intérieur.

— Maintenant, ils sont sûrs que nous sommes là, dit-il. Non pas qu'ils l'ignoraient avant. Je suis certain que Cyber Boy leur a tout raconté par le menu.

Sa chambre était intacte. Bottes sous la fenêtre, chaussettes à côté, sous-vêtements et deuxième tee-shirt sur une chaise et veste à une patère.

— Je devrais prendre une douche, moi aussi. S'ils continuent à rouler en rond comme ça, ils auront la tête qui tourne avant qu'on soit sortis.

***

Il fut prêt en onze minutes. Il s'assit sur le lit, laça ses chaussures, enfila sa veste et remonta la fermeture Éclair.

— Je suis disposé à agir seul, si tu veux.

— Avec les flics de l'autre côté de la rue ? On ne peut pas prendre le risque qu'ils débarquent.

— Je parie qu'ils laissent les Claughton faire tout ce qu'ils veulent. Parce que je parie que la plupart des flics sont aussi des Claughton. Mais je suis persuadé qu'on mènera tout à bien sans se faire voir de toute façon. C'est ce qui se passe en général.

— Je t'accompagne.

— Tu as déjà fait ça ?

— Oui. Pas trop souvent.

— Ils ne se battront pas tous. D'abord, il va y avoir un problème d'embouteillage. Et on peut mettre un frein à leur enthousiasme en envoyant direct les premiers au tapis. Le principal, c'est de ne pas passer trop de temps sur le même individu. Le minimum, dans l'idéal. À savoir un coup et on passe au suivant. Les coudes valent mieux que les mains et les pieds valent mieux que les deux réunis.

— OK.

— Mais d'abord, je vais leur parler. Ils n'ont quand même pas complètement tort.

***

Ils ouvrirent la porte et se retrouvèrent sur la passerelle dans la lumière vive de midi, et, conformément aux prévisions de Reacher, ils virent les quatre pick-up rangés serré le nez collé au pied de l'escalier en béton, tels des poissons ventouses. Huit types attendaient appuyés contre leur portière, leur pare-chocs ou leur plateau de chargement, patiemment, comme s'ils avaient tout le temps devant eux. Et c'était le cas, parce qu'il n'y avait pas d'autre moyen de descendre de la passerelle du premier étage sinon par l'escalier. Reacher reconnut les trois types de la nuit précédente, ceux de la route de campagne. Small, medium et large. Les deux derniers étaient plus ou moins pareils que la veille, mais le petit semblait plus en forme. Il avait dû récupérer des excès qui avaient causé son accident. Les cinq autres étaient du même acabit : tous de pauvres bouseux. Le plus petit était musclé et parcheminé et le plus grand un peu ballonné, probablement à force de boire de la bière et de manger au fast-food. Aucun n'était armé. Reacher distinguait les seize mains, et toutes les seize étaient vides. Ni flingues, ni couteaux, ni clefs anglaises, ni chaînes.

Des amateurs.

Il posa la main sur la rampe de la passerelle, contempla la scène en contrebas, serein, tel un dictateur dans un vieux film, prêt à haranguer la foule.

— Les gars, nous devons trouver le moyen de vous faire rentrer chez vous avant que vous soyez blessés. Vous voulez y travailler avec moi ?

Un jour, il avait vu un mec en costume, avec un téléphone portable, qui n'arrêtait pas de demander : *Vous voulez y travailler avec moi ?* Ce devait être une technique enseignée lors de séminaires hors de prix organisés dans des salles de bal d'hôtels ringards. Sans doute parce qu'elle supposait une réponse affirmative. Parce que les gens civilisés se sentent obligés de *travailler avec* les autres, quand cette possibilité leur est offerte. Personne ne dit jamais : Non, je n'en ai pas envie.

Mais le type du double-cabine faisait exception.

— Personne n'est venu ici pour travailler avec toi, mon gars. On est là pour te casser la gueule, et récupérer notre voiture et notre fric.

— D'accord, concéda Reacher. Nous pouvons nous engager dans cette voie, si vous voulez. Mais il n'y a aucune raison pour que vous finissiez tous à l'hôpital. Vous avez déjà entendu parler de Gallup ?

— De qui ?

— C'est un institut de sondage. Comme pendant les élections. On vous dit que tel gars va obtenir cinquante et un pour cent des voix et que tel autre va en obtenir quarante-neuf.

— Je connais.

— Vous savez comment ils procèdent ? Ils ne téléphonent pas à tout le monde en Amérique. Ce serait trop long. Alors ils prennent un échantillon. Ils appellent quelques personnes, et extrapolent proportionnellement les résultats.

— Et alors ?

— C'est ce que nous devrions faire. Nous devrions prendre un échantillon. L'un de vous contre l'un de nous. Et nous devrions considérer le résultat du duel comme représentatif de ce qui se serait passé si nous nous y étions mis tous ensemble. Comme le font les instituts de sondage.

Pas de réaction.

— Si votre gars l'emporte, vous échangez votre plus mauvais pick-up contre la Corvette. Et vous remportez la moitié du fric de Billy Bob.

Pas de réaction.

— Mais si c'est mon camp qui gagne, nous échangeons la Corvette contre votre meilleur pick-up. Et nous gardons tout le fric de Billy Bob.

Pas de réaction.

— C'est le mieux que je puisse faire, les mecs. On est en Amérique. On a besoin d'une bagnole et de fric. Je suis sûr que vous comprenez ça.

Pas de réaction.

— Mon amie ici présente est très enthousiaste. Vous avez une préférence ? Vous préféreriez vous battre avec une femme ?

— Non, c'est pas bien, répondit le type du double-cabine.

— Alors vous devrez vous contenter de moi. Mais je vais améliorer mon offre. Vous pouvez augmenter la taille de votre échantillon. Moi contre deux des vôtres. Vous voulez y travailler avec moi ?

Pas de réaction.

– Et je me battrai avec les mains dans le dos.

– Quoi?

– Vous avez bien entendu.

– Les deux mains dans le dos?

– Selon les termes du contrat que nous venons de passer. Et c'est un contrat super, les gars. Quoi qu'il arrive, vous gardez la Corvette. C'est très raisonnable de ma part.

– Deux d'entre nous et toi, les mains dans le dos?

– Je me mettrais un sac sur la tête si j'en avais un.

– OK, on part là-dessus.

– Formidable. L'un de vous a-t-il une assurance-maladie? Parce que ce serait un bon moyen de sélectionner les joueurs.

Soudain, Turner lui murmura :

– Je viens de me rappeler ce que j'ai oublié. La nuit dernière. À propos du rapport d'origine…

– Le nom du chef? demanda-t-il à voix basse.

Un Américain inconnu. Un chef de tribu. Le grain de sable. L'Américain était désigné comme inconnu, mais pas le chef de tribu.

– Ils vous ont donné son nom?

– Pas vraiment. Leurs noms sont trop compliqués à retenir. On utilise des références chiffrées à la place. Attribuées dès qu'ils sont identifiés par les autorités américaines. Et le numéro du type était mentionné dans le rapport. Donc il est déjà dans le système. Quelqu'un le connaît.

– Quel était ce numéro?

– Je ne me souviens pas. « A.M. » quelque chose.

– Que signifie « A.M. »?

– Afghan, sexe masculin.

– C'est un début, j'imagine.

Depuis le bas de l'escalier, le type du gros pick-up lança :

– OK, on est prêts.

Reacher jeta un coup d'œil vers la petite troupe. Elle s'était divisée : six et deux. Le duo était composé du type au gros pick-up et du bedonnant plein de Mac Do et de Miller High Life.

– Tu peux vraiment y arriver ? demanda Turner.
– Il n'y a qu'un moyen de le savoir.
Et il descendit.

37

Les six spectateurs restèrent en retrait. Reacher et les deux élus avancèrent ensemble vers l'espace libéré, un petit triangle serré de trois hommes aux pas synchronisés, deux se déplaçant à reculons et un vers l'avant. Tous aux aguets, vigilants et méfiants. Derrière les pick-up, une étendue de terre battue de la largeur d'une rue de ville. À droite, le bout du terrain où était garée la Corvette, derrière le dernier bâtiment. À gauche, le parking donnait sur la Route 220, mais l'entrée était étroite et il n'y avait rien d'autre à voir que le bitume et un petit bosquet d'arbres au-delà. Les baraquements de la police d'État se trouvaient à l'ouest. Personne sur la terre battue ne pouvant les voir, les flics ne pouvaient eux non plus voir personne sur la terre battue.

Pas trop risqué.

Reacher était paré.

D'habitude, contre deux adversaires débiles, il aurait triché dès le départ. Mains derrière le dos, il aurait planté un coude dans chaque mâchoire à peine la dernière marche descendue. Mais pas avec six remplaçants prêts à intervenir. Ce ne serait pas productif. Ils se bousculeraient, révoltés, monteraient sur leurs grands chevaux pour défendre ce qui équivalait chez eux à des valeurs morales, stimulés au-delà de leur potentiel naturel. Reacher laissa donc le triangle s'ajuster, pivoter et prendre ses marques, puis, quand tout le monde fut prêt, il enfonça ses mains dans ses poches arrière, paumes contre fesses.

– Coup d'envoi !

Il vit alors les deux gars adopter ce qui devait être leur position de combat, puis radicalement changer. Dites à un type que vous allez vous battre avec les mains derrière le dos et c'est tout ce qu'il entend. Il se dit : *Ce type va se battre avec les mains derrière le dos !* Puis il se représente les premières secondes. L'image est si bizarre qu'elle absorbe toute son attention. *Pas de mains ! Un torse sans protection ! Comme le punching-ball au club de gym !*

Dans cette situation il ne voit donc que le haut du corps. Le haut du corps, et encore le haut du corps, la tête, le visage, comme d'irrésistibles cibles, des blessures à causer, des coups imparables ne demandant qu'à être portés. Ses jambes s'écartent, ses poings se lèvent, son menton s'avance et il jubile, plissant les yeux pour viser l'estomac, les côtes, le nez, l'endroit où il prévoit de faire atterrir son premier coup euphorique. Il ne voit rien d'autre.

Les pieds par exemple.

Reacher avança, et du pied droit décocha au gros un puissant coup à l'entrejambe, avec autant d'application que s'il expédiait une balle à l'autre bout du terrain, et le type s'effondra aussitôt, lourdement, comme si on lui avait parié un million de dollars qu'il serait incapable de creuser un trou dans la terre avec la tête. Il y eut un bruit de sac qui tombe par terre, puis il se recroquevilla. Sa masse graisseuse se figea et il cessa de bouger.

Reacher recula.

— Piètre choix, dit-il. Manifestement il aurait mieux valu laisser ce gars sur le banc de touche. Maintenant c'est toi contre moi.

Le type du double-cabine recula lui aussi. Reacher observait son visage. Il corrigeait en quatrième vitesse toutes ses hypothèses précédentes. Imparable. *Ouais, les pieds*, se disait l'autre. *J'y avais pas pensé.* Ce qui plaça son centre de gravité trop bas. Maintenant tout n'était que pieds, pieds, et encore pieds. Rien que les pieds. Il baissa sa garde, presque jusqu'au bassin, plaça une cuisse devant l'autre et voûta les épaules au point de ressembler à un gamin pris de crampes d'estomac.

— Tu peux t'en aller maintenant, et on dira que c'est fini. Filez-nous un pick-up, prenez la Corvette et disparaissez.

— Non !

– Je vais te le demander encore une fois. Mais je ne le répéterai pas trois fois.

– Non.

– Alors vas-y, l'ami. Montre-moi tes talents. Parce que tu en as, non ? À moins que ton savoir-faire se limite à rouler en rond ?

Reacher connaissait la suite. De toute évidence, le type était droitier. Donc ce serait un crochet du droit, parti de bas et qui n'arriverait jamais assez haut, comme un lancer latéral au baseball, comme un gant de boxe fixé à une porte, et la porte qui claque, avec un type dans l'embrasure. Voilà à quoi ça allait ressembler. Mais il s'agitait toujours, essayant de trouver une rampe de lancement.

Puis il en trouva une, et ça partit. Le gant et la porte. Quelle est la réaction appropriée ? La plupart des gens esquivent. Pas le gamin de six ans devant le film de SF. Lui va se tourner sur le côté, pousser fort en avant, genoux pliés, et aller à la rencontre de la porte avec son épaule, plus près de la charnière, à la moitié de sa largeur, peut-être un peu plus, avec une poussée franche et agressive à l'endroit où la vitesse est plus faible, bien à l'intérieur de l'arc décrit par le gant.

Ce que fit Reacher avec le conducteur du double-cabine. Il se tourna, poussa et le cogna avec l'épaule, en pleine poitrine. Le type agita violemment le poing derrière le dos de Reacher et le coup, parti du mauvais côté, l'atteignit mollement, comme s'il avait essayé de peloter une fille au cinéma. Après quoi il chancela en arrière d'un long pas et retrouva l'équilibre en écartant si vivement les mains de son corps qu'il resta complètement figé et offert, en étoile de mer, ce dont il parut se rendre compte immédiatement parce qu'il jeta un regard horrifié sur les pieds de Reacher.

Flash info, mon pote.

Ce ne sont pas les pieds.

C'est la tête.

Il sautillait comme un boxeur, pour se donner de l'élan et ajuster sa cible, puis son buste fouetta en avant, son cou s'abattit en claquant, son front s'écrasa sur l'arête du nez du gars, et rebondit. Mission accomplie. Reacher se redressa d'un coup, le type du double-cabine tituba sur ses genoux en caoutchouc, un demi-pas, puis l'autre moitié, et finit par s'écrouler à la verticale, faible et impuissant, telle une lady de l'époque victorienne s'évanouissant dans sa crinoline.

Reacher leva les yeux vers Turner qui se tenait sur la passerelle.

– Quel est le meilleur pick-up d'après toi ?

38

Le code d'honneur des Claughton était une chose formidable. C'était clair. Aucun des six spectateurs ne s'immisça ni n'intervint en quoi que ce soit. Ou alors ils s'inquiétaient de ce que Reacher pourrait leur faire maintenant qu'il avait sorti les mains de ses poches.

Finalement, Turner préféra le pick-up du gros. C'était un V8, mais pas celui avec le silencieux percé. C'était le second en termes de quantité d'essence restant dans le réservoir. Il avait de bons pneus. Semblait confortable. Elle le conduisit jusqu'à hauteur de la Corvette dissimulée. Aidée de Reacher, elle transféra l'argent de Billy Bob du coffre de la voiture à la boîte à gants du pick-up, les deux réceptacles ayant à peu près la même contenance. Dans un grondement, ils passèrent ensuite devant le petit groupe renfrogné et Reacher lança les clefs de la Corvette par la fenêtre. Turner mit les gaz, prit à gauche dans la 220, dépassa le bureau des flics d'État, le café à la plaque en fonte et atteignit le carrefour du centre-ville.

***

Une demi-heure plus tard, Petersburg était trente kilomètres derrière eux. Ils se dirigeaient vers l'ouest, sur une petite route à la lisière d'une forêt nationale. Le pick-up, un Toyota finalement, n'était pas neuf, mais roulait bien. Il était aussi silencieux qu'une bibliothèque, équipé d'un GPS et si lourd qu'il aplanissait les bosses. Ses sièges en cuir rappelaient le moelleux d'un oreiller et l'habitacle était très spacieux. Turner y paraissait minuscule. Mais heureuse. Elle avait de quoi travailler. Et avait déjà conçu tout un scénario.

– Je comprends pourquoi ceux qui tirent les ficelles sont inquiets, commença-t-elle. Un numéro A.M. change tout. On connaît le type pour une bonne raison. Soit pour ses activités, soit pour ses opinions. Et dans un cas comme dans l'autre, ça va nous mener quelque part.

– Comment accède-t-on à la base de données?

– Changement de programme. On va à Pittsburgh.

– La base de données est à Pittsburgh?

– Non, mais à Pittsburg, il y a un grand aéroport.

– J'en reviens juste.

– Tu étais à l'aéroport?

– Non, sur la route.

– La diversité est le sel de la vie.

***

Se rendre à Pittsburgh impliquait de couper par le nord-ouest en traversant l'État et d'atteindre la I-79 quelque part entre Clarksburg et Morgantown. Ensuite c'était plus ou moins tout droit vers le nord. Pas trop risqué. Parce que le Toyota avait beau être aussi massif qu'une maison et peser trois tonnes, il disposait d'un camouflage efficace. Quel est le meilleur endroit pour cacher un grain de sable? Une plage. Et si le Toyota était le grain de sable, alors les routes de Virginie-Occidentale étaient la plage. Les véhicules qu'ils croisaient étaient presque tous de gros pick-up. Et il en serait de même à l'ouest de la Pennsylvanie. Un extraterrestre se serait dit que la viabilité des États-Unis dépendait entièrement de la capacité de ses citoyens à transporter sans encombre et en grandes quantités des panneaux de bois de deux mètres quarante sur un mètre vingt.

***

Que le matin arrive tard fut une bonne chose en définitive. Ou une fonctionnalité, pas une faille, comme aurait pu le formuler Turner. Ils allaient prendre l'autoroute la nuit. Ça valait mieux que de jour.

D'un côté, c'étaient les axes routiers les plus contrôlés par la police, mais de l'autre, les flics ne pouvaient pas voir ce qu'ils ne pouvaient pas voir et rien n'était moins visible que les phares d'un véhicule roulant à la vitesse autorisée sur une autoroute, la nuit.

– Comment va-t-on obtenir le bon numéro A.M.? demanda Reacher.

– On va inspirer profondément et prendre de gros risques. On va demander à quelqu'un de s'empêtrer dans un complot criminel, de se rendre complice.

– À qui?

– Au sergent Leach. J'espère qu'elle acceptera. Elle est plutôt fiable et elle a bon cœur.

– Je suis d'accord. Elle m'a bien plu.

– On a des enregistrements et des transcriptions dans la salle des archives. Tout ce qu'elle doit faire, c'est les consulter.

– Et ensuite?

– C'est là que ça se complique. On aura un numéro, mais pas de nom ni de biographie. Et un sergent ne peut pas accéder à la base de données. Je suis la seule de Rock Creek à y être habilitée. Morgan aussi maintenant, je suppose, mais on peut difficilement le lui demander.

– Laisse-moi m'en occuper.

– Tu n'as pas accès aux fichiers.

– Mais je connais quelqu'un qui peut les consulter.

– Qui?

– Le procureur.

– Tu le connais?

– Pas personnellement. Mais je connais son rôle dans la procédure. Il m'oblige à répondre d'une accusation bidon. Je suis autorisé à ratisser large pour préparer ma défense. Je peux demander quasiment tout ce que je veux. Le major Sullivan peut s'en charger pour moi.

– Non, dans le cas qui nous préoccupe, c'est mon avocat qui devrait s'en charger. Ça concerne bien plus mon merdier que le tien.

– C'est trop dangereux pour lui. Moorcroft a déjà été quasiment tabassé à mort pour avoir essayé de te faire sortir de prison. Ils ne laisseront jamais ton avocat approcher cette info.

– Alors c'est dangereux pour Sullivan aussi.

– Je ne pense pas qu'ils la surveillent déjà. Ils découvriront qu'elle a consulté les documents, c'est sûr, mais il sera trop tard. Quand le coup de tonnerre éclate, il est trop tard pour se boucher les oreilles.

– Elle le fera pour toi ?

– Il faudra bien. Elle y est tenue par la loi.

Ils continuèrent de rouler, dans le silence, confortablement installés, toujours en Virginie-Occidentale, longeant la pente en dents de scie là où l'extrémité de la langue de terre du Maryland avance dans la mer au sud, puis ils mirent le cap sur une ville appelée Grafton. De là, le GPS du Toyota leur indiqua une route qui s'étendait au nord-ouest et rejoignait la I-79 juste au sud de Fairmont.

– Tu étais inquiet ? demanda Turner.

– À propos de quoi ?

– Des huit gars.

– Pas trop.

– Alors les résultats de l'étude menée quand tu avais six ans étaient sans doute exacts.

– Conclusion correcte. Mauvais raisonnement.

– Comment ça ?

– Ils ont cru que mon cerveau était câblé à l'envers. Ils ont été tout émoustillés en découvrant mon ADN. Peut-être qu'ils projetaient d'élever une nouvelle espèce de guerriers. Tu sais comment c'était au Pentagone à l'époque. Mais j'étais trop jeune pour m'y intéresser vraiment. Et ils se mettaient le doigt dans l'œil, de toute façon. En ce qui concerne la peur, mon ADN est le même que celui des autres. Je me suis entraîné, c'est tout. Pour transformer la peur en agressivité, systématiquement.

– À six ans ?

– Non, à quatre, et cinq. Je te l'ai dit au téléphone. J'étais face à une alternative : me défiler ou les affronter.

– Je n'ai jamais vu quelqu'un se battre sans les mains.

– Eux non plus. Et c'était l'essentiel.

**

Ils s'arrêtèrent pour prendre de l'essence et manger un morceau dans un endroit appelé Macomber, puis ils continuèrent leur trajet, toujours vers l'ouest, traversèrent Grafton, prirent à droite à la bifurcation, par un village appelé MacGee, et atteignirent enfin la bretelle d'accès à la I-79. Le Toyota leur apprit qu'elle se trouvait à environ une heure au sud de l'aéroport international de Pittsburg, ce qui voulait dire qu'ils y arriveraient vers 20 heures. Le ciel était déjà sombre. La nuit était tombée et son manteau protecteur les dissimulait.

— Pourquoi aimes-tu vivre comme ça? demanda Turner.

— Parce que mon cerveau est câblé à l'envers. C'est ce qu'ils ont loupé, à l'époque. Ils n'ont pas examiné ce qu'il fallait. Je n'aime pas ce qu'aiment les gens normaux. Une petite maison avec une cheminée, une pelouse et une palissade? Les gens adorent ça. Ils travaillent toute leur vie, juste pour se le payer. Ils font des emprunts sur trente ans. Et c'est très bien pour eux. S'ils sont contents, moi aussi. Mais plutôt me pendre que de vivre comme ça.

— Pourquoi?

— J'ai une théorie personnelle. À propos de l'ADN. Bien trop barbante pour en parler.

— Non, dis-moi.

— Une autre fois.

— Reacher, on a couché ensemble. Je n'ai même pas eu droit à un cocktail ou un ciné. Le moins que tu puisses faire, c'est me confier tes théories personnelles.

— Tu vas me confier l'une des tiennes?

— Je pourrais. Mais c'est toi qui commences.

— OK, pense à l'Amérique d'il y a longtemps. À la fin du XIXe siècle, en fait. La migration vers l'ouest. Les risques qu'ont pris ces gens. Comme s'ils y étaient obligés.

— Ils l'étaient. Pour des raisons économiques. Ils avaient besoin de terres, de fermes, de boulot.

— Mais il y avait plus que ça. Pour certains, du moins. Certains ne se sont jamais arrêtés. Et pense aux Britanniques, cent ans avant. Ils ont fait le tour du monde. Ils ont fait des voyages par mer qui duraient cinq ans.

– Encore une fois, pour des raisons économiques. Ils voulaient obtenir des marchés et se procurer des matières premières.

– Mais certains n'ont pas pu s'arrêter. Et bien avant, il y a eu les Vikings. Et les Polynésiens, même combat. Je pense que c'est dans l'ADN, au sens propre. D'après moi, il y a des millions d'années, on vivait en petits groupes. Il y avait un risque de consanguinité. Alors une évolution génétique s'est opérée, et à chaque génération, dans chaque petit groupe, au moins un individu devait partir à l'aventure. De cette manière, les ressources génétiques se mélangeaient un peu. C'était plus sain en fin de compte.

– Et tu es cet individu?

– Selon moi, quatre-vingt-dix pour cent d'entre nous apprennent à aimer le feu de camp et l'un d'entre nous le déteste. Quatre-vingt-dix pour cent d'entre nous grandissent dans la peur du loup qui hurle et l'un de nous l'envie. Et je suis celui-là.

– Obligé de répandre son ADN dans le monde entier. Uniquement pour le bien de l'espèce.

– C'est le côté agréable.

– Ce n'est sans doute pas un argument à avancer pendant ton procès pour recherche en paternité.

***

Ils quittèrent la Virginie-Occidentale, entrèrent en Pennsylvanie et, huit kilomètres après la frontière, aperçurent un panneau annonçant un centre commercial. Le panneau étant éclairé, ils conclurent que l'endroit était encore ouvert. Ils prirent la sortie et découvrirent un centre commercial décrépit implanté autour d'un grand magasin. Turner se rendit au rayon femme munie d'une liasse de billets. Reacher la suivit, mais elle lui conseilla d'aller plutôt voir le rayon homme.

– Je n'ai besoin de rien, objecta-t-il.

– Je crois que si.

– De quoi par exemple?

– D'une chemise. Et peut-être d'un pull à col en V. Au moins.

– Si tu achètes quelque chose, tu pourras me rendre ma vieille chemise.

– Je vais la jeter. Il te faut quelque chose de mieux.

– Pourquoi ?

– J'ai envie que tu sois bien habillé.

Alors il fureta, tout seul, et dénicha une chemise. Flanelle bleue, boutons blancs. Quinze dollars. Et un pull à col en V, en coton, d'un bleu plus foncé. Quinze dollars aussi. Il se changea dans la cabine, se débarrassa de ses tee-shirts jumeaux et se regarda dans le miroir. Le pantalon était correct. La veste aussi. En dessous la chemise neuve et le pull faisaient soigné. Est-ce que c'était élégant ? Il n'en était pas sûr. Plus élégant qu'avant, peut-être, mais il n'était pas prêt à aller plus loin.

Vingt minutes plus tard, Turner revint, changée de la tête aux pieds. Bottes neuves, à fermeture Éclair, nouveau jean, pull ras du cou ajusté et veste de survêtement en coton. Rien dans les mains. Pas de sac de shopping. Elle avait jeté ses vieux vêtements à la poubelle, et n'en avait pas acheté de rechange. Elle remarqua qu'il le remarquait.

– Surpris ?

– Un peu, concéda-t-il.

– Je me suis dit qu'on devait voyager léger maintenant.

– Toujours.

Ils passèrent aux plus petites boutiques dans les zones périphériques du centre commercial et trouvèrent une pharmacie où ils achetèrent des brosses à dents pliables et un petit tube de dentifrice. Puis ils regagnèrent le pick-up.

***

L'aéroport international de Pittsburgh était situé loin de la ville, mais l'autoroute les y conduisit directement. La zone était étendue et proposait un grand choix d'hôtels. Turner en choisit un et se gara sur le parking. Ils divisèrent le reste de l'argent de Billy Bob en neuf liasses, en remplirent toutes leurs poches, verrouillèrent le pick-up et gagnèrent la réception. L'absence de bagages ne posait pas problème. Pas dans un hôtel d'aéroport. Les hôtels à proximité des aéroports regorgent de voyageurs sans bagages. Ça fait partie des charmes du voyage contemporain. Petit déjeuner à New York, dîner à Paris, bagages à Istanbul. Et ainsi de suite.

– Votre nom, madame ? demanda le réceptionniste.

– Helen Sullivan, répondit-elle.

– Et monsieur ?

– John Temple.

– Puis-je voir une pièce d'identité ?

Turner glissa sur le bureau les deux cartes militaires qu'ils avaient empruntées. Le réceptionniste les examina assez longtemps pour conclure que oui, il s'agissait bien de pièces d'identité, et que oui, les noms Sullivan et Temple figuraient bien dessus. Il ne tenta pas de comparer les photographies aux visages de ses clients. D'après l'expérience de Reacher, peu de réceptionnistes le font. Ça ne relève peut-être pas de leurs responsabilités, ou de leurs talents.

– Puis-je vous demander une carte bancaire ?

– Nous réglons en espèces, répondit Reacher.

Encore une fois, ça ne posait aucun problème dans un hôtel d'aéroport. Les clients ne transportent pas non plus de cartes bancaires ni de traveller's cheques parce que transporter des bagages peut être risqué, mais croiser un pickpocket est inévitable. Reacher ôta de la liasse le montant du prix de la chambre plus les cent dollars requis pour les faux frais, et le type les prit avec plaisir. En échange, il leur remit deux clefs magnétiques et leur indiqua les ascenseurs.

La chambre était confortable, bien que conçue plus ou moins dans le même esprit que la cellule de la prison de Fort Dyer. Mais outre l'essentiel, il y avait un minibar, des bouteilles d'eau offertes par la maison, des peignoirs, des chaussons et des chocolats sur l'oreiller.

Et un téléphone, que Turner s'empressa d'utiliser.

39

Reacher entendit le ronronnement d'une sonnerie. Turner, le combiné coincé entre l'épaule et l'oreille, murmura :

– C'est le portable de Leach.

Puis Leach lui répondit et elle regarda ailleurs.

– Sergent, c'est Susan Turner, dit-elle. En ma qualité de commandant, je vous conseille de raccrocher immédiatement et de signaler cet appel au colonel Morgan. Vous allez le faire?

Reacher n'entendit pas la réponse de Leach, mais elle avait de toute évidence refusé car la conversation se poursuivit.

– Merci, sergent. J'ai besoin que vous me rendiez deux services. D'abord, j'ai besoin du numéro A.M. donné par Weeks et Edwards dans leur message. La transcription devrait se trouver aux Archives. Le colonel Morgan est-il encore dans les locaux?

Reacher n'entendit pas la réponse, mais de toute évidence c'était oui, parce que Turner répliqua :

– OK, ne prenez pas ce risque maintenant. Je vous rappellerai toutes les heures.

Puis elle resta à l'appareil, prête à demander le second service qu'elle désirait que Leach lui rende, mais Reacher n'entendit pas de quoi il s'agissait car quelqu'un frappa à la porte. Il traversa la pièce et ouvrit. Devant lui se tenait un homme en costume. Avec un talkie-walkie à la main et sur le revers de la veste un badge portant le logo d'une société. Sans doute un gérant d'hôtel.

– Je vous prie de nous excuser, monsieur, mais il y a eu une erreur, dit l'homme en costume.

– Une erreur de quel ordre?

– L'acompte pour les frais annexes aurait dû s'élever à cinquante dollars, et non cent. Puisque vous avez réglé en espèces. Pour le téléphone et le minibar. Si vous utilisez le service à la chambre, nous vous demandons de payer le personnel directement.

– OK.

Le type mit la main dans sa poche et en retira cinquante dollars, deux billets de vingt et un de dix, qu'il présenta en éventail, comme si Reacher avait gagné un prix à un jeu télévisé.

– Encore une fois, veuillez nous excuser de vous avoir surfacturé cette prestation.

Reacher prit l'argent et vérifia. Devise américaine. Cinquante dollars.

– Pas de problème.

Et le type s'en alla. Reacher ferma la porte. Turner raccrocha le téléphone.

– Qu'est-ce que c'était? demanda-t-elle.

– J'imagine que le réceptionniste n'avait pas eu le mémo. On est censé leur déposer cinquante dollars, pas cent, parce que le *room service* se paie en liquide.

– Peu importe.

– Comment t'a paru le sergent Leach?

– C'est une femme courageuse.

– Tu connais son numéro par cœur? Un sergent que tu viens de rencontrer dans un nouveau commandement?

– Je connais tous leurs numéros par cœur.

– Tu es un bon commandant.

– Merci.

– Quelle est la seconde chose que tu lui as demandée?

– Tu verras, répondit-elle. J'espère.

***

Romeo composa le numéro. Juliet mettait du temps à décrocher. Il frotta l'accoudoir en cuir du fauteuil dans lequel il était assis. Il avait la main sèche et le cuir était lisse et lustré d'avoir côtoyé des coudes de costumes pendant cinquante ans.

Enfin, Juliet murmura à son oreille :

– Oui?

– Les noms de Sullivan et de Temple sont remontés d'un hôtel près de l'aéroport de Pittsburgh, en Pennsylvanie. Heureusement pour nous, le registre est relié au Département de la sécurité intérieure. C'est près d'un aéroport.

– Ce sont eux, tu crois?

– Nous aurons bientôt les signalements. L'hôtel envoie quelqu'un pour vérifier ça. Mais je crois que c'est forcément eux. Combien de chances y a-t-il que ces deux noms apparaissent ensemble? Pour autant qu'on sache, ce sont les seuls papiers qu'ils possèdent.

– Mais pourquoi l'aéroport de Pittsburgh?

– Aucune importance. Où sont nos gars?

– En route pour Los Angeles.

– Vois si tu peux vite leur demander de faire demi-tour.

***

Il faisait bon dans la chambre. Reacher enleva donc sa veste miracle et Turner sa veste neuve.

– Tu veux qu'on se fasse monter un repas ? demanda-t-elle.

– Je veux bien.

– Avant ou après ?

– Avant ou après quoi ?

– Avant ou après qu'on remette le couvert ?

Il sourit. D'après son expérience, la deuxième fois était toujours meilleure. De la nouveauté, mais un peu moins. L'inconnu, mais un peu moins. Toujours mieux que la première, et dans le cas de Turner, la première avait été spectaculaire.

– Après, répondit-il.

– Alors déshabille-toi.

– Non, toi d'abord cette fois-ci.

– Pourquoi ?

– Parce que la diversité est le sel de la vie.

Elle sourit. Enleva son pull neuf. Elle ne portait rien dessous. Pas de soutien-gorge. Elle n'en avait pas vraiment besoin et elle n'allait pas faire semblant. Elle lui plaisait pour ça. Elle lui plaisait pour tout, en fait. Ça ne le dérangeait bien sûr jamais qu'une femme se promène seins nus dans sa chambre. Mais Turner, elle, était spéciale. Intellectuellement, et physiquement. Physiquement elle n'avait aucun défaut. Elle était mince et robuste, mais elle avait l'air doux et minuscule. Les courbes se succédaient, sans fin, sans interruption, un unique contour, comme un ruban de Möbius, de la fossette aux creux de ses reins jusqu'aux épaules, en passant par la taille, les hanches, et le dos, où tout recommençait. Sa peau avait la couleur du miel. Son sourire était malicieux et son rire contagieux.

***

Romeo composa le numéro. Cette fois-ci Juliet décrocha immédiatement.

— Ce sont eux, lui annonça-t-il. Un grand costaud aux cheveux clairs et une brune plus jeune que lui, beaucoup plus petite. C'est ce qu'a vu le gérant de l'hôtel.

— Une idée de la durée de leur séjour ?

— Ils ont payé en liquide pour une nuit.

— Ils ont demandé à être réveillés par téléphone ?

— Non. Et ils ne peuvent pas prendre l'avion. Ils n'ont que du liquide, et ces papiers-là. Reacher ne ressemble pas du tout à Temple. Même l'Agence de sécurité des transports le remarquerait. Je pense qu'ils se planquent. Ce n'est pas un mauvais choix. Les hôtels d'aéroport sont toujours impersonnels et Pittsburgh n'est pas le centre de l'univers. Je suis quand même curieux de savoir comment ils se sont procuré autant d'argent.

— Nos gars seront là-bas aussi vite que possible.

— Le gérant de l'hôtel a dit que Turner a passé un coup de fil.

— À qui ?

— Je fais tracer l'appel en ce moment même.

***

Ils restèrent allongés dans le lit, épuisés et en sueur entre les draps emmêlés, le souffle court d'abord, puis lent. Turner prit appui sur son coude, regarda Reacher, lui caressa le front du bout des doigts, lentement, explorant.

— Tu n'as même pas un bleu.

— C'est que de l'os. Partout.

Elle passa à son nez.

— Ici non, pourtant. Pas partout. C'est récent, je me trompe ?

— C'était dans le Nebraska. Un type tout énervé pour une raison ou pour une autre.

Du bout des doigts, elle suivit les coupures, toutes cicatrisées mais pas depuis longtemps et l'os de son nez épaissi par la recalcification qui déviait maintenant légèrement sur la droite. Ce changement le surprenait encore, mais pour Turner, c'était forcément normal.

Elle dessina le contour de son oreille, de son cou, de son torse. Elle mit le bout du petit doigt dans la cavité laissée par sa blessure par balle. C'était pile la bonne taille.

– Un .38, dit-il. Faible charge.

– Tu as eu de la chance.

– J'ai toujours de la chance. Regarde où je suis.

Elle continua son trajet, jusqu'à la taille. Et la vieille cicatrice d'éclat d'obus.

– Beyrouth, dit-elle. J'ai lu ton dossier. Silver Star et Purple Heart. Pas mal, mais je parie quand même qu'au total tu as plus de métal dans le ventre que sur la poitrine.

– C'était de l'os. Les fragments du crâne de quelqu'un qui se trouvait tout près.

– Ton dossier mentionnait « shrapnel ».

– Combien de fois tu l'as lu ?

– Je l'ai lu et relu.

– Tu connais l'origine du mot shrapnel ?

– Non.

– Il vient du nom d'un Anglais du XVIIIᵉ siècle, Henry Shrapnel.

– Vraiment ?

– Il a été capitaine d'artillerie pendant huit ans. Puis il a inventé un obus explosif et a été promu commandant. Le duc de Wellington a utilisé cet obus pendant la guerre d'Espagne et la bataille de Waterloo.

– Génial.

– Mais merci d'avoir lu ce dossier. Ça compte beaucoup pour moi.

– Pourquoi ?

– Parce que maintenant je n'ai pas besoin de perdre mon temps à te raconter un tas de vieilles histoires. Tu les connais déjà.

– Se raconter des vieilles histoires me paraît plutôt bien.

– Tu ne m'en as raconté aucune.

– Mais je le ferai. Je t'en raconterai autant que tu voudras.

***

Romeo téléphona à Juliet.

— Elle appelait quelqu'un sur un portable à carte acheté dans un hypermarché Walmart, c'est presque sûr. S'il a été payé en liquide, impossible de remonter jusqu'à lui. Et je parie que c'est le cas.

— Ça valait le coup d'essayer, dit Juliet.

— Mais tu sais, l'armée est un des gros marchés pour les téléphones à cartes prépayées. Parce que certains militaires ne gagnent pas assez pour s'offrir un abonnement. Et c'est scandaleux, franchement. Et certains d'entre eux mènent des vies désordonnées, par nécessité, et les prépayés leur conviennent mieux.

— Ça, c'est un grand pas.

— Le portable borne trois relais au nord-ouest du Pentagone.

— Je vois.

— Rock Creek se situe au nord-ouest du Pentagone.

— En effet.

— Je pense qu'elle appelait le vaisseau mère. Et quelqu'un à bord du vaisseau mère a pris son appel.

— Nos gars sont en route pour Pittsburgh.

— Peu importe. Plus personne à Rock Creek ne peut l'aider maintenant.

40

Turner prit une douche, mais Reacher ne s'en donna pas la peine. Il s'enveloppa dans un peignoir et se prélassa dans un fauteuil, réchauffé et profondément satisfait, plus détendu que jamais. Puis Turner sortit vêtue de l'autre peignoir.

— Quelle heure est-il? demanda-t-elle.

— Quatre minutes, répondit-il. Avant de rappeler Leach. Elle sait que je suis avec toi?

Turner hocha la tête.

– Je suis sûre que le monde entier le sait à présent. Et de toute façon, je le lui ai dit.

– Elle l'a bien pris?

– Elle est sergent dans l'armée des États-Unis. Je ne pense pas qu'elle soit prude.

– La question n'est pas là. Si tu gagnes, personne ne pourra l'embêter parce qu'elle t'aura aidée. Elle en sortira en odeur de sainteté. Mais si je ne gagne pas, elle aura des ennuis pour m'avoir donné un coup de main. Ou inversement. Et ainsi de suite. Elle double ses risques et réduit ses chances de moitié.

– Elle n'a pas refusé.

– Tu devrais la garder précieusement.

– Je le ferai. Si jamais je reviens.

Elle décrocha le téléphone et composa le numéro.

***

À un peu plus de vingt kilomètres de là, un autre téléphone sonna à l'antenne du FBI de Pittsburgh, dans East Carson Street, située légèrement au sud-est du centre-ville. L'agent au standard répondit et s'aperçut qu'il était en relation avec le siège du FBI, au Hoover Building à Washington. On lui apprit que les ordinateurs de la Sécurité d'État faisaient apparaître les noms de Sullivan et de Temple comme clients d'un hôtel d'aéroport des environs. L'agent repassa en revue la liste des communiqués et avis de recherche en attente et vit que les flics de Washington et la police militaire recherchaient deux fugitifs soupçonnés de voyager sous ces noms.

Il appela son supérieur, un agent spécial, et lui demanda :

– Voulez-vous que je transmette l'information à Washington et dans l'armée?

Le supérieur garda le silence un instant, puis répondit :

– Pas besoin de compliquer la situation.

Pas besoin de partager les honneurs, se dit le subalterne.

– Envoyez l'un des nôtres pour vérifier ça, ajouta l'agent spécial.

– Maintenant ?

– Quand vous pourrez. Rien ne presse. On a jusqu'à demain matin. Je suis sûr qu'ils ne vont pas filer.

***

Turner avait à nouveau le téléphone calé entre l'épaule et l'oreille et Reacher entendit la sonnerie. Puis Leach qui répondait. Il ne distinguait pas ce qu'elle disait, mais il devina son humeur. Qui n'était pas bonne. Elle se lança dans un monologue précipité, réduit par l'écouteur à un coin-coin plastique et rapide, mais exprimant d'un bout à l'autre la frustration et la colère. Turner conclut par un « merci quand même », puis elle raccrocha, l'air épuisée et amèrement déçue.

– Quoi ? lui dit Reacher.

– Devine.

– Il n'y avait pas de numéro.

– La transcription a disparu. Quelqu'un l'a subtilisée aux Archives.

– Morgan ?

– Forcément. Personne d'autre ne l'aurait fait, ni n'aurait été en mesure de le faire.

– Alors soit il est de mèche avec eux, soit il suit les ordres aveuglément.

Turner hocha la tête.

– Ils font le ménage. Et ils se préparent à toutes les éventualités. Parce qu'ils sont plus doués que je ne pensais. Et donc je suis foutue. Je n'ai plus aucun moyen de m'en sortir maintenant. Pas sans numéro A.M.

– Il ne reste pas un ordinateur quelque part ?

– On ne fait pas vraiment confiance aux ordinateurs. Pour nous, ça reviendrait à envoyer les infos directement au *New York Times*. Ou en Chine.

– Alors la seule trace matérielle, c'est ton rapport écrit ?

Elle acquiesça de nouveau.

– L'unique à ma connaissance. Peut-être qu'il y en a une copie à Bagram. Pourquoi ? Tu envisages de demander au JAG de délivrer une citation à comparaître ? Eh bien, bonne chance.

– Est-ce que ton rapport aurait pu être mal classé?

– Non, et de toute façon Leach a fouillé partout. Elle n'est pas idiote.

– Il y a forcément une autre solution.

– Réveille-moi si tu en trouves une. Parce que pour l'instant, j'arrête de réfléchir. Il faut que je dorme.

Elle laissa tomber son peignoir sur le sol et se déplaça pieds nus dans la chambre. Elle tira les rideaux, éteignit la lumière, se glissa sous les couvertures, se tourna, poussa un long soupir triste et fatigué, et resta allongée sans bouger. Reacher la regarda un instant, puis retourna à sa chaise et s'assit un moment dans le noir. Il se représenta la salle des archives de Rock Creek. À l'étage, première porte à gauche, pièce 201. Il se représenta le capitaine des transmissions au rez-de-chaussée dans la 103, prenant l'appel longue distance de Weeks et Edwards, notant, puis montant le vieil escalier en pierre avec la précieuse feuille de papier à la main, la montrant à Turner, obtenant sa réponse, la transmettant, la recopiant, puis montant de nouveau à l'étage pour classer l'appel et la réponse dans le tiroir approprié, correctement, dans l'ordre, dos à dos.

Puis il se représenta Morgan sortant de son bureau, deux pièces plus loin, et jetant un coup d'œil dans le couloir. L'affaire d'une minute. Deux pages. Brûlées ou déchirées. Ou pliées et rangées dans une poche, communiquées plus tard à des individus inconnus en échange de petits hochements de tête de gratitude et de promesses implicites de considération future.

Il y a forcément une autre solution. Reacher, lui, aurait pu se rappeler le numéro. Il aimait les chiffres. Celui-là aurait pu posséder un pouvoir de fascination intrinsèque. Un nombre premier, ou presque, ou avec des facteurs intéressants. Mais il ne l'avait pas eu sous les yeux. Cependant rien n'est impossible. Aucun système n'est parfait, aucun système de sécurité n'est jamais infaillible à cent pour cent et il y a toujours des imperfections inattendues.

Il y a forcément une autre solution.

Pourtant il n'en voyait aucune. Pas pour l'instant. Il se leva, bâilla, s'étira, puis jeta son peignoir sur celui de Turner et se glissa dans le lit à côté d'elle. Elle dormait déjà profondément. Respiration lente.

Chaude, et douce. Ses disjoncteurs s'étaient déclenchés. Elle avait coupé le contact, submergée. Comme la réplique de ce vieux film : *J'y penserai demain.* Il regarda le plafond, terne et gris au-dessus de lui. Puis il ferma les yeux, inspira, souffla et s'endormit.

Il dormit bien, pendant cinq heures d'affilée.

Et se réveilla, à 4 heures du matin.

Parce que quelqu'un tambourinait à la porte.

41

Turner se réveilla elle aussi, immédiatement. Reacher lui posa une main sur l'épaule et murmura :

– J'y vais.

Il cligna des yeux, se glissa hors du lit, ramassa son peignoir et l'enfila en marchant. Ça cognait toujours à la porte. Coups peu courtois et sans vergogne. Ce n'était pas un simple « bruit d'hôtel au beau milieu de la nuit ». C'était insistant et menaçant. *Boum-boum.* Arrogant et importun. Ça signifiait : on ne discute pas. Ça ressemblait aux forces de l'ordre. Ou à quelqu'un prétendant en faire partie.

Il n'utilisa pas le judas. Il n'aimait pas ces dispositifs. Ne les avait jamais aimés. Trop facile pour un assaillant d'attendre que la lentille s'obscurcisse, puis de tirer dans le trou prépercé. Pas besoin de viser. Mieux valait ignorer le judas, ouvrir violemment la porte et donner un coup de poing à la gorge. Ou pas. Selon l'identité et le nombre de ceux qui se trouvaient de l'autre côté.

Derrière lui, Turner s'était levée et avait passé son peignoir, elle aussi. Reacher lui indiqua la salle de bains du doigt. Il n'y avait pas d'intérêt à offrir une cible unique. Et elle n'avait nulle part ailleurs où aller. Il n'y avait qu'un seul moyen de sortir de la chambre : par la porte. Ils étaient à l'étage et de toute façon les fenêtres ne s'ouvraient pas. Question de législation sans doute, à cause des enfants curieux et parce que c'était un hôtel d'aéroport, exposé aux vapeurs de kérosène et au vacarme des avions, du petit matin jusque tard dans la nuit.

Turner gagna la salle de bains. Reacher posa la main sur la poignée. Prit une profonde inspiration. La police militaire ou les agents fédéraux auraient sorti leurs armes. Ça ne faisait pas un pli. Mais ils ne tireraient pas. Pas tout de suite. Ils étaient trop entraînés. Devaient respecter des procédures trop contraignantes. Et auraient trop de paperasse à remplir. En revanche, les quatre gars de la voiture cabossée étaient susceptibles de tirer tout de suite. Entraînés, et pas embarrassés par la procédure et la paperasse.

Le plus sûr était d'ouvrir la porte, mais de rester derrière. Irrésistible. Quand elle s'ouvre en grand, d'elle-même à première vue, ça suscite l'envie de tendre le cou et de jeter un rapide coup d'œil dans la pièce. Un cou tendu et un rapide coup d'œil suscitent à leur tour un direct du droit à la tempe. Puis on referme aussitôt d'un coup de pied, et on a un otage au sol d'un côté du seuil, et ses potes dehors de l'autre côté. D'où une base de négociation.

Reacher tourna la poignée. Vers le bas. Dix degrés. Vingt, trente. Aucune réaction. Quarante, cinquante, soixante. Aucune réaction. Il continua jusqu'à quatre-vingt-dix, vite, tira d'un petit coup sec pour ouvrir la porte environ aux deux tiers, serra le poing, arma son bras et attendit.

Longtemps.

Manifestement, la porte avait été coincée par une botte durant la prise de décision. Et le processus durait un temps fou.

Il s'écoula presque une minute.

Puis un objet vola dans la pièce.

Reacher ne le regarda pas. Ne le suivit pas des yeux. Il n'était pas né de la dernière pluie. Mais ce qu'il aperçut du coin de l'œil annonçait *enveloppe*. Kraft, de la taille d'une lettre, scellée avec une agrafe métallique, comme on en voit dans les secrétariats. Légèrement remplie, pas épaisse. Et le bruit qu'elle produisit en atterrissant doucement sur la moquette confirma les premières impressions. En papier, mais rigide. Léger craquement quand elle tomba sur la tranche, puis petits murmures de friction, comme si elle contenait quelques objets, minces et légers.

Il attendit.

Puis une tête passa par la porte.

Un visage.

Celui du sergent Leach.

***

Elle portait son treillis et semblait très fatiguée. Elle entra dans la chambre. Turner sortit de la salle de bains. Reacher ferma la porte et Turner aperçut l'enveloppe sur la moquette.

— Tout est là? demanda-t-elle.

— Oui, répondit le sergent.

— Je pensais que vous alliez me l'expédier pour demain.

— Je crois que vous allez en avoir besoin plus vite que FedEx ne peut vous la délivrer.

— Vous avez fait toute la route jusqu'ici?

— Eh bien je ne suis pas venue à pied, ni en avion.

— Combien de temps avez-vous mis?

— Dans les quatre heures.

— Merci, sergent.

— Je vous en prie.

— À quelle heure devez-vous reprendre le service?

— Suffisamment tôt pour devoir absolument repartir tout de suite.

— Mais?

— Je me retrouve dans une position que j'aurais préféré éviter.

— Quelle position?

— Je vais devoir critiquer un membre de mon équipe, et un officier supérieur.

— Vous parlez d'une personne ou de deux?

— Une, madame.

— Moi?

— Non, madame.

— Morgan?

— Non, madame. Quelqu'un d'autre. Mais vous êtes le commandant et je ne suis pas une balance.

— Adressez-vous à Reacher alors. Il n'est le commandant de personne.

Leach marqua une pause, considéra la ruse, pesa le pour et le contre. Et sa conclusion fut favorable, apparemment, parce qu'elle se tourna vers lui et déclara :

— Monsieur, le capitaine des transmissions me préoccupe depuis longtemps.

— Depuis longtemps, c'est-à-dire ?

— Depuis toujours.

— Pourquoi n'avez-vous rien fait à ce sujet ?

— Je ne vois pas ce que j'aurais pu faire. Il est capitaine et je suis sergent.

— Que lui reprochez-vous ?

— C'est un gribouilleur. Il dessine et griffonne sans arrêt quand il est au téléphone.

Reacher acquiesça.

— J'ai constaté les résultats, dit-il. Sur son bureau. Sur un bloc-notes.

— Vous savez pourquoi il fait ça ?

— Parce qu'il s'ennuie.

— Mais parfois il ne s'ennuie pas. Quand des infos importantes arrivent. Il change. Tout d'un coup, il est content.

— Aucune loi ne l'interdit.

— Mais il a toujours le stylo à la main. Il change, et ses dessins changent aussi. Parfois ce ne sont même pas des dessins. Parfois il note des choses. Des mots-clefs.

Reacher garda le silence.

— Vous ne comprenez pas ? Il s'occupe d'informations secrètes qui sont censées n'exister sous forme matérielle qu'à un seul endroit : la salle des archives de Rock Creek. Que l'information ou une partie de l'information existe ailleurs sous forme matérielle est absolument contraire au règlement.

— Je vous en prie, dites-le-moi, lança Turner.

— Il a noté le numéro ? demanda Reacher.

— Oui, il a noté le numéro.

**

Leach sortit de sa poche une feuille de papier froissé. Une page du bloc-notes jaune que Reacher avait vu. Restée enroulée plusieurs jours, elle était généreusement ourlée dans sa partie supérieure. Presque entièrement recouverte de l'encre noire d'un stylo à bille. Il y avait des formes, des volutes, des cases, des mécanismes, des spirales et, de temps en temps, du texte en clair, des noms, des mots, certains fortement soulignés, d'autres encadrés et raturés à en devenir presque illisibles.

Elle posa le bout du doigt sur le premier mot déchiffrable qui se trouvait à un peu moins du tiers du bas de la page. *Kandahar*. Nom propre. Le nom d'une ville. Une flèche bien nette était dessinée à côté. Elle partait manifestement du mot.

— C'est le dernier message avant celui qui manque, expliqua le sergent. Quand Weeks et Edwards ont quitté Kandahar et sont rentrés à Bagram, prêts à intervenir, comme ils en avaient reçu l'ordre. Tout ça est encore dans la salle des dossiers, exactement là où ça doit se trouver.

Puis elle plaça son doigt sur le dernier tiers de la feuille, où deux mots se détachaient, séparés par un trait d'union : *Hood-Days*. Le *h* de *Hood* était mis en relief avec des enjolivures baroques. Un homme qui s'ennuie au téléphone.

— C'est le message qui suit celui qui manque. Il est encore dans la salle des archives, lui aussi, juste après celui sur Kandahar. Là, nos gars embarquent de Fort Hood au Texas et annoncent qu'ils pensent tout boucler en quelques jours.

Puis elle déplaça de nouveau sa main et écarta les doigts sur le tiers médian de la page.

— Donc cette partie correspond au blanc dans le rapport.

Le tiers médian de la page était recouvert par une masse de gribouillages ternes, de formes et de volutes répétées à l'infini, de carrés, de labyrinthes et de spirales. Mais, cachées en plein milieu, on distinguait les lettres A et M suivies d'un nombre à quatre chiffres. Tout cela avait commencé par être griffonné, puis minutieusement repassé avec des traits plus précis, encadré, rendu plus lisible, souligné, et finalement abandonné.

A.M. 3435.

Un nombre dont Reacher aurait pu assez bien se souvenir, car il était plutôt remarquable, dans la mesure où 3 et 4 et 3 et 5, élevés respectivement à la puissance 3 et 4 et 3 et 5, donnent une somme de 3435. Ce qui était assez intéressant. De tels nombres ont été étudiés très minutieusement par un dénommé Joseph Madachy, qui a été propriétaire, éditeur et rédacteur d'une revue appelée *Journal of Recreational Mathematics*. Enfant, Reacher avait lu une tonne d'anciens numéros à la bibliothèque d'une base des marines dans le Pacifique.

— Sergent, quel est le meilleur moyen pour que je contacte le major Sullivan au JAG?

— Directement, monsieur?

— En personne.

— Quand, monsieur?

— Maintenant.

— En pleine nuit?

— À cet instant même.

Leach sortit une autre feuille de papier de sa poche. Plus petite. Une feuille de petit bloc-notes déchirée en deux.

— Voici le numéro personnel du major Sullivan. Je suis sûre que son portable est sur sa table de chevet en ce moment précis.

— Comment saviez-vous que j'en aurais besoin?

— Je me suis dit que c'était de cette manière que vous devriez procéder. On accorde une latitude assez large aux requêtes de la défense. Mais… Vous me permettez de parler franchement?

— Bien sûr.

Elle sortit une deuxième feuille de papier de sa poche. Une autre feuille de petit bloc-notes déchirée en deux, de la même manière.

— C'est le numéro personnel du capitaine Edmonds. Votre autre avocate. Je pense qu'elle répondra mieux à vos attentes. Il y a plus de chances qu'elle s'y attelle énergiquement. Elle aime voir le bien triompher.

— Même si je me suis évadé?

— Je pense que oui.

— Alors elle est idéaliste?

— Profitez-en pendant que vous pouvez. Ça ne va pas durer. Ça n'a pas duré avec le major Sullivan.

– Le FBI est déjà impliqué?

– Il a été averti.

– Qui organise le déploiement de l'armée?

– La 75ᵉ de la police militaire. Une équipe dirigée par l'adjudant Espin. Que vous avez rencontré. C'est lui qui vous a conduit à Fort Dyer. On raconte qu'il le prend comme une attaque personnelle. Il prétend que vous avez abusé de sa bienveillance. Qu'il vous a rendu service, et de ce fait, a déclenché toute l'affaire par inadvertance.

– Qu'est-ce qu'il a fait pour moi?

– Il vous a maintenu à Fort Dyer. L'inspecteur Podolski voulait vous emmener en centre-ville. Espin a refusé. Et par-dessus le marché, vous lui avez demandé d'aller chercher sur-le-champ le capitaine de la police militaire, ce qu'il a fait mais considère comme un abus supplémentaire de votre part.

– Le capitaine des transmissions serait venu de toute façon.

– Mais pas aussi rapidement. Et votre plan supposait que tout soit terminé avant la fin de l'après-midi. Il fallait donc commencer tôt. Ce qu'Espin pense avoir accidentellement facilité.

– Il avance dans son enquête?

– Jusqu'à présent, non. Mais ce n'est pas faute d'essayer.

– Vous êtes en mesure de lui transmettre un message?

– Sans doute.

– Dites-lui de redescendre sur terre. Demandez-lui ce qu'il aurait fait à notre place.

– Je le ferai, monsieur. Si je peux.

– Comment vous appelez-vous, sergent?

– Leach, monsieur.

– Non, votre prénom.

– Chris, monsieur.

– Diminutif de Christine? Christina?

– Juste Chris, monsieur. C'est ce qui est noté sur mon certificat de naissance.

– Eh bien, Chris, si j'étais encore commandant de la 110ᵉ, je déplacerais ciel et terre pour vous y garder. Cette unité a eu son lot de sous-officiers formidables et vous êtes en haut du panier, avec les meilleurs.

– Merci, monsieur.

– Non, merci à vous, sergent.

***

Après quoi Leach se dépêcha de partir, parce qu'elle devait affronter un trajet de quatre heures de voiture, suivi d'une journée entière au bureau. Reacher regarda Turner et lui dit :

– Tu dois être un sacré bon commandant pour inspirer autant de loyauté.

– Pas plus que tu ne l'étais. Tu avais Frances Neagley.

– Tu as lu son dossier aussi ?

– J'ai lu tous les dossiers. Tous les états de service aussi. Je voulais connaître la 110ᵉ sur le bout des doigts.

– C'est ce que je disais : tu es un commandant super.

Reacher étala le feuillet du grand bloc-notes sur le bureau de la chambre et posa à côté une des demi-pages du petit, qu'il défroissa. Puis il décrocha le téléphone et composa le numéro du portable personnel du capitaine Tracy Edmonds.

42

La sonnerie retentit longtemps, mais il s'y attendait. Un réseau de téléphone portable peut mettre huit secondes pour diriger un appel. Et très peu de dormeurs se lèvent d'un bond comme dans les films. La plupart des gens se réveillent lentement, puis clignent des yeux et cherchent leur appareil en tâtonnant.

Mais Edmonds finit par répondre.

– Allô ? dit-elle d'un ton un peu inquiet.

Sa voix avait une inflexion un peu snob, comme si elle avait la langue épaisse ou la bouche pleine.

– Capitaine Edmonds ?

– Qui est à l'appareil ?

– Votre client, Jack Reacher. Major de l'armée des États-Unis. Récemment réaffecté à un poste de commandement. Actuellement en manœuvre avec la 110e unité de la police militaire. Vous êtes seule ?

– Qu'est-ce que c'est que cette question ?

– Nous allons avoir une conversation confidentielle, maître. Nous avons des questions juridiques à aborder.

– Je ne vous le fais pas dire !

– Détendez-vous, capitaine.

– Vous vous êtes évadé de prison.

– Ce n'est plus autorisé ?

– Il faut qu'on discute.

– C'est ce que nous sommes en train de faire.

– Vraiment discuter, j'entends.

– Vous êtes seule ?

– Oui, je suis seule. Et alors ?

– Vous avez un stylo ?

Elle marqua une pause.

– Maintenant, oui.

– Du papier ?

– C'est bon.

– D'accord, écoutez-moi attentivement. Pour mieux organiser une défense appropriée, j'ai besoin de copies sur papier de toutes les infos dont on dispose au sujet d'un citoyen afghan que nous connaissons seulement sous le nom d'A.M. 3435.

– Elles sont probablement secrètes.

– J'ai droit à un procès en bonne et due forme. Les tribunaux prennent ces choses-là très au sérieux.

– Quoi qu'il en soit, c'est un gros risque.

– Ce n'est que justice. Ils ont leur déclaration sous serment bidon.

– Reacher, je vous représente dans une affaire en reconnaissance de paternité. Je ne m'occupe pas du dossier Juan Rodriguez. C'est celui du major Sullivan. Et se procurer des copies papier d'informations militaires venues d'Afghanistan serait dément même dans une affaire criminelle. Vous ne l'obtiendrez pas pour une reconnaissance en paternité. Parce que enfin pourquoi l'obtiendriez-vous ?

– Vous m'avez dit que le code de la justice militaire considère toujours l'adultère comme un crime. Quelle est la peine encourue ?

– Elle est potentiellement lourde.

– Donc il ne s'agit pas uniquement de reconnaissance de paternité. C'est aussi une affaire criminelle.

– C'est plus subtil.

– C'est soit l'un soit l'autre, maître. Ils considèrent l'adultère comme un crime. Soit ça veut dire quelque chose, soit pas.

– Reacher, il faut qu'on parle.

– C'est le moment où vous me dites que rentrer en grâce serait ce qu'il y a de mieux à faire ?

– Ça le serait.

– Peut-être, mais de toute façon j'ai choisi le plan B. Alors, il me faut cette information.

– Mais quel est le lien ? Le conflit avec l'Afghanistan n'avait même pas encore commencé quand vous étiez en Corée. Ni quand vous avez rencontré ce Big Dog.

Reacher garda le silence.

– Oh, fit Edmonds.

– Exactement. Vous êtes plutôt rapide pour un avocat. C'est du major Turner qu'il s'agit, pas de moi. Ou peut-être du major Turner et de moi parce que nous sommes face à une personne qui lance un défi à deux commandants de la 110ᵉ unité spéciale. Ce qui signifie qu'il y aura des vainqueurs et des perdants, et les gens bien informés disent qu'il faut faire partie des vainqueurs parce que si on se retrouve du bon côté on est récompensé au-delà de ce qu'on peut imaginer dans notre armée.

– Vous allez gagner ?

– Vous pouvez compter là-dessus. On va les écraser comme de la vermine. Et il le faut, capitaine. Parce qu'ils ont tué deux des nôtres en Afghanistan. Et presque battu à mort un de vos collègues.

– Je vais voir ce que je peux faire.

***

Turner était encore en peignoir et rien n'indiquait qu'elle veuille retourner se coucher.

– Qu'y avait-il dans l'enveloppe ? lui demanda Reacher.

– L'autre service que j'ai demandé au sergent Leach.

– Évidemment. Mais c'était quoi ?

– Nous partons pour Los Angeles.

– Ah bon ?

Elle hocha la tête.

– Tu dois t'occuper de l'affaire Samantha.

– C'est prévu.

– Dans le pire des cas, on va échouer, ils nous enfermeront et jetteront la clef. Je ne peux pas permettre que ça t'arrive. Pas avant que tu aies rencontré ta fille. Tu ne penserais à rien d'autre le restant de ta vie. Bref, tu peux reléguer mon problème au second plan pour un petit moment et mettre le tien au premier.

– Quand as-tu échafaudé ce projet ?

– Il y a quelque temps. Comme j'y étais habilitée. Tu fais partie de mon unité, apparemment. Donc je suis ton commandant. Maintenant, on va à Los Angeles.

– Que contenait l'enveloppe ?

Elle répondit en vidant son contenu sur le lit.

Deux cartes bancaires.

Et deux permis de conduire.

Elle constitua deux paires, garda un élément de chacune, puis tendit les autres à Reacher. Un permis de conduire de l'État de New York et une carte Visa. Le permis était délivré au nom d'un dénommé Michael Dennis Kehoe, quarante-cinq ans, avec une adresse dans le Queens. Sexe masculin, yeux bleus, un mètre quatre-vingt-deux. Donneur d'organes. La photo montrait un visage carré et un cou large. La carte Visa était au même nom, Michael D. Kehoe.

– Ce sont des vrais ? demanda Reacher.

– Les miens, oui.

– Et les miens non ?

– Ils sont plus ou moins vrais. Ils viennent du coffre des opérations d'infiltration.

Il hocha la tête. La 110ᵉ envoyait sans arrêt des hommes en infiltration. Ils avaient besoin de papiers. Le gouvernement les fournissait, authentiques à tous points de vue, à ceci près qu'ils n'avaient jamais été délivrés à un individu réel.

— D'où viennent les tiens?

— D'une amie de Leach. Quelqu'un qui me ressemble, d'après elle.

— Comment tu t'appelles maintenant?

Elle répondit en retournant le permis de conduire sur ses genoux, comme si elle faisait un tour de cartes. Margaret Vega, Illinois, un mètre cinquante-deux, yeux marron, trente et un ans. Pas donneuse d'organes. La photo montrait une Hispanique à la peau claire. Qui ressemblait un peu à Turner, à première vue, mais pas beaucoup.

Il retourna le permis.

— Et Mme Vega a prêté son permis avec plaisir? Juste comme ça? Et sa carte bancaire aussi?

— Il faudra les lui rendre. Et rembourser les dépenses qu'on fera. Bien sûr, j'ai dû le promettre. Mais l'argent de Billy Bob peut couvrir ces frais.

— Ce n'est pas le problème. Mme Vega prend de gros risques.

— Leach doit savoir se montrer convaincante.

— Uniquement parce qu'elle pense que tu en vaux la peine.

— Elle n'avait pas d'ami qui te ressemble. Même de loin. C'est pour ça qu'on a dû recourir au coffre. M. Kehoe était sans doute la cible dans un exercice de simulation. Il a l'air du type à la tronçonneuse dans un film gore.

— Ça devrait marcher, alors. On part quand?

— Dès que possible. On prendra un vol de bonne heure.

***

Ils se douchèrent, s'habillèrent, et pour faire leurs bagages il leur suffit de glisser leur brosse à dents neuve dans leur poche et d'enfiler leur veste. Ils laissèrent les rideaux fermés, la lumière éteinte. Reacher accrocha la carte *Ne pas déranger* à la poignée de la porte, puis ils longèrent le couloir en vitesse pour rejoindre l'ascenseur. Il était 5 heures tout juste passées, et d'après Turner les premiers vols long-courriers à destination de la côte Ouest décolleraient vers 6 heures. Le choix de compagnies aériennes depuis l'aéroport de Pittsburgh était limité, mais il y en aurait plusieurs. Dans le pire des cas, ils feraient escale à San Francisco, Phoenix ou Las Vegas.

L'ascenseur arriva au rez-de-chaussée et s'ouvrit sur un hall désert. Personne à la réception. Personne nulle part. Reacher jeta les clefs magnétiques à la poubelle, puis ils gagnèrent la porte et se lancèrent dans un « après-vous-non-après-vous » hésitant avec un type seul qui avait choisi ce moment précis pour quitter le trottoir sombre et entrer. Un trapu. Costume bleu marine, chemise blanche et cravate bleu marine. Cheveux coupés de frais, court, coupe classique. Visage rose, rasé de près. Ils finirent par opter pour un ordre hiérarchique en trois temps. Le type tint la porte à Turner, qui sortit, puis Reacher resta en retrait, le type entra et Reacher sortit à son tour.

Au bord du trottoir, pas de taxis, mais une navette de l'hôtel, le moteur en route et la portière ouverte. Sans chauffeur au volant. Il était peut-être dans le bâtiment, en train de pisser un coup.

Dix mètres plus loin, une Crown Vic était garée sur une bande d'arrêt d'urgence. Bleu foncé, propre et reluisante, avec des antennes sur le hayon. Reacher tourna la tête et regarda l'hôtel. Dans le hall, le type qui était entré attendait à la réception qu'on s'occupe de lui. Costume bleu marine. Chemise blanche. Cheveux courts, visage rose, rasé de près.

— FBI, conclut Reacher.

— Ils recherchaient ces noms. Sullivan et Temple.

— Il est passé à côté de nous. Combien de temps lui faudra-t-il pour percuter ?

— Il est du FBI. Ce ne sera pas instantané.

— On pourrait retourner au pick-up et y aller par nos propres moyens.

— Non, le pick-up doit rester ici. Il faut continuer de briser la chaîne. Monte dans la navette. Le chauffeur sera de retour dans une minute. C'est forcé. Il a laissé tourner le moteur.

— On fera des cibles faciles, objecta Reacher.

- 228 -

– On sera invisibles. De simples passagers dans un bus.

Reacher jeta un coup d'œil à la ronde. Le type attendait toujours à la réception. Il n'y avait personne derrière le comptoir. La navette était toute pimpante avec ses chromes et son style véhicule d'entreprise. Vitres teintées. Comme une limousine de star de cinéma. Un soupçon de glamour pour le voyageur ordinaire.

Vitres teintées. De simples passagers dans un bus. Prédateur et proie, mouvement et immobilité. Vieil héritage de l'évolution.

– OK, on prend la navette, dit Reacher.

Ils montèrent. La suspension s'affaissa sous leur poids, puis ils longèrent un couloir bas et étroit et s'installèrent côté rue, à mi-chemin de l'arrière.

Et restèrent assis sans bouger et attendirent.

Pas terrible comme sensation.

La situation n'était pas terrible non plus, à cause de la distance, des vitres teintées et des multiples épaisseurs de verre, mais il pouvait encore apercevoir le type. Il trépignait. Il s'était retourné pour être face au hall désert et s'était écarté d'un mètre du comptoir. Il revendiquait de l'espace, il râlait, mais restait à proximité du guichet pour conserver coûte que coûte la première place dans la file. Non pas qu'il y eût de la concurrence. Et il n'y en aurait pas avant environ une heure. Les arrivées des vols de nuit débuteraient à 6 heures elles aussi.

Puis subitement il fit un grand pas en avant, impatient, comme s'il était sur le point de dire bonjour à quelqu'un. Ou d'accoster quelqu'un. Une silhouette apparut sur la droite. Un homme en uniforme noir avec une veste courte. Un groom peut-être. Le type du FBI lui posa une question, accompagnée d'un large geste du bras, comme pour dire : *mais où sont-ils tous passés ?* L'autre marqua un temps d'arrêt, embarrassé, comme s'il était forcé de s'aventurer hors de son territoire habituel, puis il se glissa derrière le guichet, frappa à une porte, sans résultat, l'entrouvrit, appela, et quinze secondes plus tard, une jeune femme sortit en se passant la main dans les cheveux. Le type du FBI revint au guichet. La jeune femme se plaça en face de lui et l'autre quitta le hall.

Ce n'était pas un groom.

C'était le chauffeur de la navette.

Il monta à bord, vit qu'il avait deux passagers, jeta un coup d'œil vers le hall pour voir s'il allait y en avoir d'autres, et dut conclure que non parce qu'il demanda :

– Vol intérieur ou international ?

– Intérieur, répondit Turner.

Il se laissa tomber sur son siège, déroula une longue ceinture, la serra bien, puis la portière se ferma en sifflant doucement et il mit le véhicule en marche.

Et attendit, parce qu'il y était contraint. Par une voiture qui venait en face et opérait une manœuvre autour de la Crown Vic, lui bloquant la sortie.

La voiture aux portières cabossées.

43

Elle fit un créneau serré au niveau de la Crown Vic et ralentit, s'apprêtant à s'arrêter près de l'entrée de l'hôtel. La navette avança dans l'espace libéré, en grinçant, lourde et lente, et frôla la voiture aux portières cabossées pour la dépasser. Reacher se leva et regarda par la fenêtre. Les quatre types étaient à l'intérieur. Les deux qu'il avait rencontrés la nuit précédente, ainsi que le troisième et le grand aux petites oreilles. La bande au complet.

– Laisse tomber, lui dit Turner.

– On doit les retirer de la circulation.

– Mais pas ici, et pas maintenant. Ils sont relégués au second plan, tu te rappelles ?

– Rien ne vaut le moment présent.

– Dans un hall d'hôtel ? Devant un agent du FBI ?

Reacher tendit le cou et les vit descendre de leur véhicule. Ils jetèrent un coup d'œil à droite et à gauche, rapide et fluide, puis se dirigèrent vers l'entrée, en file indienne. Cortège impeccable. Un, deux, trois, quatre, tels des hommes avec un objectif urgent.

— Repos, major! lança Turner. Une autre fois, ailleurs. On va à L.A.

La navette accéléra et laissa l'hôtel derrière elle. Reacher regarda aussi longtemps qu'il y eut quelque chose à regarder, puis se retourna.

— Dis-moi ce que tu sais sur la façon dont le FBI a recherché nos noms.

— C'est le monde moderne. La sécurité nationale. L'opération est dépendante de l'information. Toutes sortes de choses sont reliées. Les compagnies aériennes, bien sûr, et les hôtels d'aéroport, aucun doute là-dessus. Il serait assez facile de mettre en place une alerte si deux noms précis devaient apparaître en même temps dans un même endroit.

— Est-ce que le Bureau partagerait l'information?

— Tu plaisantes?

— Alors on doit reconsidérer ce qu'on a dit sur ceux qui tirent les ficelles. Ce ne sont pas des officiers supérieurs. Ce sont des officiers très, très supérieurs. Tu ne crois pas? Pour accéder aux bases de données de la sécurité intérieure? Librement et en temps réel?

— En temps réel, peut-être pas vraiment. Après tout, le FBI les a devancés ici.

— Ils sont venus de leur bureau de Pittsburgh. Les gars qui en ont après nous avaient plus de chemin à parcourir. Ils ont dû se mettre en route bien avant. Ils ont dû être au courant avant le FBI. Ils avaient leur propre système d'alerte.

**

La navette de l'hôtel les déposa devant le terminal. Ils entrèrent en vitesse pour consulter les écrans d'information. Deux vols au départ à une minute d'intervalle, un pour Long Beach avec US Airways et un pour le comté d'Orange avec American Airlines.

— Une préférence? demanda Turner.

— Long Beach. On pourra louer une voiture. Prendre directement la 710. Puis la 101. La déclaration sous serment de Mme Dayton venait d'un cabinet d'avocat de North Hollywood. J'imagine qu'elle vit là-bas.

– Comment va-t-on la trouver ?

– Je commencerai par le parking du cabinet. C'est un endroit d'où elle ne risque pas d'être expulsée.

– Le cabinet de son avocat sera sûrement surveillé. Par des éléments de la 75ᵉ et par le FBI, c'est certain. Et nos quatre amis non officiels arriveront environ six heures après, une fois qu'ils se seront rendu compte que nous ne sommes pas à l'hôtel.

– Il faudra être très prudents.

Le guichet de l'US Airways ouvrait. Une quinquagénaire de bonne humeur passa une minute à mettre en route les ordinateurs, trier des étiquettes, des feuilles et des stylos et se tourna ensuite vers eux en souriant. Turner demanda des places pour Long Beach, par le vol du matin. L'hôtesse tapota sur son clavier, les doigts à plat à cause de ses ongles et lui annonça qu'elle n'en avait pas beaucoup. Mais deux sièges ne posaient pas de problème. Turner puis Reacher lui tendirent permis de conduire et carte bancaire, nonchalamment, comme s'ils venaient de les retirer au hasard d'un paquet de documents. L'hôtesse les aligna devant elle, équivalent en deux dimensions d'un siège fenêtre et d'un siège couloir, tapa leurs noms, baissant puis relevant les yeux pour passer de chaque permis à l'écran de l'ordinateur, inséra les cartes dans le lecteur, chercha, piocha et cliqua encore, puis une machine entra en action et imprima les cartes d'embarquement. Elle s'en saisit, les joignit au permis et à la carte appropriés, puis annonça :

– Madame Vega, monsieur Kehoe, voici pour vous.

Et elle les leur tendit comme si elle se livrait à une petite cérémonie. Ils la remercièrent, s'éloignèrent, et Reacher demanda à Turner :

– C'est pour ça que tu m'as fait acheter un pull, n'est-ce pas ?

– Tu vas rencontrer ta fille. La première impression compte.

***

Juliet appela Romeo parce que les tâches étaient réparties et que certaines responsabilités lui incombaient. Tout excité, il annonça :

– Nos gars sont dans le couloir à l'instant même, juste devant la chambre.

– Dans le couloir? demanda Romeo, interloqué.

– Le couloir de l'hôtel. Devant la chambre. Nos gars disent qu'elle est sombre et silencieuse. Il y a une carte *Ne pas déranger* sur la porte et ils n'ont pas encore quitté les lieux.

– Alors les autres sont dans leur chambre?

– Ils doivent y être.

– Alors pourquoi nos gars sont-ils dans le couloir?

– Il y a un problème.

– Quel genre de problème?

– Le FBI est là.

– Où?

– Avec nos gars. Dans le couloir. Un type seul. Planté là comme un poireau. Il ne peut rien faire parce qu'il pense avoir quatre témoins civils. Et nous ne pouvons rien faire parce que nous avons un témoin du FBI. Alors, on poireaute aussi.

– Dans le couloir?

– Juste devant leur porte.

– Sait-on s'ils sont à l'intérieur? Avec certitude?

– Où pourraient-ils être sinon?

– Ils sont tous les deux dedans?

– Pourquoi poses-tu la question?

– J'ai fait un peu de recoupements.

– De quoi?

– De données. Après l'appel au vaisseau mère. Ça m'a un peu désarçonné. J'ai pensé que quelques précautions seraient bienvenues. Le coffre des opérations d'infiltration de la 110e figurait parmi les éléments que j'avais inscrits sur la liste d'alerte. Sans raison particulière. Juste pour avoir l'impression de faire tout mon possible. Mais je viens d'avoir un retour. Un billet d'avion a été acheté à Pittsburgh sous l'une de ces identités. Vol US Airways pour Long Beach.

– Quand l'avion décolle-t-il?

– C'est le premier de la matinée. Dans une demi-heure à peu près.

– Seulement l'une des identités?

– Aucune autre n'apparaît comme active.

— Et laquelle est-ce?

— Michael Dennis Kehoe. L'homme, en d'autres termes. Ils se sont séparés. Ils devaient être obligés. La femme n'a que les papiers d'Helen Sullivan, et en ce moment ils doivent se rendre compte qu'aucune Helen Sullivan ne peut prendre l'avion dans l'immédiat. Pas sans déjouer de sérieux obstacles au préalable. Ce que Turner ne peut pas se permettre. Donc Reacher est seul à se rendre en Californie. Ce qui paraît sensé. Il faut qu'il y aille. Elle non.

— Peut-être que Turner est dans la chambre toute seule, suggéra Juliet.

— Ce serait logique. Si Reacher est en route pour la Californie.

— Parfaitement logique. S'il l'est vraiment.

— Mais pas dans le cas contraire. Il faut vérifier, tout de suite. Il faut passer un marché avec le FBI. Nous ne les balançons pas, ils ne nous balancent pas. Bref… Mais il faut que nos gars franchissent cette porte, tout de suite. Même si le FBI entre aussi.

***

Turner était le commandant et elle voulait passer les contrôles le plus vite possible. La sécurité de l'aéroport pourrait être une barrière. Contre les quatre types, au moins. Enfin… s'ils arrivaient jusque-là. Et c'était possible, s'ils parlaient au chauffeur de la navette. Deux passagers? Oui, monsieur, vol intérieur. Mais la sécurité de l'aéroport n'était d'aucune utilité contre le FBI ou l'armée. Ceux-là se mettaient au début de la file, puis entraient par une porte dérobée.

Il ne s'agissait donc pas vraiment d'une barrière. Plutôt d'un filtre.

Ils n'avaient aucun objet en métal dans les poches, mis à part de la petite monnaie qu'ils déposèrent dans un bol noir éraflé. Ils passèrent le portique l'un après l'autre. Deux silhouettes sans veste, sans chaussures, parmi une foule qui grossissait. Ils renfilèrent leurs vestes, relacèrent leurs bottes, partagèrent la monnaie et se mirent en quête de café.

***

Juliet appela Romeo et annonça :

— Nos gars ont jeté un coup d'œil dans la chambre d'hôtel. Ils ont prétendu être inquiets pour leur ami et l'agent du FBI a tout de suite sauté sur l'occasion. L'ouverture de la porte est passée pour un service d'intérêt général.

— Et ? demanda Juliet.

— Il n'y avait personne dans la chambre.

— Ils sont au terminal de l'aéroport.

— Tous les deux ?

— Une des passagères du même vol US Airways a utilisé une carte qui remonte à une banque du comté d'Arlington. Celle d'une certaine Margaret Vega.

— Et ?

— C'était une réservation de dernière minute. Faite il y a moins d'une heure.

— Et ?

— C'était l'un des deux seuls passagers à réserver à ce moment-là. L'autre étant Michael Dennis Kehoe. Leurs cartes ont été débitées en même temps.

— Où Turner s'est-elle procuré une carte au nom de Margaret Vega ?

— Je l'ignore. Pour l'instant.

— Pas dans le coffre des opérations d'infiltration ?

— Non. Elle l'a peut-être eue par une personne réelle. Par le vaisseau mère, peut-être. Je vais regarder ça.

— À quelle heure décolle l'avion ?

— L'embarquement commence dans un quart d'heure à peu près.

— D'accord. J'envoie nos gars tout droit au terminal. Ils pourront vérifier dans l'aérogare, au moins ça.

— J'ai de l'avance sur toi, dit Romeo. Ils peuvent passer les portiques de sécurité. Ils peuvent même monter dans l'avion, au besoin. Je leur ai obtenu deux sièges, plus deux autres en surréservation. Ça n'a pas été facile, d'ailleurs. Vu comment c'est parti, le vol va être complet. Dis-leur que les cartes d'embarquement les attendront au guichet.

***

Vaste, moquettée et peinte dans des couleurs pastel apaisantes, la salle d'embarquement n'avait rien de paisible car elle était bondée. Plus de cent personnes. L'itinéraire Pittsburgh-Long Beach était manifestement très prisé. Reacher ne saisissait pas vraiment pourquoi. Mais il avait lu que Pittsburgh devenait très appréciée pour les tournages de films. Raisons budgétaires. On offrait des avantages financiers auxquels les sociétés de production étaient sensibles. Toutes sortes de films y avaient déjà été tournés, et d'autres tournages étaient prévus. Tous ces passagers pouvaient donc être des gens du spectacle qui rentraient chez eux. L'aéroport de Long Beach était aussi pratique que celui de Los Angeles pour rejoindre Hollywood et Beverly Hills. Même galère sur l'autoroute pour en sortir. Cela dit, la foule était dense et indisciplinée. Reacher, comme toujours, essayait de rester en retrait, mais Turner était le commandant et elle voulait monter dans l'avion le plus tôt possible. Comme si l'étroit fuselage représentait un territoire souverain, une ambassade sur un sol étranger, à la différence de la ville qui l'entourait. Le numéro de leur rangée, un nombre élevé, signifiait que leurs sièges se trouvaient vers le fond. Ils embarqueraient avant la plupart des autres passagers, juste après les estropiés, les familles avec des enfants en bas âge, les classe business et les voyageurs fréquents. Turner préféra se rapprocher du guichet. Elle avait l'agilité des petits. Elle se glissait dans des interstices inaccessibles pour Reacher et sa carrure encombrante. Mais il la suivit avec ténacité et atteignit l'endroit sur lequel elle avait jeté son dévolu une minute après elle.

Et l'embarquement commença plus ou moins aussitôt. Une femme ouvrit la porte et utilisa un micro au bout d'un fil en spirale. Puis la foule déferla. Les fauteuils roulants se frayèrent un chemin. Les vieux avec des cannes boitillèrent derrière, suivis par les couples avec des enfants dans les bras et leurs sièges d'appoint extraordinairement sophistiqués. Des hommes et des femmes élégants, en costume, se pressèrent, puis Reacher fut porté par le courant le long de la passerelle d'embarquement jusqu'à la cabine dans l'air froid et l'odeur infâme du kérosène. Il se voûta, baissa la tête et descendit le couloir pour atteindre son siège. Étroit et avec un espace pour les jambes suffisant à condition qu'il se tienne droit comme un I. Turner, assise à côté de lui, semblait mieux lotie. Elle avait le physique pour lequel les sièges avaient été conçus.

Ils attachèrent leurs ceintures et attendirent.

***

Romeo appela Juliet et annonça :

— Je regarde le système d'exploitation de l'US Airways à l'instant même.

— Et ?

— Mauvaises nouvelles, j'en ai bien peur. Kehoe et Vega ont déjà embarqué. Et nous venons de perdre nos deux sièges en surréservation. Deux de leurs voyageurs fréquents sont arrivés et les ont préemptés. Ils sont prioritaires.

— Tu ne peux pas appeler l'US Airways et leur dire qu'ils ne le sont pas ?

— Je pourrais, mais je crois que je ne vais pas le faire. La compagnie demanderait un supplément. C'est comme ça que ça marche maintenant. Apparemment, la bonne volonté a une valeur marchande, du moins lorsque l'Oncle Sam paie la facture. Et un supplément créerait de la paperasse, ce que nous ne pouvons pas nous permettre. Il va falloir faire avec. Nous en aurons deux à bord, au moins.

— Lesquels ?

— Apparemment, ils ont procédé par ordre alphabétique.

— Ce n'est pas l'idéal.

— Des yeux et des oreilles, c'est tout ce dont nous avons besoin pour le moment. Mesure transitoire. J'ai mis les deux autres sur le vol American pour le comté d'Orange. Ils arriveront à peu près en même temps. Ils pourront se rejoindre en Californie.

***

Reacher fixait du regard l'avant du long tube d'aluminium et observait les passagers. Ils montaient lentement à bord, tournaient à droite, traînaient encore, repéraient leurs numéros de siège et hissaient de grosses valises et des manteaux épais dans les coffres à bagages.

Bagages, valises, fardeaux. Très peu pour lui. Certains visages étaient enjoués, mais la plupart étaient moroses. Il se rappelait avoir pris l'avion enfant, il y avait bien longtemps, aux frais de l'armée, avec des compagnies aériennes dont on avait oublié le nom depuis, comme la Braniff, l'Eastern ou la Pan American, à l'époque où les trajets en avion étaient rares et exotiques, où les gens se faisaient chics pour le vol et rayonnaient, excités par la nouveauté. Costumes, cravates, robes d'été, parfois même des gants. Vaisselle en porcelaine, pots à lait et argenterie.

Et il aperçut le type qu'il avait frappé à la tempe.

44

Il ne pouvait pas faire erreur sur la personne. Il se souvenait bien de lui. Au motel, la première nuit, dans la voiture qui était arrivée, pas encore cabossée. Celui qui avait bondi du siège passager, contourné le capot et s'était mis à palabrer.

On n'est pas inquiets pour vous, mon vieux.

Reacher se rappela le long crochet du gauche, l'impact de son poing sur l'os, et la tête du gars qui avait volé sur le côté en claquant. Puis il l'avait revu de loin, le lendemain, sur le parking du motel, et une troisième fois quelques minutes plus tôt, sortant de la voiture à l'hôtel.

C'était lui, aucun doute possible.

Et juste derrière lui se trouvait celui qui devait être le troisième homme. Pas le conducteur de la première nuit, et pas le grand aux petites oreilles, mais le type venu pour faire nombre le deuxième jour. Ils regardèrent tous les deux devant eux, à gauche, à droite, près, loin, jusqu'à ce qu'ils localisent leur proie, puis ils détournèrent vite les yeux et firent comme si de rien n'était. Reacher observa le couloir derrière eux, mais la personne suivante était une femme, suivie d'une autre femme, la dernière de la file. Le steward annonça par haut-parleur qu'il allait fermer la porte de la cabine et que tous les passagers étaient priés d'éteindre leurs appareils électroniques. Les deux types remontèrent encore l'allée, puis ils se laissèrent tomber sur des sièges éloignés, l'un à gauche et l'autre à droite, respectivement trois et quatre rangées devant.

– C'est fou, dit Turner.

– Ça, c'est sûr. Combien de temps dure le vol ?

Question dont il obtint immédiatement la réponse, pas de la bouche de Turner, mais par le steward qui au micro déclara entre autres que l'ordinateur affichait une durée de vol de cinq heures quarante, due au vent contraire.

– Cette histoire de problème laissé au second plan ne fonctionne pas, dit Reacher. Elle ne fonctionne pas du tout. Parce qu'ils ne la laissent pas fonctionner. Parce que enfin quoi ? Qu'est-ce que ça veut dire exactement ? Ils prennent l'avion avec nous maintenant ? Pourquoi ? Qu'est-ce qu'ils vont faire ? Devant cent personnes dans un petit tube en métal ?

– Il s'agit peut-être d'une simple surveillance rapprochée.

– Ils ont des yeux à l'arrière du crâne ?

– Alors c'est une sorte de coup de semonce. C'est censé nous intimider.

– Ouais, maintenant j'ai vraiment peur. Ils ont envoyé le Manche et le Crétin.

– Où sont les deux autres ?

– Le vol est complet. Ils n'ont peut-être pu obtenir que deux sièges.

– Dans ce cas pourquoi ne pas envoyer le Grand ?

– La question n'est pas pourquoi ou pourquoi pas. C'est comment. Comment font-ils ? Ils sont partis de zéro et maintenant ils sont sur nos talons. Et pour autant qu'ils sachent, nous n'avons que des papiers aux noms de Sullivan et Temple, et il leur faut supposer que nous savons qu'aucun Sullivan ni aucun Temple ne prend l'avion aujourd'hui, pas sans un sérieux risque de se faire repérer. Alors comment ont-ils su que nous allions à l'aéroport ? Pourquoi l'aurions-nous fait sans papiers ? Il était bien plus probable qu'on se dirige vers le parking et qu'on reprenne la route.

– Le chauffeur le leur a dit.

– Ils sont arrivés trop vite. Il n'est même pas encore rentré. Ce sont les autres. Ils peuvent obtenir n'importe quelle information. Ils sont dans le système d'exploitation de cette compagnie en ce moment même. Ils nous ont vus acheter les billets et ils ont suivi notre embarquement. Ce qui signifie qu'eux aussi ont accès au coffre des opérations d'infiltration de la 110e. Sinon, comment le nom de Kehoe aurait-il pu leur mettre la puce à l'oreille? Ils observent tout ce que nous faisons. Nos moindres faits et gestes. Nous sommes des poissons rouges dans un bocal.

– Dans ce cas, ils ont dû faire le rapprochement entre Vega et Kehoe à l'heure qu'il est. Parce qu'on a réservé en même temps et qu'on est assis côte à côte. Donc ils savent que je suis Vega. Ce qui veut dire que la vraie Vega a de gros ennuis. Et Leach aussi, pour avoir négocié le prêt et livré la marchandise. Il faut absolument les prévenir, toutes les deux.

– On ne peut en prévenir aucune. On ne peut rien faire. Pas pendant les cinq heures quarante qui viennent.

***

L'avion avança lourdement sur le tarmac, devant un appareil de l'American Airlines. Sans doute celui à destination du comté d'Orange et dont le décollage était prévu une minute plus tard. Le ciel était encore sombre. Il n'y avait aucun signe de soleil matinal.

L'appareil s'engagea sur la piste, tourna, s'arrêta comme pour se concentrer, puis ses moteurs vrombirent et il accéléra, gronda sur les plaques de béton, opiniâtrement. Par le hublot, Reacher vit le sol s'éloigner et la large aile en aluminium s'incliner et fléchir en augmentant sa portance. Au loin, Pittsburgh était illuminée, courbes et caps sculptés par de larges rivières noires.

Trois et quatre rangées devant, les deux types s'appliquaient à regarder droit devant eux. Tous les deux occupaient un siège central. Les moins convoités et donc les derniers vendus. Le bavard de la première nuit était assis à gauche de la cabine. À sa gauche côté hublot, une femme plus jeune que lui. Côté couloir une plus âgée. Le figurant du deuxième jour était installé à droite de la cabine. Côté hublot, un vieux aux cheveux blancs, sans doute un des passagers prioritaires, avec une canne. Côté couloir, une femme en tailleur, qui aurait eu l'air plus dans son élément en première classe. Peut-être était-elle en déplacement professionnel. Peut-être son employeur avait-il rogné sur les avantages en nature.

— Ce serait bien si on connaissait leur identité, dit Turner.

— Ils sont dans un avion cette fois-ci. Pas dans une voiture. On peut donc être sûrs de deux choses : ils ont leurs papiers en poche, et aucune arme.

— À quel niveau de la chaîne de commandement se trouverait quelqu'un qui aurait libre accès à tous les systèmes de sécurité nationaux que compte ce pays, vingt-quatre heures sur vingt-quatre, sept jours sur sept?

— J'imagine que tout a changé après le 11-Septembre. Je suis parti quatre ans avant. Mais je me dis qu'un gradé O8 des services de renseignement y serait habilité. Mais pas en accès libre. C'est une bande de paranos. Ils ont tout un tas de procédures de contrôle et de contrepoids. Mais ce serait une tout autre chose de fouiner un petit peu à titre privé pour se procurer le nom des passagers sur le manifeste de vol d'une compagnie aérienne à 5 heures du matin.

— Qui alors?

— Envisage la situation dans l'autre sens. À quel niveau de la chaîne de commandement devrait-on descendre pour le trouver? Le président pourrait y avoir accès. Ou le conseiller à la Sécurité nationale. Ou quiconque entre régulièrement dans la salle de crise. En d'autres termes, les chefs d'état-major. Sauf que c'est une responsabilité vingt-quatre heures sur vingt-quatre et qu'elle est exercée depuis plus de douze ans maintenant. Il doit donc y avoir un bureau indépendant. Un chef d'état-major adjoint. Le mec auquel il faut s'adresser, celui chargé d'être au parfum de tout, tout le temps. Il pourrait jeter un œil quand ça lui plaît. Ni procédures de contrôle ni contrepoids pour lui parce que c'est justement à lui qu'on rend compte des mesures de contrôle et de contrepoids.

— On aurait affaire à un chef d'état-major adjoint?

— Plus on s'élève, plus dure est la chute.

– Un chef d'état-major adjoint qui conspire avec quelqu'un en Afghanistan ?

– Ces types se connaissent tous. C'est un véritable club. D'anciens camarades de promo, sans doute.

– Alors qui sont les deux dans l'avion ? Ils n'ont pas des têtes à bosser au Pentagone.

Il ne répondit pas. Il observa, et attendit.

Et dix minutes plus tard, sa patience fut récompensée.

La femme en tailleur chic se leva pour aller aux toilettes.

45

Il attendit qu'elle soit passée, puis il détacha sa ceinture, se leva et se dirigea vers l'avant de la cabine. Une rangée, deux, trois, quatre. Il se laissa tomber dans le siège laissé libre. Le figurant du deuxième jour se rencogna contre le vieux aux cheveux blancs et à la canne qui dormait à poings fermés, la tête contre le hublot.

– Montrez-moi vos papiers, lança Reacher.

Le type n'en fit rien. Il resta immobile, complètement déconcerté. Sa proie et lui étaient serrés comme des sardines en boîte. Il portait une espèce de pantalon cargo en polyester et un sweat-shirt noir sous un caban noir. La montre Hamilton à son poignet gauche laissait deviner qu'il était droitier. Combien de temps les femmes restent-elles aux toilettes ? Selon l'expérience de Reacher, elles n'étaient pas d'une rapidité fulgurante. Disons quatre minutes.

À peu près trois de plus que ce dont il avait besoin.

Il se pencha, comme s'il allait donner un coup de tête dans le siège de devant, se balança sur sa droite, puis s'adossa à nouveau. Tout cela d'un mouvement si fluide que le figurant du deuxième jour se retrouva à moitié coincé derrière son épaule droite et le haut de son bras. Reacher passa ensuite sa main droite au-dessus des épaules du type, lui saisit le poignet droit, lui tira la main en la tordant pour retourner les doigts à l'opposé de la paume. Puis, de la main gauche, il lui saisit l'index droit.

– Maintenant, tu as le choix, dit-il. Tu peux te comporter en homme, ou crier comme une fillette.

Et, appliquant une torsion de quatre-vingt-dix degrés, il lui brisa net la première phalange puis, avec la partie charnue de son pouce, il lui fit sauter la deuxième. Le type sursauta, se tortilla et suffoqua sous l'effet du choc et de la douleur, mais ne cria pas. Pas comme une fillette. Pas avec cent personnes autour.

Reacher lui cassa ensuite le majeur, de la même manière, aux deux mêmes endroits. Le type commença à tenter de dégager son bras gauche, et Reacher le laissa faire, mais seulement parce qu'il projetait de lui saisir la main gauche et de s'occuper des deux mêmes doigts.

– Papiers? répéta-t-il.

L'autre n'eut aucune réaction. Il ne pouvait pas. Il était trop occupé à gémir et à grimacer en regardant ses mains fichues. Il avait les doigts dans tous les sens, tordus selon des angles bizarres, profilés comme des L. Reacher se livra à une fouille approfondie, le poussa et le tira pour accéder à toutes ses poches. Rien de bien excitant dans la plupart, mais il sentit une bosse caractéristique dans la poche arrière droite. Un portefeuille à trois volets, sans aucun doute. Il le prit, puis se leva. De l'autre côté du couloir, une rangée derrière, le bavard était en train de se lever. La femme en tailleur était sortie des toilettes et se dirigeait vers lui. Elle s'écarta pour laisser Reacher aller se rasseoir et poursuivit son chemin.

***

Il déposa le portefeuille sur les genoux de Turner et rattacha sa ceinture.

– Qu'est-ce que tu lui as fait?

– Il ne va pas pouvoir appuyer sur une détente pendant une ou deux semaines. Ni cogner. Ni conduire. Ni boutonner son pantalon. Il est hors de combat. Mieux vaut prévenir que guérir. Contre-attaquer d'emblée.

Elle ne répondit pas.

– Je sais, dit Reacher. « Féral. » Je suis bien tel que tu me vois.

– Non, c'était du bon boulot.

– De quoi ç'a eu l'air ?

– Il a un peu sautillé sur son siège. Je savais qu'il se passait quelque chose.

– Qu'y a-t-il dans le portefeuille ?

Elle l'ouvrit. C'était un vieux machin épais en cuir de qualité correcte qui avait pris la forme de son contenu. Conséquent. Dans la partie arrière, du liquide en deux liasses : l'une de billets de vingt, de six bons millimètres d'épaisseur, sans aucune grosse coupure, et l'autre, moins volumineuse, de billets de un, cinq et dix. Dans la partie supérieure : trois compartiments destinés à ranger des cartes bancaires. Dans celle du milieu : un permis de conduire délivré en Caroline du Nord au nom de Peter Paul Lozano. Sous le permis : une pile de cartes bancaires, Visa et MasterCard, Discover, American Express, et d'autres encore dans les compartiments de gauche et de droite, toutes en cours de validité, toutes au nom de Peter P. Lozano.

Aucun papier militaire.

– C'est un civil ? demanda Turner. Ou bien les documents ont été expurgés ?

– Je penche pour expurgés. Mais le capitaine Edmonds pourra nous le confirmer. Je lui communiquerai le nom. Elle bosse aux Ressources humaines.

– Tu vas aussi chercher l'identité de l'autre ?

– Avec deux la triangulation serait plus précise.

– Comment vas-tu procéder ?

– Je vais trouver une idée.

***

Quatre rangées devant, le dénommé Lozano se balançait d'avant en arrière sur son siège, les mains coincées sous les bras pour supporter la douleur. Il leva les yeux vers une hôtesse qui passait à sa hauteur, il allait lui parler, mais finit par détourner le regard.

Que pouvait-il dire? Un méchant monsieur est venu et m'a fait mal? Comme une fillette? Comme une balance dans le bureau du directeur? Ce n'était clairement pas son style. Pas devant cent personnes.

— C'est un militaire, en déduisit Reacher. Tu ne crois pas? Il a appris à la fermer au camp d'entraînement.

Puis l'autre gars se serra pour passer devant la vieille dame assise à côté de lui. Celui de la première nuit, le bavard. Il avança d'une rangée et se pencha pour parler à son pote. Une vraie petite conférence. Discussion, exposition des blessures, coups d'œil hostiles lancés par-dessus l'épaule. La femme en tailleur regardait ailleurs, le visage inexpressif, les traits figés.

— Ça ne marchera pas deux fois, dit Turner. Un homme averti en vaut deux. Le type a droit à un sacré commentaire circonstancié.

— Et il espère que son voisin a une bonne vessie.

— Tu penses vraiment qu'Edmonds va nous trouver le dossier de 3435?

— Peut-être que oui, peut-être que non. On a une chance sur deux. Comme quand on tire à pile ou face.

— Et dans tous les cas, ça te va, je me trompe?

— Je préférerais avoir le dossier.

— Mais ça ne va pas te briser le cœur si tu ne l'obtiens pas. Parce que le demander suffisait. Le demander revient à leur dire : on a un coup d'avance. Qu'on les a dans le collimateur.

— Je préférerais avoir le dossier, répéta Reacher.

— Comme ces types dans l'avion. Tu leur renvoies des estropiés. Tu fais passer un message, n'est-ce pas?

Il ne répondit pas.

***

Il garda un œil sur le bavard, trois rangées devant sur la gauche. Sa voisine côté hublot semblait dormir. De derrière, elle paraissait jeune et était habillée comme une clocharde. Certainement pas de robe d'été, ni de gants. Mais elle était propre. Elle travaillait dans le cinéma, sans doute. Débutante, pour voyager en classe économique.

Pas une vedette. Stagiaire, peut-être, ou assistante d'un assistant. Peut-être qu'elle était allée faire des repérages, ou s'était occupée de trouver des locaux pour les bureaux. La femme plus âgée, côté couloir, avait un air de mamie. Elle allait peut-être rendre visite à ses petits-enfants. Peut-être ses ancêtres avaient-ils travaillé pour Carnegie et Frick dans ces aciéries où les employés avaient la vie dure, et peut-être qu'ensuite, quand la ville avait connu des temps difficiles, ses enfants avaient rejoint la diaspora des États du nord et s'étaient exilés sous des cieux plus cléments. Peut-être avaient-ils une vie de rêve, dans la chaleur du sud de la Californie.

Il attendit.

Finalement, il s'avéra que c'était le bavard lui-même qui avait un problème de vessie. Il avait peut-être bu trop de café le matin. Ou de jus d'orange. Ou d'eau. Quoi qu'il en soit, il se leva, se serra pour passer devant mamie, se tourna vers le couloir, regarda Reacher droit dans les yeux et se dirigea d'un pas hésitant vers l'arrière de l'avion sans cesser de dévisager Reacher. Une rangée, deux, trois, et quand il arriva à sa hauteur, il se retourna et marcha à reculons jusqu'au bout, les yeux rivés sur lui jusqu'à la dernière seconde, puis la porte se ferma et le verrou s'enclencha.

Combien de temps les hommes restent-ils aux toilettes?

Pas aussi longtemps que les femmes, en général.

Reacher détacha sa ceinture et se leva.

46

Il attendit devant les toilettes, patiemment, tel un passager banal, le prochain dans la queue. La porte était un modèle standard à double panneau, charnière à droite, couleur crème, un peu sale. Sans surprise. Il entendit le bruit étouffé de la vive aspiration de la chasse, suivi d'une pause pour le lavage de mains, espéra-t-il, puis le rouge « occupé » laissa place au vert « libre » et la porte se plia vers l'intérieur en son milieu. Le panneau de gauche glissa sur son rail et, aussitôt que la porte fut repliée aux trois quarts, Reacher se retourna brusquement, frappa un coup violent du talon de sa main gauche dans l'entrebâillement qui s'élargissait, atteignit le type à la poitrine et l'envoya s'écraser contre la cloison derrière la cuvette. Il entra alors dans les toilettes et referma d'un coup de hanche. C'était minuscule. À peine assez grand pour lui seul. Il était pressé contre le torse du bavard, nez à nez avec lui. Il pivota de cent quatre-vingts degrés sur la gauche pour se retrouver hanche contre hanche et éviter de se prendre un coup de genou à l'entrejambe, puis il balança son bras droit à l'horizontale dans le cou du type, pour le coincer contre la cloison. Celui-ci commença à gigoter et à se débattre, en vain car l'amplitude de ses mouvements se réduisait à trois ou quatre centimètres. Pas de swing, pas d'élan. Reacher se pencha au maximum, rabattit sa main gauche en arrière, lui attrapa le poignet droit, le fit tourner comme un bouton de porte, si bien que quand il laissa se détendre le ressort de son bras, la même torsion s'imprima dans celui du bavard, de plus en plus forte, implacablement. À tel point qu'il aurait été obligé de faire une pirouette ou bien de faire la roue pour soulager l'atroce tension. Figures de toute évidence impossibles à réaliser à cause du manque d'espace. Reacher continua jusqu'à ce que le coude de l'autre se retrouve face à lui, puis il lui leva le bras, de plus en plus haut, en tournant toujours, pour le placer à l'horizontale, à deux centimètres de la cloison latérale. Il ôta ensuite son avant-bras du cou du type et lui balança un coup de coude dans le coude, qui se brisa, son bras se pliant soudain d'une manière dont aucun bras n'est censé se plier.

Il poussa un cri que Reacher espéra étouffé par la porte, ou perdu dans celui du souffle de l'avion. Le bavard s'effondra sur la cuvette, en position assise, puis Reacher lui cassa l'autre bras, de la même façon. Tordre, tordre, fracasser. Après quoi il le releva en le prenant par le col, procéda à une fouille minutieuse de ses poches, de près, alors qu'il se débattait encore, remuant les cuisses comme s'il pédalait sur un vélo imaginaire, mais sans produire aucune puissance à cause de l'exiguïté du lieu. Reacher sentait à peine un tapotement.

Le portefeuille était rangé dans la poche arrière droite, comme celui de son acolyte. Reacher le prit, se tourna sur la gauche et donna un gros coup de coude dans le plexus du type qui retomba sur la cuvette. Reacher se dégagea des membres ballants enchevêtrés et poussa la porte avec l'épaule pour sortir. Il referma du mieux qu'il put, puis il parcourut la courte distance qui le séparait de son siège.

***

Le second portefeuille contenait plus ou moins les mêmes ingrédients que le premier. Une bonne liasse de billets de vingt, quelques petites coupures parcheminées, de la monnaie rendue, un tas de cartes bancaires et un permis de conduire de Caroline du Nord au nom de David Baldacci.

Pas de documents militaires.

— Si l'un est expurgé, ils le sont tous.

— Ou ce sont des civils.

— Suppose qu'ils n'en sont pas.

— Alors ce sont des condamnés à perpète à Fort Bragg. S'ils ont des permis de Caroline du Nord.

— Combien sont-ils à Fort Bragg ces temps-ci ?

— Il y a presque quarante mille personnes. Sur plus de six cent quarante kilomètres carrés. C'était une ville à elle toute seule lors du dernier recensement. Beaucoup d'unités aéroportées, dont la 82ᵉ. Plus les Forces spéciales, les Opérations psychologiques, le Kennedy Special Warfare Center qui forme les membres des Opérations spéciales, la 16ᵉ unité de la police militaire et beaucoup de gars du soutien et de l'appui logistique.

— En d'autres termes, plein de types qui font des allers-retours en Afghanistan.

— Dont ceux de la logistique. Ils y ont apporté des marchandises et maintenant ils les en sortent. Ou peut-être pas.

— Tu crois toujours que c'est une resucée de la combine du Big Dog?

— Mais à plus grande échelle et plus réussie. Et je ne crois pas qu'ils écoulent sur notre territoire. Je crois qu'ils vendent aux locaux.

— On va le découvrir, dit Reacher. On a un coup d'avance après tout.

— Laisse ça au second plan, pour le moment. Tu as fait ce que tu devais faire. Maintenant, tu vas rencontrer ta fille.

***

Au bout d'environ cinq minutes, le gars sortit des toilettes, pâle, en sueur, paraissant plus petit, très diminué, ne bougeant que les jambes, le haut du corps rigide, comme un robot qui ne fonctionnerait qu'à moitié. Il descendit le couloir en titubant, se serra pour passer devant mamie et s'effondra sur son siège.

— Il aurait tout intérêt à demander de l'aspirine à l'hôtesse, ironisa Reacher.

Tout revint ensuite à la normale. Le vol redevint semblable à la plupart de ceux sur lesquels il avait voyagé. On ne servit rien à manger. C'était la classe éco. On vendait de quoi grignoter, principalement des petites pastilles chimiques habilement déguisées en produits naturels, mais ni Reacher ni Turner n'en achetèrent. Ils attendraient d'être en Californie. Ils allaient donc avoir faim, mais Reacher se moquait d'avoir faim. Il considérait que la faim lui permettait de garder l'esprit aiguisé. Qu'elle stimulait la créativité. Encore un héritage de l'évolution. Si on a faim, on met au point des moyens plus astucieux pour attraper un mammouth laineux le jour même plutôt que le lendemain.

Il se dit qu'il avait droit à environ trois heures de sommeil après avoir été réveillé par Leach à 4 heures du matin. Il ferma donc les yeux. Il ne s'inquiétait pas de la réaction des deux gars. Qu'allaient-ils faire? Ils ne pouvaient que lui cracher des cacahuètes dessus, rien de plus. À côté de lui, il sentit que Turner en venait à la même conclusion.

Il dormit droit comme un I, se réveillant en sursaut chaque fois que sa tête basculait en avant.

***

Romeo appela Juliet et lui annonça :

– Nous avons un sérieux problème.

– De quel genre ?

– Turner a dû se souvenir du numéro finalement. L'avocate de Reacher vient juste de déposer une requête pour accéder à la biographie complète d'A.M. 3435.

– Pourquoi l'avocate de Reacher ?

– Ils essaient de faire passer la requête en douce. Ils pensent qu'on surveille son avocat à elle, mais peut-être pas celle de Reacher. Ce n'est même pas son avocate principale. C'est la petite jeune qui s'occupe de la recherche en paternité.

– C'est une requête comme les autres. Ce processus est ce qu'il est. Il nous faudrait prouver le bien-fondé de la manœuvre. Et nous ne pouvons pas parce que le type ne présente pas de particularité manifeste. Excepté pour nous. Nous ne pouvons pas nous permettre d'attirer l'attention comme ça. Tout le monde penserait que nous avons perdu la tête. On dirait : « Mais qui veut supprimer les infos sur ce type ? C'est juste un péquenaud ordinaire. »

– Alors de combien de temps disposons-nous ?

– Une journée, peut-être.

– Tu as fait opposition sur leurs cartes ?

– Sur celle de Reacher. C'était assez simple, parce qu'elle appartenait à l'armée. Mais je ne peux pas toucher à celle de Turner sans laisser de trace écrite. Margaret Vega existe vraiment.

– Qu'est-ce qu'on va faire ?

– On va terminer le boulot en Californie. Ils seront bientôt sur notre territoire, à quatre contre deux.

***

Reacher et Turner dormirent presque trois heures et se réveillèrent à l'approche de Long Beach. Au micro, le steward répétait la consigne : rabattre les dossiers des sièges et les tablettes, éteindre les appareils électroniques portables. Rien qui intéressât Reacher parce qu'il n'avait pas abaissé son dossier, ni utilisé sa tablette et ne possédait pas d'appareils électroniques, portables ou non. Par le hublot, il aperçut des collines brunes désertes. Il aimait la Californie. Il se disait qu'il pourrait y vivre, s'il devait vivre quelque part. Il faisait chaud et personne ne le connaissait. Il pourrait prendre un chien. Ils pourraient prendre un chien. Il s'imagina Turner dans un jardin quelque part, occupée à tailler un rosier ou à planter un arbre.

— On ferait mieux d'éviter Hertz et Avis, dit-elle. Pour louer la voiture, je veux dire. Toutes les grosses franchises, d'ailleurs. Juste au cas où leurs ordinateurs seraient connectés au réseau du gouvernement.

— Tu deviens parano avec l'âge.

— Ça ne veut pas dire qu'ils n'en ont pas après moi.

Il sourit.

— Quelles options ça nous laisserait ? demanda-t-elle.

— Des agences du coin. Rent-A-Wreck, ou des Lamborghini de quatre ans d'âge.

— Ils prendront les espèces ?

— On a des cartes bancaires.

— Ils ont pu faire opposition. Ils semblent capables de faire ce genre de chose.

— Ils ne peuvent pas avoir fait opposition. Pas encore. Ils ne savent même pas qu'on les a en notre possession.

— Ils nous ont vus acheter des billets pour ce vol.

— Ils ont vu Vega et Kehoe acheter ces billets. Mais nous ne sommes plus Vega et Kehoe. À partir de maintenant nous sommes Lozano et Baldacci, du moins en ce qui concerne les cartes bancaires. On se servira des leurs. C'est un bon message, non ?

— Ils ont les moyens de savoir où les cartes ont été utilisées.

— Je sais.

— Tu veux qu'ils nous trouvent, n'est-ce pas ?

– C'est plus facile que l'inverse. Mais je suis d'accord avec toi pour Hertz et Avis. Il ne faut pas trop leur faciliter la tâche. Il faut leur donner un sentiment de réussite.

– D'abord, on doit sortir de l'aéroport. Qui est probablement quadrillé par la police militaire. Parce que l'adjudant Espin n'est pas le dernier des ânes. Il sait sûrement où tu vas. Et il a le personnel. Il pourrait avoir un gars dans tous les aéroports dans un rayon de cent cinquante kilomètres de L.A. Jour et nuit. Et le FBI pourrait y être aussi. Leurs agents de Pittsburgh n'ont pas besoin d'être des génies pour deviner où on va.

– On se tiendra sur le qui-vive.

***

La trajectoire d'approche fut longue et sans heurts. L'atterrissage se fit en douceur et le roulage au sol sembla rapide et aisé. Puis un tintement bref retentit, une lumière s'éteignit et environ quatre-vingt-dix-sept personnes se levèrent. Reacher resta assis car ce n'était pas moins confortable que d'être debout sous un plafond d'un mètre quatre-vingts de haut. Et les types trois et quatre rangées devant restèrent assis eux aussi car il n'y avait aucun moyen connu de la science pour qu'un homme adulte se lève d'un siège d'avion en classe économique sans s'aider de ses mains et de ses bras.

L'avion se vidait par l'avant. Les passagers s'écoulaient comme des grains de sable dans un sablier. Ils récupéraient leurs valises et leurs manteaux là où ils les avaient rangés, sortaient et une nouvelle rangée se glissait alors dehors pour les remplacer. Et ainsi de suite. Le vieux aux cheveux blancs et à la canne et la jeune stagiaire de cinéma s'extirpèrent avec peine à cause de l'immobilité de leurs voisins occupant les places centrales. Puis les dernières travées se vidèrent et les deux types restèrent assis tout seuls parmi les sièges vides. Reacher s'engagea à son tour dans le couloir, tête et épaules baissées, et s'arrêta trois rangées plus loin pour relever le type sur sa gauche en le tirant par le col de la chemise. C'était le moins qu'il pouvait faire. Il s'arrêta de nouveau à la rangée suivante et fit de même avec le type sur la droite. Puis il avança dans le couloir, traversa la zone d'entrée, passa la porte, assailli par l'air chaud et l'odeur nauséabonde du kérosène, et se retrouva dans l'aéroport de Long Beach.

<h1 style="text-align:center">47</h1>

Les aéroports sont pleins de gens qui traînent seuls, ce qui rend la surveillance par repérage quasiment impossible. Parce que tout le monde est suspect. Un homme assis sans rien faire, caché derrière un journal froissé ? Rare dans la rue, mais presque de rigueur dans un aéroport. Il aurait pu y avoir cinquante membres de la police militaire en civil et cinquante agents du FBI rien que sur les dix premiers mètres.

Mais personne ne s'intéressait à eux. Personne ne les regardait, personne ne s'approchait d'eux, personne ne les suivait. Ils sortirent vite, se rendirent directement à la station de taxi, montèrent à l'arrière d'une berline cabossée et demandèrent au chauffeur de les conduire chez un loueur de voitures en dehors de l'aéroport, mais ni Hertz, ni Avis, ni Enterprise, ni aucune autre agence indiquée par un panneau lumineux. Le chauffeur ne posa pas de questions supplémentaires. Ne chercha pas à obtenir de précisions. Il se contenta de démarrer comme s'il savait où il allait. Chez son beau-frère, sans doute, ou chez le type qui lui offrait la meilleure commission.

Auquel cas le beau-frère ou l'arnaqueur haut de gamme devait s'appeler Al, et devait être cool parce que le taxi s'arrêta devant un terrain vague où étaient stationnées une vingtaine de voitures. Et qu'au fond sur le toit d'un cabanon en bois étaient écrits les mots *Cool Al's Auto Rental*, maladroitement, à la main. Une seule et mince couche de peinture passée à l'aide d'une brosse large.

– Parfait, dit Reacher.

Peter Paul Lozano se chargea de payer la course avec un billet retiré de la liasse de coupures de vingt épaisse d'un demi-centimètre, puis

Reacher et Turner firent un tour sur le parking. Cool Al avait à l'évidence positionné son affaire avec l'intention d'en faire un compromis idéal entre le concept Rent-A-Wreck et l'approche Lamborghini de quatre ans. Le parking était occupé par des véhicules qui avaient été prestigieux dans leur jeunesse et avaient dû le rester un bon moment, mais étaient maintenant bien engagés sur la pente d'un lent et triste déclin. Des Mercedes, des Range Rover, des BM, des Jaguar, des modèles remontant à trois générations dans leur gamme, tous rayés, cabossés et un peu ternes.

– Ils vont rouler ? demanda Turner.

– Aucune idée, répondit Reacher. Je suis le dernier à qui il faut s'adresser question voitures. Allons voir le point de vue de Cool Al sur le sujet.

Lequel point de vue, interprété et paraphrasé, donna : « Ils ont tenu jusque-là, pourquoi rendraient-ils l'âme maintenant ? »

Ce que Reacher trouva à la fois cohérent et optimiste. Cool Al, dans les soixante, soixante-cinq ans, avait une tignasse grise, un gros ventre et une chemise jaune. Il était assis à un bureau qui occupait la moitié du cabanon. Il faisait chaud et il régnait dans la pièce une odeur de bois poussiéreux et de créosote.

– Allez-y, choisissez une voiture, n'importe laquelle.

– Une Range Rover, dit Turner. Je ne suis jamais montée dans une Range Rover.

– Vous allez adorer.

– J'espère.

Reacher conclut le marché sur le bureau géant, avec les permis de Vega et Baldacci, un numéro de portable inventé, une des cartes de Baldacci et une signature griffonnée qui aurait pu évoquer à peu près n'importe quoi. En échange, Cool Al lui tendit une clef, fit un large geste du bras vers le côté droit du parking et précisa :

– La noire.

La noire s'avéra décolorée en violet foncé acier par le soleil. Le plastique obscurcissant de ses vitres se décollait et se boursouflait et ses sièges étaient craquelés et enfoncés. Turner se dit qu'elle datait des années 90. Ce n'était plus un véhicule de prestige. Mais il voulut bien démarrer, tourner à droite et descendre la rue.

– Elle a tenu jusque-là, pourquoi rendrait-elle l'âme maintenant ? dit-elle.

***

La Range Rover s'arrêta deux kilomètres plus loin, mais sur demande, pour leur permettre de petit-déjeuner dans le premier *diner* qu'ils trouvèrent, une entreprise familiale dans Long Beach Boulevard. On y servait toutes les bonnes choses, y compris l'omelette que Turner attendait depuis longtemps. Elle appela le sergent Leach depuis le téléphone à pièces et lui recommanda de se montrer prudente. Reacher surveilla le parking et ne vit personne. Ils n'étaient ni poursuivis, ni surveillés. Ils n'éveillaient pas l'intérêt. Ils repartirent donc vers le nord-est, à la recherche d'une bretelle pour rejoindre la 710. Reacher prit le volant pour la première fois. La vieille charrette imposante lui convenait bien. Ses vitres teintées étaient rassurantes. Elles étaient presque opaques. Et les parties mécaniques semblaient remplir leur fonction. La voiture semblait flotter comme si la surface de la route n'était qu'une vague rumeur éloignée.

– Que vas-tu faire si tu les vois ? demanda Turner.

– Qui ça ?

– Ta fille et sa mère.

– Tu veux dire : qu'est-ce que je vais leur raconter ?

– Non, je veux dire : la première fois que tu les apercevras, de loin.

– Je ne sais pas comment je pourrais les reconnaître.

– Admettons que tu les reconnaisses.

– Alors je chercherai le piège.

– Correct. Ce sont des appâts, jusqu'à preuve du contraire. La police militaire et le FBI seront là-bas, ça ne fait aucun doute. C'est une destination connue. Chaque personne que tu vois pourrait être infiltrée. Alors procède en conséquence.

– Oui, m'dame.

– Entre ici et North Hollywood, le danger double à chaque kilomètre. On se dirige droit au cœur de l'enfer.

– C'est un briefing avant opération ?

— Je suis ton commandant. Je suis tenue de te briefer.

— Tu prêches un convaincu.

— Tu pourrais les reconnaître, tu sais?

— Les filles ne ressemblent pas forcément à leur père.

— Je voulais dire que tu pourrais te souvenir de la mère.

***

Juliet appela Romeo parce que certaines responsabilités lui incombaient.

— J'ai de très mauvaises nouvelles.

— Ont-elles un quelconque rapport avec le fait que Baldacci a utilisé sa carte chez un loueur de voitures appelé Cool Al?

— Quel genre d'Al?

— C'est un truc de la côte Ouest. Que s'est-il passé?

— Reacher les a eus dans l'avion. Il les a mis hors de combat et leur a volé leurs portefeuilles.

— Dans l'avion?

— Il a cassé les doigts de Lozano et les bras de Baldacci sans que personne ne s'en aperçoive.

— Ce n'est pas possible.

— Apparemment si. Un contre deux, dans un avion, avec une centaine de témoins. C'est une humiliation flagrante. Et maintenant il loue une voiture avec notre fric? Mais pour qui se prend-il?

***

Reacher se considérait comme un mauvais conducteur. Au départ, il y avait vu un subterfuge pour faire passer la sécurité avant tout, supposant avec raison que ça l'obligerait à se concentrer, mais il avait ensuite compris que c'était la réalité. Sa perception de l'espace et ses réflexes se fondaient sur une échelle humaine, pas sur une échelle de voie rapide. Réflexes pour le contact physique, la proximité. Animaux, pas mécaniques. Peut-être Turner voyait-elle juste. Peut-être était-il bien « féral ». Non pas qu'il fût un conducteur épouvantable. Il était simplement pire que la moyenne. Mais pas pire que le conducteur lambda sur la I-710, ce matin-là, sur la portion connue sous le nom de Long Beach Freeway. Les automobilistes mangeaient, buvaient, se rasaient, se brossaient les cheveux, se maquillaient, se limaient les ongles, remplissaient de la paperasse, lisaient, envoyaient des textos, surfaient sur Internet, et entretenaient de longues conversations sur leur portable dont certaines se terminaient par des cris et d'autres par des larmes. Au milieu de tout ça, il tentait de maintenir sa vitesse et sa trajectoire, tout en restant attentif aux écarts et aux zigzags devant lui, et en évaluant de quel côté il lui faudrait se déporter si ça s'avérait nécessaire.

— On devrait s'arrêter pour appeler le capitaine Edmonds. Je veux savoir si elle peut obtenir ce dont on a besoin.

— Laisse ça au second plan.

— Je le ferais si je pouvais. Mais ils ne nous laisseront pas le choix. Leurs deux autres gars ont peut-être pris le vol pour le comté d'Orange. Ou le suivant pour Long Beach. Dans un cas comme dans l'autre, ils sont à seulement une heure ou deux derrière nous.

— Savoir ce qu'Edmonds peut obtenir ou non ne va pas résoudre le problème qu'ils nous posent.

— C'est crucial d'un point de vue tactique. Comme dans le manuel militaire. On doit déterminer s'il leur faut conserver des fonctions cognitives intactes pour de futurs interrogatoires.

— Ça n'est pas stipulé dans le manuel.

— Ils l'ont peut-être expurgé.

— Tu veux dire que si Edmonds a échoué, tu garderas les deux types en vie pour pouvoir leur faire cracher le morceau de force ?

— Je ne leur ferai pas cracher le morceau de force. Je les questionnerai gentiment, comme pour Big Dog. Mais si je sais que je n'ai rien à leur demander, alors je peux laisser faire la nature au préalable.

— Et que fera-t-elle ?

— On ne peut pas prédire l'avenir. Mais les choses simples, sans doute que si.

— Reacher, tu es sur le point de rencontrer ta fille.

— Et j'aimerais vivre assez longtemps pour y arriver. On ne peut pas procéder avec un système de second plan et de premier plan. Les deux doivent être au premier, m'dame. À mon humble avis.

– D'accord. Mais on va acheter un téléphone pour ne pas avoir à s'arrêter encore. En fait, on va en acheter deux. Un chacun. Cartes prépayées, cash. Et un plan de la ville.

Ce qu'ils firent deux kilomètres plus loin. Ils sortirent de l'autoroute et s'engagèrent dans une rue de commerces regroupés autour d'un magasin qui proposait des portables prépayés, des plans, et dont les caisses enregistreuses acceptaient les espèces ainsi que tous les autres moyens de paiement imaginables. Ils mirent le plan dans la voiture, enregistrèrent leur numéro de portable, puis Reacher s'appuya à l'aile chaude de la Range Rover et composa celui d'Edmonds.

– J'ai déposé la demande à l'heure d'ouverture des bureaux ce matin.

– Et ?

– Pour l'instant il n'y a eu aucune requête en rejet.

– Vous les attendez pour quand ?

– Tout de suite. Avant, même.

– C'est bien.

– Oui, c'est bien.

– Donc, dans combien de temps ?

– Plus tard dans la journée, ou tôt demain matin.

– Vous avez un stylo ?

– Et du papier.

– Je veux que vous vous renseigniez sur Peter Paul Lozano et Ronald David Baldacci auprès des Ressources humaines.

– Qui est-ce ?

– Je l'ignore. C'est pour ça que je veux que vous regardiez.

– Ça nous sera d'une utilité particulière ?

– Ça nous permettra d'être du côté des justes.

– J'ai entendu quelque chose dont vous devriez être mis au courant.

– À savoir ?

– L'inspecteur Podolski a trouvé vos vêtements à la décharge. Ils ont été analysés.

– Et ?

– Le sang ne correspond pas.

– Dois-je retenir mon souffle en attendant des excuses du major Sullivan ?

– Elle arrive. Elle a été très touchée que vous lui laissiez une reconnaissance de dettes.

– Est-ce que la police de Washington laisse tomber ?

– Non. Vous vous êtes enfui après une sommation légale.

– Ce n'est plus autorisé ?

– Je ferai de mon mieux pour Lozano et Baldacci.

– Merci.

Sur ce, il reprit l'autoroute avec Turner en direction du nord, véhicule parmi mille autres scintillant au soleil.

***

Romeo appela Juliet et annonça :

– J'ai parlé directement à un monsieur connu sous le nom de Cool Al, sous un prétexte quelconque, et il m'a appris qu'ils sont à bord d'une Range Rover noire de vingt ans.

– C'est bon à savoir, dit Juliet.

– Ce n'est pas la voiture la plus rapide de la planète. Mais aucune ne le serait assez. J'ai mis nos gars dans un hélicoptère. Pour rejoindre Burbank depuis le comté d'Orange. Ils seront en position au moins une heure en avance.

– Qui a payé ?

– Pas l'armée, répondit Romeo. Ne t'inquiète pas.

– Tu as fait opposition sur la carte bancaire de Baldacci ? Celle de Lozano aussi, je suppose.

– Je ne peux pas. Elles sont privées. Ils doivent le faire eux-mêmes, dès qu'ils sortiront de l'hôpital. En attendant, on devra les rembourser, comme toujours.

– Cette histoire nous coûte une fortune.

– Petit à petit, l'oiseau fait son nid, mon ami.

– Petit à petit, c'est vite dit.

– C'est presque fini. Ensuite tout reprendra son cours normal.

***

Reacher continuait d'esquiver les automobilistes qui mangeaient, buvaient, se rasaient, se brossaient les cheveux, se maquillaient, se limaient les ongles, remplissaient de la paperasse, lisaient, envoyaient des textos, surfaient sur Internet, et entretenaient de longues conversations sur leur portable, certaines se terminant par des cris, d'autres par des larmes, et arriva jusqu'à Los Angeles. Où il prit l'autoroute de Santa Ana jusqu'à la 101 à Echo Park. Puis ce fut un long, lent et fastidieux trajet au nord-ouest, à travers les collines. Ils passèrent par des endroits qu'il trouvait encore glamour, comme Santa Monica Boulevard, Sunset Boulevard, puis près du Hollywood Bowl. Et son téléphone sonna. Il décrocha.

– Je conduis d'une seule main, sur la 101, avec le panneau Hollywood sur ma droite et je parle au téléphone. J'ai enfin l'impression de me fondre dans le décor!

– Vous avez un stylo et du papier? lui demanda Edmonds.

– Non.

– Alors écoutez attentivement. Peter Paul Lozano et Ronald David Baldacci sont des engagés en service actif, actuellement déployés à long terme avec un bataillon logistique de Fort Bragg en Caroline du Nord. Ils sont affectés à une compagnie entraînée pour infiltrer et exfiltrer de l'Afghanistan des objets sensibles, et en ce moment, bien entendu, il s'agit uniquement d'exfiltration, à cause du retrait des troupes, et ça les occupe beaucoup. Leurs tests d'aptitudes sont pour l'heure au-dessus de la moyenne. C'est tout ce que je sais.

Après avoir raccroché, Reacher transmit l'information à Turner.

– Eh bien voilà. Des pièces d'artillerie qui devraient rentrer chez nous ne rentrent pas.

Reacher garda le silence.

– Tu n'es pas d'accord?

– J'essaie juste de me représenter le tableau. Tous ces objets sensibles, sortis d'une cave ou d'une autre, la plupart embarqués pour être ensuite envoyés à Fayetteville, mais dont certains se retrouvent à l'arrière de vieux pick-up miteux aux plaques bizarres, qui disparaissent aussitôt dans la montagne. Et si ces pick-up étaient bourrés d'argent liquide à l'aller? Peut-être que c'est un système de paiement à la livraison. C'est à ça que tu penses?

— Plus ou moins.

— Moi aussi. Un système en vase clos. Beaucoup de stress et d'incertitude. Et de visibilité. Et le risque de trahison. C'est là qu'ils apprennent sur qui compter. Parce que tout joue contre eux, même les routes. À quel point ces marchandises sont-elles sensibles ? Sont-elles en sécurité à l'arrière d'un vieux pick-up miteux aux plaques bizarres ?

— Où veux-tu en venir ?

— Tout se déroule en Afghanistan. Mais nos gars sont à Fort Bragg.

— Peut-être qu'ils viennent de rentrer d'Afghanistan.

— Je ne crois pas. Je l'ai remarqué à la minute même où j'ai vu les deux premiers. J'ai compris qu'aucun des deux n'était récemment allé au Moyen-Orient. Ils n'avaient ni coups de soleil, ni rides au coin des yeux, et aucune tension ni aucune fatigue dans le regard. Ce sont des pantouflards. Pourtant, ils sont l'équipe Alpha. Alors pourquoi garder une équipe Alpha en Caroline du Nord quand tout se passe en Afghanistan ?

— D'habitude, ces types-là ont une équipe A aux deux bouts de la filière.

— Mais il n'y en a qu'un. La marchandise sort des caves pour aller directement dans le vieux pick-up miteux aux plaques bizarres. Elle n'approche jamais de Fort Bragg ni de la Caroline du Nord.

— Alors je me trompe peut-être. Peut-être qu'ils les vendent en Amérique et pas en Afghanistan. Ça nécessiterait la présence d'une équipe A à Fort Bragg, pour les détourner.

— Mais je ne pense pas que ce soit ça non plus. Parce que, soyons réalistes, ils ne pourraient vendre que de petites armes. Les grosses, on les aurait remarquées. Et vendre assez de petites armes pour se faire autant de fric qu'ils semblent s'en faire, ça inonderait le marché. Et le marché n'est pas inondé. Sinon, tu en aurais entendu parler. Quelqu'un aurait mouchardé s'il y avait un torrent d'armes militaires en vente. Des fabricants nationaux évincés probablement. Le message aurait fini par atterrir sur ton bureau. C'est à ça que sert la 110e.

— Alors que font-ils ?

— Je n'en ai pas la moindre idée.

***

Reacher se rappela toutes les données utiles contenues dans la déclaration sous serment de Candice Dayton, dont le nom de son avocat, et l'adresse de son cabinet. Turner avait localisé le bon pâté de maisons sur le plan de la ville. L'ongle de son pouce gauche était posé dessus, elle suivait leur progression de l'index droit et ses mains se rapprochaient. Quand ils traversèrent l'autoroute Ventura, elle dit à Reacher :

– Continue jusqu'à Victory Boulevard. Il devrait y avoir un panneau indiquant la direction de l'aéroport de Burbank. Ensuite, on descendra depuis le nord. J'imagine qu'ils se concentreront surtout sur le sud. On sera dans leur angle mort.

Victory Boulevard était la sortie suivante. Ils prirent à droite dans Lankershim Boulevard, revinrent au sud-ouest, sur une voie parallèle à l'autoroute qu'ils avaient quittée quelques minutes plus tôt.

– Arrête-toi ici. À partir de maintenant, on va être ultra-prudents.

48

Reacher se gara à l'entrée d'une rue perpendiculaire et ils observèrent la zone sud ensemble. Les pâtés de maisons au nord de l'autoroute Ventura ressemblaient à un catalogue animé des activités commerciales américaines, de A à Z, depuis les entreprises de taille moyenne jusqu'aux plus petites, voire aux minuscules : commerces de détail, grossistes, sociétés de services. Des entreprises dont certaines étaient viables, certaines extrêmement audacieuses, certaines prometteuses, d'autres en chute libre, et d'autres encore familières et très répandues. Un extraterrestre aurait conclu que les faux ongles avaient autant d'importance que les panneaux de bois de deux mètres quarante sur un mètre vingt.

Turner tenait encore le plan déplié.

– Son cabinet est dans Vineland Avenue, deux rues au nord de l'autoroute. Prends à gauche dans Burbank Boulevard, puis à droite dans Vineland Avenue, et après c'est tout droit. Personne ne connaît notre voiture, mais on ne peut pas se permettre de passer devant plus de deux fois.

Reacher repartit donc, prit les tournants, et roula dans Vineland Avenue comme un type ordinaire, ni lentement avec l'œil aux aguets, ni vite avec provocation, simple conducteur d'un véhicule anonyme par une matinée ensoleillée.

– C'est bientôt sur la droite, prochain pâté de maisons. J'aperçois un parking devant.

Il le vit aussi. Mais c'était un parking partagé, pas celui de l'avocat en particulier. Celui d'entreprises installées dans une longue bâtisse basse, avec une toiture de tuiles plates, un trottoir couvert comme une sorte d'arcade et des murs peints, selon Reacher, dans un ton de beige propre à Los Angeles, à l'image du maquillage couleur peau des acteurs dans les films. Il y avait une perruquerie, un vendeur de cristaux, un fournisseur de matériel de gériatrie, un café et un comptable fiscaliste *Se habla español*. L'avocat de Candice Dayton se trouvait plus ou moins au centre de la rangée, entre les cristaux magiques et les fauteuils roulants électriques. Le parking, qui comptait à peu près huit places en profondeur et s'étendait sur toute la largeur de la façade, servait à tous les commerces. Les clients devaient pouvoir se garer où ils voulaient.

Il était à moitié plein. À première vue, presque tous les véhicules semblaient se trouver là pour des raisons parfaitement justifiées. Propres, pour la plupart, ils brillaient sous le soleil implacable, certains garés de travers comme si les conducteurs étaient passés en coup de vent pour faire une simple course. Reacher avait beaucoup réfléchi au genre de voiture où deux personnes pourraient habiter et avait conclu que le minimum requis serait un break à l'ancienne ou un SUV moderne avec une banquette rabattable et un espace libre suffisant entre les sièges avant et le hayon pour y loger un matelas. Du verre teinté sur les flancs et à l'arrière serait un plus. Une vieille Buick Roadmaster ou un Chevy Suburban récent rempliraient ces conditions, à ceci près qu'une personne prévoyant de vivre dans un Chevy Suburban récent verrait sûrement un avantage à le vendre pour s'acheter une vieille Buick Roadmaster et garder la différence.

Il inspecta donc le parking à la recherche d'un vieux break, probablement poussiéreux, aux pneus probablement lisses, et qui aurait l'air d'avoir pris ses marques comme s'il était garé depuis longtemps.

Mais il ne remarqua aucun véhicule répondant à ces critères. La plupart étaient parfaitement normaux et trois ou quatre assez neufs ou assez neutres pour avoir été loués à l'aéroport. Du genre qu'Espin et la 75ᵉ de la police militaire utiliseraient. Et deux ou trois étaient assez bizarres pour être des saisies du FBI ressorties pour servir de voitures de surveillance banalisées. Les ombres, le soleil éblouissant et les vitres teintées permettaient difficilement de savoir si elles étaient occupées ou non.

Ils continuèrent de rouler, même vitesse, même axe, puis reprirent l'autoroute parce qu'un demi-tour subit ou tout autre changement atypique de direction les aurait fait remarquer. Ils parcoururent lentement le même long rectangle, puis reprirent Lankershim Boulevard pour la deuxième fois, se garèrent à l'entrée de la même rue transversale, assez loin du sud pour être invisibles.

— Tu veux jeter encore un coup d'œil ? demanda Turner.

— Pas besoin, répondit-il.

— Bon alors, qu'est-ce qu'on fait maintenant ?

— Elles pourraient être n'importe où. On ne sait pas à quoi elles ressemblent, ni quelle voiture elles ont. Ça ne sert donc à rien de rouler dans le quartier. Il faut obtenir une localisation précise auprès de l'avocat. En espérant qu'il la connaisse, au jour le jour.

— Bien sûr, mais comment ?

— Je pourrais passer un coup de fil ou demander à Edmonds d'appeler pour moi, mais l'avocat répondra que toute correspondance doit passer par son cabinet et que tous les rendez-vous doivent s'y tenir. Il ne peut pas se permettre de révéler l'endroit où elle se trouve à un tiers impliqué comme on me reproche de l'être. Il supposerait forcément que tout contact finirait par être soit violent soit effrayant. Ça relève de la responsabilité professionnelle élémentaire. On pourrait lui réclamer des millions de dollars de dommages et intérêts.

— Alors que vas-tu faire ?

— Je vais faire ce que font les mecs quand ils n'ont rien de mieux à se mettre sous la dent.

– C'est-à-dire?

– Je vais appeler une pute.

***

Ils firent demi-tour, reprirent vers le nord et trouvèrent un restaurant à hamburgers où ils burent du café et où Reacher examina certaines entrées d'un annuaire téléphonique emprunté au propriétaire. Après quoi ils poursuivirent leur tournée jusqu'à un motel qu'ils repérèrent aux abords d'un des parkings longue durée de l'aéroport de Burbank. Ils ne s'enregistrèrent pas. Ils restèrent dans la voiture et Reacher composa un numéro qu'il avait mémorisé. Une femme avec un accent étranger lui répondit. Probablement d'âge moyen, la voix fatiguée.

– Comment s'appelle la fille de type américain la plus demandée que vous avez?

– Emily.

– Et c'est combien?

– Cent de l'heure.

– Elle est disponible tout de suite?

– Bien sûr.

– Elle prend les cartes de paiement?

– Oui, mais dans ce cas, ce sera cent vingt de l'heure.

Il ne dit rien.

– Elle peut vous retrouver dans moins d'une demi-heure et elle vaut son prix. Vous avez une préférence pour la tenue?

– Le style maîtresse d'école, répondit Reacher. Tout juste sortie de la fac.

– La fille toute simple? Ce look a toujours du succès.

Il donna le nom de Pete Lozano et l'adresse et le nom du motel devant lequel il se trouvait.

– C'est près du parking de l'aéroport?

– Oui, répondit-il.

– Nous l'utilisons beaucoup. Emily n'aura aucun mal à le trouver.

Il raccrocha. Ils se mirent à l'aise, attendirent, sans parler, sans rien faire d'autre que regarder par le pare-brise.

– Ça va? lui demanda Turner au bout de dix minutes.

– Pas vraiment.

– Pourquoi?

– Je suis assis là, à dévisager des filles de quatorze ans. J'ai l'impression d'être un pervers.

– Tu en reconnais?

– Pas encore.

***

En tout, ils attendirent plus de trente-cinq minutes, puis le téléphone de Reacher sonna. Ce n'était pas l'étrangère qui rappelait pour excuser le retard d'Emily, mais le capitaine Edmonds avec, annonça-t-elle, un vrai scoop. Reacher inclina le téléphone et Turner approcha la tête pour écouter.

– J'ai eu le dossier complet d'A.M. 3435. C'est arrivé il y a cinq minutes. Non sans une petite entourloupe de ma part, devrais-je ajouter.

– Et?

– Non, sincèrement, Reacher, avec plaisir, major. Il n'y a pas de quoi. Ça ne me dérange pas de risquer ma carrière en m'introduisant là où les capitaines du JAG auraient peur de s'aventurer.

– D'accord, je vous remercie. J'aurais dû le dire tout de suite. Je suis désolé.

– Vous devez comprendre certaines choses. Nous sommes en Afghanistan depuis plus de dix ans maintenant et, dans ce contexte, 3435 est un nombre assez bas. Actuellement, on est bien au-dessus des cent mille. La fiche concernant cet individu a donc été intégrée à la base de données il y a un certain temps. À peu près sept ans, d'après moi. Et il n'y a eu aucune mise à jour importante. Rien au-delà du minimum réglementaire. Parce que c'est un type assez ordinaire. Ennuyeux, même. À première vue, c'est un plouc insignifiant.

– Comment s'appelle-t-il?

– Emal Gholam Zadran. Il a quarante-deux ans maintenant et c'est le benjamin des cinq frères Zadran, tous en vie. Apparemment, c'est la brebis galeuse de la famille et de l'avis général il est peu recommandable. Les aînés sont tous d'honnêtes cultivateurs de pavot, ils travaillent les terres familiales comme le faisaient leurs ancêtres mille ans avant eux, et sont très respectueux des traditions. Des gens tranquilles et modestes. Mais le jeune Emal ne voulait pas se contenter de ça. Il s'est essayé à plusieurs activités, et a échoué à chaque fois. Ses frères lui ont pardonné, l'ont accueilli, et à ce que nous en savons, il vit près d'eux dans les collines, ne fait absolument rien de productif et garde ses distances.

— Pourquoi a-t-il été mentionné dans un rapport il y a sept ans ?

— À cause d'une des activités auxquelles il s'est essayé sans succès.

— Qui était ?

— Rien n'a été prouvé, sinon nous l'aurions abattu.

— Qu'est-ce qui n'a pas été prouvé ?

— On raconte qu'il s'était installé comme entrepreneur. Il achetait des grenades à main à la 10e division de Montagne et les revendait aux talibans.

— Combien en a-t-il retiré ?

— Le dossier ne le précise pas.

— Ça n'a pas été prouvé ?

— Ils ont fait de leur mieux.

— Pourquoi ne l'ont-ils pas abattu quand même ?

— Reacher, vous parlez à une avocate militaire. Rien n'a été prouvé et nous représentons les États-Unis d'Amérique.

— Supposez que je ne sois pas en train de parler avec une avocate de l'armée.

— Alors je dirais que rien n'a été prouvé et qu'à ce moment-là on devait sans doute lécher les bottes des Afghans en espérant qu'ils mettent d'eux-mêmes en place un gouvernement civil dans un avenir pas trop lointain pour qu'on puisse se tirer de là. Dans un tel contexte, abattre des autochtones contre lesquels rien n'a été prouvé, même par notre propre système judiciaire militaire à la détente facile, aurait été considéré sévèrement contre-productif. Sinon, je suis sûre qu'ils l'auraient fait quand même.

— Vous êtes plutôt maligne. Pour une avocate de l'armée.

Et il raccrocha parce qu'il venait de voir une gamine descendre d'un taxi et entrer dans l'allée menant au motel. Elle était resplendissante. Jeune, blonde, fraîche et énergique, l'air sérieux, comme si elle était décidée à passer les nombreuses années qui l'attendaient à ne faire que le bien dans le monde. On aurait dit une institutrice tout juste sortie de la fac.

49

Elle passa devant la réception du motel, puis s'arrêta, ne sachant pas où aller. On lui avait fourni un nom, mais pas de numéro de chambre. Turner abaissa sa vitre et l'interpella.

– Emily ?

Stratégie que Reacher et elle avaient préparée. Aucun doute là-dessus, c'était étrange d'être abordée par une femme dans une voiture sur le parking d'un motel, avant ce qui s'annonçait clairement comme un curieux plan à trois. Mais le même comportement de la part d'un homme aurait été encore plus étrange. C'était donc à Turner qu'il était revenu de poser la question à laquelle la gamine répondit :

– Oui, c'est moi.

– Nous sommes vos clients, lui indiqua Turner.

– Je suis désolée. On ne m'a pas avertie. C'est plus cher pour les couples.

– Vous avez déjà dû entendre ça, ou peut-être pas, mais nous voulons seulement parler. On vous donnera deux cents dollars contre une heure de votre temps. Et on restera habillés tout le temps, tous les trois.

La gamine fit une approche latérale et prudente, en restant dans l'alignement de la portière à la vitre baissée, et demanda :

– De quoi s'agit-il exactement ?

– D'un boulot d'actrice.

***

Ils discutèrent à l'extérieur pour éviter de l'effaroucher. Ils étaient appuyés contre le flanc de la voiture, Emily fermant le triangle, à un mètre d'eux, libre de faire volte-face et de s'enfuir. Mais elle resta. Elle fit glisser la carte Amex de Lozano sur son iPhone et dès que le numéro d'autorisation s'afficha, elle précisa :

– Je ne fais pas de porno.

– Pas de porno, dit Reacher.

– Alors, quel genre de boulot d'actrice ?

– Vous êtes actrice ?

– Je suis call-girl.

– Vous avez commencé comme actrice ?

– J'avais l'intention de le devenir.

– Vous pratiquez le jeu de rôle ?

– Je croyais que c'était ce que j'allais faire aujourd'hui. Jouer la jeune idéaliste naïve, prête à faire à contrecœur tout ce qu'il faut pour obtenir des fonds supplémentaires pour son école. Ou peut-être venue emprunter une tondeuse à gazon à un membre de l'association des parents d'élèves. Mais d'habitude, elle passe un entretien d'embauche. Comment prouver qu'elle va vraiment s'investir dans l'établissement ?

– En d'autres termes, vous jouez la comédie.

– Tout le temps. Même en ce moment.

– J'ai besoin que vous alliez voir la réceptionniste d'un cabinet d'avocat et que vous vous débrouilliez pour entrer dans ses petits papiers.

Reacher lui expliqua ce qu'il voulait. La fille ne se montra absolument pas curieuse de connaître les raisons de sa requête.

Il lui résuma le plan.

– S'il y a plusieurs employées, choisissez la mère de famille. Elle compatira. Vos recherches portent sur une mère qui se bat et cherche de l'aide. Dites-lui que Mme Dayton est une amie de votre tante, qu'elle vous a prêté de l'argent quand vous étiez à la fac, que ça vous a sortie du pétrin et que maintenant vous pouvez lui rendre service à votre tour. Et que vous avez envie de la revoir de toute façon. Un truc dans ce goût-là. Vous pouvez écrire votre propre scénario. Mais la réceptionniste n'est pas censée vous dire où elle se trouve. En fait, elle n'en a pas le droit. Alors, c'est l'occasion de décrocher votre oscar.

– Qui va souffrir dans l'histoire?

– Personne. C'est l'inverse.

– Pour deux cents dollars? Je n'ai jamais entendu un truc pareil.

– Si cette femme existe vraiment, elle obtiendra de l'aide. Si elle n'existe pas, elle ne souffrira pas. Tout va bien.

– Je ne suis pas sûre d'avoir envie de le faire.

– Vous avez accepté notre argent.

– Pour une heure de mon temps. Ça me va d'être ici à discuter. Ou on pourrait monter dans la voiture. Je me déshabillerai si vous voulez. C'est ce qui se passe d'habitude.

– Et avec cinq cents de plus en liquide? Comme pourboire? Quand vous reviendrez?

– Sept cents?

– Six cents.

– Et l'oscar est attribué à… Emily!

***

La fille ne les laissa pas la conduire. Maligne. Parce que c'est facile de parler. Mais le long préambule aurait pu n'être que du baratin, un fantasme déguisé, et on aurait fini par retrouver son cadavre, nu, dans un fossé trois jours plus tard. Ils lui donnèrent donc l'adresse, vingt dollars et elle prit un taxi. Ils le regardèrent s'éloigner, remontèrent dans la Range Rover et attendirent.

– Grandis un peu, Reacher, lui lança Turner. A.M. 3435 est Emal Zadran, qui a des antécédents répertoriés d'achat et de revente d'artillerie américaine dans les zones tribales des collines. Peter Lozano et Ronald Baldacci, eux, sont connus pour avoir été employés dans une entreprise chargée d'introduire cette même artillerie américaine dans ces mêmes collines et de les en retirer ensuite. Le bruit assourdissant que j'entends ne serait-il pas celui des pièces qui s'assemblent?

– Son business d'achat et de revente de matériel de l'artillerie américaine, c'était il y a sept ans.

– Après quoi il s'est volatilisé. En s'améliorant. Il est parvenu en haut de l'échelle. Maintenant c'est le caïd, l'homme auquel il faut s'adresser. Il gagne une fortune pour le compte de quelqu'un. C'est forcé. Sinon pourquoi atteindre de telles extrémités pour le garder à l'abri ?

– Tu as sans doute raison.

– J'ai besoin de ton point de vue, là. Pas d'un bête assentiment. Tu es mon commandant en second.

– C'est une promotion ?

– Seulement de nouveaux ordres.

– Au final… tu pourrais avoir raison. L'informateur a parlé d'un chef de tribu. Ça me fait penser à un titre reflétant le statut social. Un titre honorifique. Et une brebis galeuse qui ne fait rien de ses journées ne serait pas considérée comme un personnage important. Plutôt comme l'idiot du village. Et ne serait certainement pas honorée. Donc ce bon vieil Emal rend service à quelqu'un. Le seul point qui me paraît ne pas coller, c'est qu'il y ait une équipe prête à intervenir en Caroline du Nord alors que tout se passe en Afghanistan. Mais peut-être que leur présence se justifie. Parce que si ce que tu crois est vrai, alors il y a un tas de fric qui rentre à la maison. Des charretées, sans doute. Une grande quantité, bien concrète. Alors oui, ils ont besoin d'une équipe en Caroline du Nord. Pas simplement pour s'occuper des armes. Aussi pour s'occuper du fric.

***

Romeo appela Juliet et annonça :

– Ça va de mal en pis.

– Comment est-ce possible ? demanda Juliet.

– Ils viennent d'utiliser la carte Amex de Lozano. Deux cents dollars pour rémunérer une artiste. Tu sais ce que ça signifie ?

– Ils s'ennuient ?

– Les seules artistes qui ont leur propre lecteur de carte sur elles, ce sont les prostituées. Ils nous narguent. Ils auraient donné cette somme à des sans-abri si les sans-abri avaient un lecteur de carte sur leur téléphone. Ou des téléphones tout court, j'imagine.

– Et ils n'en ont pas.

– Et l'avocate de Reacher a obtenu la biographie détaillée de Zadran il y a environ une heure. Alors c'est sorti maintenant.

– Tu t'inquiètes trop.

– Le lien est évident. Pas besoin d'être un génie pour comprendre.

– Peut-être que tu t'inquiètes trop tôt, dit Juliet. Tu ne connais pas encore les bonnes nouvelles.

– Parce qu'il y en a?

– Nos gars viennent de les voir passer devant le cabinet de l'avocat. Dans une Range Rover, vingt ans, noire. Difficile d'en être certain parce qu'elle a des vitres teintées, mais ils sont presque sûrs d'avoir aperçu deux individus à l'intérieur. Un grand et un petit.

– Quand?

– Il y a moins d'une heure.

– Ils sont passés une seule fois?

– Pour l'instant. En reconnaissance, sûrement.

– Le coin est très fréquenté?

– C'est une rue commerçante. C'est comme le défilé de la fête nationale.

– Où sont-ils allés après être passés devant?

– Ils ont pris l'autoroute. Ils ont probablement fait le tour. Ils sont probablement planqués quelques rues au nord.

– On peut faire autre chose?

– Oui, je crois. Ils ont été extrêmement prudents aux abords de ce cabinet. Ils doivent savoir que la police militaire et le FBI ne le lâchent pas des yeux. Et il n'y a rien à y apprendre. Pas pour eux. Ce serait la pire des fautes professionnelles. Donc je pense qu'ils ne s'en approcheront plus. Auquel cas, nous gaspillerions des ressources à le surveiller. Nous ne pouvons pas les manquer, puisqu'ils n'y reviendront pas. Ce n'est pas plus compliqué que ça. Nos gars seraient plus utiles ailleurs. Peut-être dans des situations où ils prendraient des initiatives. Simple suggestion.

– Je suis d'accord, dit Romeo. Donne-leur le feu vert.

***

Pour patienter, Reacher et Turner essayèrent de deviner quel genre de pièces d'artillerie se vendrait à prix d'or et tiendrait sur le plateau d'un pick-up. C'était frustrant parce que deux catégories tendaient à être incompatibles. Les MOAB étaient de sinistres cylindres à ailettes de neuf mètres de long sur un mètre vingt de large en forme de poire. Les drones valaient trente-sept millions de dollars pièce, mais avaient une envergure de plus de dix-huit mètres. Et sans les manettes de commande, c'étaient juste de pauvres tas de métal inutiles. Et les commandes se trouvaient toutes au Texas ou en Floride. À l'inverse, les fusils, les armes de poing et les grenades à main ne valaient pas grand-chose. Un Beretta M9 coûtait dans les six cents dollars en boutique. Peut-être quatre cents d'occasion, dans la rue ou dans les collines, moins les frais généraux, ce qui aurait nécessité trois ou quatre cents ventes juste pour couvrir les cent mille dollars risqués dans les îles Caïmans. Et même l'armée remarquerait si elle perdait des armes de poing par centaines.

Ils n'avançaient pas.

Et puis Emily revint.

50

Elle descendit d'un taxi, exactement comme la première fois, toujours dans la peau de son personnage, toute radieuse et naïve. Elle vint vers eux d'un pas rapide et se tint là où elle s'était tenue plus tôt, à environ un mètre de la fenêtre de Turner qui abaissa sa vitre. Emily attaqua :

— Je me suis sentie mal de faire ça.

— Pourquoi ? lui demanda Reacher.

— Elle était gentille. Je l'ai manipulée.

— Avec succès ?

— J'ai obtenu l'adresse.

— Où se trouve-t-elle ?

— Vous me devez six cents dollars.

— Théoriquement, non. C'est un pourboire, à savoir un cadeau hors du contrat principal. Il n'y a aucune notion d'obligation.

– Vous essayez de vous défiler?

– Non, je suis naturellement pédant.

– Bref, il me faut toujours les six cents.

Ronald Baldacci paya avec la liasse de billets de vingt tirée de son portefeuille. Reacher les passa à Turner qui les tendit par la fenêtre à Emily, qui jeta un coup d'œil autour d'elle.

– On dirait un deal de drogue, fit-elle remarquer.

– Quelle est l'adresse? demanda Reacher.

Elle donna un nom de rue, avec un numéro.

– Qu'est-ce que c'est? Un terrain vague? Un magasin avec son propre parking?

– Je ne sais pas.

– Comment était l'ambiance dans le cabinet?

– Ils avaient l'air affairés. Je ne pense pas que Mme Dayton figure en bonne position sur la liste de leurs priorités.

– OK, merci Emily, dit Reacher. Ravi d'avoir fait votre connaissance. Je vous souhaite une très bonne journée.

– C'est tout?

– Qu'y aurait-il d'autre?

– Vous n'allez pas me demander pourquoi une gentille fille comme moi fait un boulot pareil? Vous n'allez pas me donner des conseils pour mon avenir?

– Non. Personne ne devrait écouter mes conseils. Et vous semblez bien vous en sortir de toute façon. Huit cents dollars en une heure, c'est pas mal. Je connais des gens qui se font baiser pour vingt.

– Qui?

– Des gens en uniforme, pour la plupart.

***

D'après le plan de Turner, la nouvelle localisation se trouvait au sud de l'autoroute Ventura, dans un quartier qui ne portait pas de nom. Ce n'était ni vraiment Universal City, ni vraiment West Toluca Lake, certainement pas Griffith Park, et c'était trop au sud pour être North Hollywood. Mais Reacher se dit que c'était le bon genre d'endroit. Il devait présenter un taux élevé de renouvellement de ses habitants, lesquels vaquaient à leurs occupations sans se préoccuper des autres, et héberger des entreprises et des sociétés qui se montaient et fermaient rapidement. Il y aurait donc beaucoup de bâtiments, avec des parkings réservés aux employés devant des locaux d'entreprises en faillite. Le meilleur moyen de s'y rendre était de prendre à nouveau au sud par Vineland Avenue et de croiser l'autoroute Ventura. Le quartier se trouverait après, sur la droite.

— Nous devons partir du principe que la police militaire et le FBI disposent des mêmes renseignements, dit Turner.

— Je suis sûr qu'ils les ont. On va donc procéder comme pour le cabinet de l'avocat.

— Un seul passage.

— Qui pourrait être le second pour certains d'entre eux, parce que je suis persuadé qu'ils font des roulements. Entre ici et le cabinet, je veux dire. Ils ne peuvent s'éterniser à aucun des deux endroits.

— Et si c'est une petite ruelle ou une rue en sens unique ?

— On annule la mission. On trouvera une autre solution.

— Et dans le meilleur des cas, on se contentera de regarder. Il n'y aura aucun contact. On aura besoin d'effectuer une surveillance à long terme avant même de l'envisager.

— Compris.

— Même si la plus mignonne des gamines de quatorze ans au monde court vers nous en agitant une banderole faite main qui annonce : *Bienvenue à la maison, papa*. Parce que ça pourrait ne pas être la bonne gamine de quatorze ans, et que son père pourrait être quelqu'un d'autre.

— Compris, dit de nouveau Reacher.

— Dis-le.

— Aucun contact, répéta-t-il.

— Alors, allons-y.

***

Ils ne prirent pas Vineland Avenue. Ils jugèrent que certains observateurs y verraient un deuxième passage devant le cabinet de l'avocat, sans aucune raison valable. Ces deux fois pourraient ensuite en devenir trois, si la rotation était mal calculée. Et trois fois, ça rompt le charme. La plupart des gens remarquent les choses la troisième fois. Reacher l'avait constaté. Même s'ils n'en ont pas conscience. Une hésitation pendant qu'on parle avec un ami ? Là, du coin de l'œil, on vient de remarquer le même type pour la troisième fois. Ou la même voiture, le même camion de fleuriste, le même manteau, le même chien, les mêmes chaussures ou la même démarche.

Alors ils firent un grand détour dans le sens des aiguilles d'une montre, d'abord vers l'est, puis vers le sud, croisèrent ensuite l'autoroute un peu à droite d'un axe rectiligne. Et s'arrêtèrent. Le quartier-cible se trouvait devant eux sur la droite. C'était un dédale d'immeubles bas avec des trottoirs en béton envahis d'herbe sèche, et des poteaux goudronnés portant des dizaines de fils, certains aussi gros que le poignet de Reacher. Derrière, on devinait de petites bâtisses, des maisons de plain-pied, des rez-de-jardin, des boutiques et des épiceries. Une onglerie et un pick-up étaient parfaitement visibles. Il y avait des paniers de basket et des buts de hockey sur glace, des antennes paraboliques aussi grandes que des jacuzzis et des voitures garées partout.

— C'est pas bon, fit remarquer Turner.

Reacher acquiesça, parce que ce n'était pas bon, en effet. C'était archiplein, exigu, et traverser en voiture impliquerait de s'arrêter, de redémarrer, et de manœuvrer pour contourner les obstacles l'un après l'autre. Rouler au pas serait un luxe.

— C'est toi le commandant, dit Reacher.

— Tu es le commandant en second.

— Je dis : allons-y. Mais c'est ta décision.

— Pourquoi dis-tu « allons-y » ?

— Les inconvénients semblent sérieux, mais en fait ce sont des avantages. Les choses pourraient tourner en notre faveur. La police militaire et le FBI ignorent quel véhicule on conduit. Pour eux, c'est juste un vieux pick-up aux vitres teintées. Ils ne le recherchent pas.

— Mais les deux types de la voiture cabossée peut-être. Ils sont bien informés. Dans le pire des cas, quelqu'un a vu la carte de crédit et sait dans quoi on roule.

— Peu importe, contra Reacher. Ils ne peuvent rien nous faire. Pas ici. Pas devant des témoins du gouvernement. Ils doivent être au courant de la présence de la police militaire et du FBI, ici, en même temps qu'eux. C'est une situation sans issue. Ils vont devoir se contenter d'attendre.

— Ils pourraient nous suivre. La police militaire et le FBI n'y verraient aucun mal. Juste une autre voiture qui quitterait le quartier.

— Je suis d'accord. Mais comme je te l'ai dit, ce serait dans le cas où la situation tournerait en notre faveur. On ferait d'une pierre deux coups. On fait une reconnaissance des lieux, et on attire les gars là où on veut. Finalement, en ma qualité de commandant en second, je dirais que c'est une bonne journée de boulot. Mais c'est ta décision. C'est pour ça que tu es grassement payée. Presque autant que certains profs de lycée.

Elle garda le silence.

— Deux premiers plans, tu te rappelles ?

— OK, allons-y, conclut-elle.

***

Ils consultèrent la carte et Reacher mémorisa les tournants. Droite, gauche, droite, et apparemment on arrivait dans la rue. Le numéro correspondant au terrain semblait se trouver à mi-chemin, entre le début et la fin.

— Souviens-toi : on jette juste un coup d'œil, lui rappela Turner.

— Compris, répondit-il.

— Et pas d'exceptions.

— Oui, m'dame.

Il déboîta, roula jusqu'au premier tournant, braqua, et se retrouva dans le quartier. La première rue était une vraie pagaille. Zone polyvalente. Camion de boulanger arrêté devant une épicerie, vélo d'enfant abandonné dans le caniveau et voiture sans roues posée sur des parpaings. La deuxième avait meilleure allure. Pas plus large, mais droite et moins encombrée. Dès les cinquante premiers mètres on se faisait une idée de l'ambiance du quartier. Petites maisons à droite et à gauche. Pas cossues, mais solides. Certaines avaient des toitures neuves, certaines du crépi peint, certaines des jardinières en béton avec des plantes desséchées. Des gens normaux, qui faisaient de leur mieux pour joindre les deux bouts.

Arriva ensuite le dernier tournant à droite, et le niveau monta d'un cran. Mais pas dans des hauteurs vertigineuses. Il vit une longue rue rectiligne, le 101 bien visible au bout, derrière une clôture grillagée. La rue était bordée de pavillons construits pour les GI à la fin des années 40 et toujours là une soixantaine d'années plus tard. Tous bichonnés, mais à des degrés divers, certains bien entretenus, certains refaits à neuf, certains agrandis, d'autres plus marginaux. Il y avait des voitures dans la plupart des allées et d'autres encore tout le long du trottoir des deux côtés de la rue. En si grand nombre que deux véhicules ne pouvaient pas se croiser.

Circulation lente et peu commode.

— FBI devant, sur la droite, c'est sûr, annonça Turner.

Reacher hocha la tête et garda le silence. Environ soixante mètres plus loin, il y avait une Chevrolet Malibu, gris métallisé, modèle d'entrée de gamme, avec du plastique là où on aurait dû trouver du chrome, deux courtes antennes collées au pare-brise arrière, et un gars en chemise blanche à la place conducteur. Banalisée, mais sans réel effort de dissimulation. Le conducteur était peut-être un super-viseur qui s'était arrêté un court moment pour contrôler le moral des troupes et les encourager. L'homme derrière lequel il était garé, par exemple.

— Regarde l'engin devant lui, dit Reacher.

Il s'agissait d'un 4 x 4 Hummer H2 civil, large, haut, gigantesque, peint en noir avec des accents chromés, des roues immenses et des pneus minces, en comparaison, comme des rubans élastiques noirs.

— On se croirait revenus huit ans en arrière, dit-il.

Une saisie ? Coke dans le vide-poches, véhicule impliqué dans une escroquerie ou marchandise volée dans le coffre. Confisqué dans un premier temps, puis ressorti pour servir de véhicule en sous-marin, légèrement déconnecté en termes de crédibilité, à l'image du gouvernement en général.

Et soixante mètres devant le Hummer, garée face à eux de l'autre côté de la rue, une petite voiture blanche, une compacte propre, neutre et ayant peu servi, sans aucune touche personnelle. Louée à l'aéroport, presque à coup sûr. La 75ᵉ de la police militaire. Un soldat qui n'avait pas eu de chance, classe éco jusqu'à LAX, puis premier prix chez Hertz ou Avis. La pire voiture du parking, et sans équipement optionnel.

— Tu les vois ? demanda Reacher.

Turner acquiesça d'un signe de tête.

— Et maintenant on sait où se trouve l'endroit qu'on recherche. Exactement entre le pare-chocs avant du Hummer et celui de ce machin, je dirais. Ils manquent un peu de subtilité.

— Comme toujours.

Il avait observé les numéros, et l'emplacement en question allait se trouver sur la gauche, environ trente-trois mètres devant, si la triangulation du gouvernement visait dans le mille.

— Tu vois quelqu'un d'autre ? demanda-t-il.

— Difficile à dire. Il pourrait y avoir quelqu'un dans n'importe lequel de ces véhicules.

— Espérons-le. Deux personnes en particulier.

Il avança, lentement, prudemment, se laissant une marge d'erreur. Leur vieille voiture avait une direction un peu imprécise. Plus ou moins quinze centimètres, voilà tout ce qu'elle proposait. Il passa à la hauteur de la Malibu grise et jeta un coup d'œil à droite. Une cravate accompagnait la chemise blanche. FBI, aucun doute permis. Vraisemblablement la seule cravate sur trois kilomètres carrés. Puis venait le Hummer. Au volant un Blanc, blond. Coupe en brosse haute avec côtés rasés. Probablement du jamais vu dans un H2 tuné. Gouvernement. Déconnecté.

Il jeta un coup d'œil à gauche et commença à repérer les numéros. Il ne savait pas vraiment ce qu'il cherchait. Une anomalie, en gros. Une habitation différente de celles qui la précédaient et lui succédaient. Aux fenêtres et aux portes obturées, saisie par la banque, ou détruite par le feu et rasée au bulldozer, ou encore un terrain jamais construit. Avec une grosse et vieille voiture garée dans l'ombre de ses voisines. Peut-être une Buick Roadmaster.

Mais l'adresse qu'avait obtenue Emily était celle d'une maison comme les autres. Sans particularité par rapport à celles qui la précédaient et lui succédaient, sans portes ou fenêtres obturées par la banque, sans trace d'incendie et toujours debout. Une maison ordinaire, sur un terrain ordinaire. Il y avait une voiture dans l'allée, mais pas une Buick Roadmaster. Un coupé deux portes, d'importation, d'un rouge délavé par le soleil, assez ancien, et encore plus petit que la voiture blanche de la police militaire. Donc pas assez spacieux pour y loger deux personnes. Loin de là. La maison était un ancien rez-de-chaussée rehaussé, une fenêtre à gauche, une à droite, et mansardée directement au-dessus d'une porte d'entrée bleue.

Par laquelle sortit une fille.

Elle aurait pu avoir quatorze ans. Ou quinze.

Elle était blonde.

Et elle était grande.

51

— Ne t'arrête pas, lança Turner.

Mais il freina quand même. Pas moyen de s'en empêcher. La fille contourna le coupé et avança sur le trottoir. Elle portait un tee-shirt jaune, une veste en jean bleu, un pantalon large noir et des tennis jaunes sans chaussettes et sans lacets. Longiligne, cheveux couleur des blés en été. Bouclés, très longs, la raie au milieu. Ses traits étaient mal définis, comme ceux de tous les visages d'adolescents, mais elle avait les yeux bleus et les pommettes saillantes, et arborait un demi-sourire narquois, comme si sa vie était pleine de ces petits désagréments qu'on tolère en faisant preuve de patience et de bonne volonté.

Elle se mit à marcher, vers l'ouest, à l'opposé de leur position.

— Regarde devant toi, Reacher, le somma Turner. Appuie sur l'accélérateur et ne t'arrête pas. Continue jusqu'au bout de la rue, tout de suite. C'est un ordre. Si c'est elle, nous le confirmerons plus tard et nous ferons ce qui s'impose.

Il accéléra donc, ne roulant plus au pas mais à vitesse jogging et ils arrivèrent à hauteur de la fille au moment où elle passait devant le véhicule de la police militaire. Elle ne paraissait pas réagir à sa présence. Ne semblait pas savoir qu'elle était là pour elle. Vraisemblablement, personne ne l'avait mise au courant. Que pouvaient-ils lui dire ? *Bonjour mademoiselle, nous sommes là pour arrêter votre père. Que vous n'avez jamais vu. Enfin… s'il se montre. Puisqu'il vient juste d'apprendre votre existence.*

Il garda un œil sur le rétroviseur et la regarda s'éloigner. Puis il s'arrêta au croisement, tourna à gauche, la regarda encore une fois, continua de rouler, et elle disparut.

***

Personne ne les suivit. Ils s'arrêtèrent de nouveau cent mètres plus loin, mais la rue derrière eux demeurait vide. Ce qui était légèrement décevant, en théorie. Non pas que Reacher l'interprétât réellement de cette façon. Dans son esprit à ce moment-là, les deux survivants de la voiture cabossée figuraient au troisième ou quatrième plan.

— Ils m'ont dit qu'elle habitait dans une voiture.

— Peut-être que sa mère a un nouveau boulot. Ou un nouveau copain.

— Tu as repéré des postes de guet possibles ?

— Rien d'évident.

— Peut-être qu'on devrait se mêler à la foule et se garer dans la rue. On serait tranquilles tant qu'on ne sortirait pas de la Range Rover.

— On peut faire mieux que ça, dit Turner.

Elle consulta le plan, regarda par la vitre, tout autour, tendant le cou, à la recherche d'un promontoire ou d'un point de vue élevé. Ils étaient nombreux au sud, où les collines d'Hollywood se dressaient dans le smog, mais trop éloignés, et dans tous les cas depuis le sud, la façade de la maison serait invisible. Finalement, elle indiqua une sortie d'autoroute, un peu plus au nord-ouest, dans l'écheveau où la 134 croisait la 101. Elle dominait les environs et tout le quartier semblait blotti dans sa courbe, comme si elle plongeait en décrivant un arc d'une autoroute à l'autre.

– On pourrait simuler une panne s'il y a un bas-côté. Une surchauffe ou autre chose. Cette voiture a tout à fait la tête de l'emploi. On pourrait y rester des heures. Le FBI ne donne pas dans l'assistance dépannage. Si le LAPD s'arrête à notre hauteur, on dira : bien sûr, le moteur a refroidi maintenant, et on repartira.

– L'adjudant Espin l'aura vue. Il aura exploré le périmètre, sans doute. S'il aperçoit n'importe quel véhicule garé là-haut, il ira vérifier.

– D'accord, si un autre véhicule qu'une voiture de patrouille du LAPD s'arrête, on démarre tout de suite, et si c'est Espin, on en découd au fin fond de Burbank.

– On le sèmera bien avant Burbank. Je parie qu'ils lui ont fourgué une quatre-cylindres de location.

***

Ensuite, il leur fallait dénicher un prêteur sur gages pour se procurer rapidement, et sans se faire remarquer, un article de qualité dont ils avaient besoin pendant un court laps de temps, et comme ils paieraient avec une carte bancaire volée, un objet d'occasion convenait mieux. Ils prirent les voies secondaires pour rejoindre West Hollywood, choisirent l'une des nombreuses boutiques, et Reacher dit au vendeur :

– Montrez-moi votre meilleure paire de jumelles.

Il y en avait beaucoup, anciennes pour la plupart. C'était logique. Reacher se dit qu'à l'époque de son père on achetait des jumelles simplement parce que ça se faisait. Chaque famille en possédait. Et une encyclopédie aussi. Personne ne les utilisait. Même sort pour la caméra huit millimètres, dans les familles de colonels ou des plus haut gradés. Mais elles devaient être fournies. C'était un des devoirs sacrés d'un père de famille. Mais maintenant tous ces pères de famille étaient morts, et les maisons de leurs enfants devenus adultes n'étaient pas extensibles. Alors leurs affaires se retrouvaient entassées entre les guitares acoustiques et les chevalières d'université, encore enfermées dans les écrins en cuir doublé de velours dans lesquelles elles avaient été vendues et qui portaient les étiquettes de prix, bas voire très bas.

Ils trouvèrent une paire qui leur plaisait, puissante mais pas trop lourde, et suffisamment ajustable pour s'adapter aux deux visages. Baldacci régla, et ils retournèrent à la voiture.

– Je pense qu'on devrait attendre la tombée de la nuit, suggéra Turner. Il ne se passera rien avant, de toute façon. Pas si sa mère a un nouveau boulot. Et notre voiture est noire. Espin ne la repérera pas de nuit. La rue devrait être suffisamment éclairée pour qu'on y voie avec les jumelles.

– D'accord. Mais je pense qu'on devrait manger d'abord. Ça pourrait prendre des heures. Combien de temps es-tu prête à rester là-haut ?

– Aussi longtemps qu'il faudra. Aussi souvent qu'il faudra.

– Merci.

– Dans l'histoire de mes relations, je ne sais pas si c'est le truc le plus malin ou le plus idiot que j'aie fait.

***

Ils dînèrent à West Hollywood. Bien, en prenant leur temps et à grands frais, sur les deniers de Peter Paul Lozano. Ils attendirent que l'après-midi se termine et que s'installe le soir et dès que les réverbères furent plus lumineux que le ciel, ils retournèrent à la Range Rover et prirent Sunset Boulevard pour rejoindre la 101. Ça roulait mal, comme toujours, mais le ciel profitant du temps perdu pour devenir de plus en plus sombre, au moment où ils prirent la sortie qui dessinait une courbe, le jour avait complètement décliné.

Il n'y avait pas à proprement parler de bas-côté sur la bretelle, mais sur la droite de la chaussée des zébras occupaient une zone plus large qu'un bas-côté pour délimiter la voie dans le virage. Ils se rangèrent donc comme si les voyants du tableau de bord s'étaient allumés telles les guirlandes d'un sapin de Noël. Turner avait déjà sorti les jumelles. Ils avancèrent jusqu'à ce qu'elle considère qu'ils jouissaient de la meilleure vue possible. Reacher éteignit le moteur. Ils se trouvaient à environ trois cents mètres de la porte d'entrée bleue, et quarante au-dessus. Exactement comme dans le manuel militaire. Vision frontale, altitude. Plus que satisfaisant. Pas mal du tout. La maison était tranquille. La porte bleue fermée. Le vieux coupé rouge toujours dans l'allée. La Malibu du FBI avait quitté la rue, mais le Hummer y était toujours, de même que la petite voiture à vingt mètres de là. Le reste du paysage automobile avait un peu changé. Les riverains rentraient ou partaient selon qu'ils travaillaient la journée ou de nuit.

Ils utilisaient les jumelles chacun à leur tour. Reacher, sur le siège conducteur, tourna le buste, s'adossa à la portière et regarda par la fenêtre ouverte de Turner. L'image optique était sombre et indistincte. Pas d'intensificateur de luminosité pour la vision de nuit. Mais elle était suffisante. Derrière lui les voitures passaient à vive allure, à un mètre, en procession régulière, quittant toutes la 101 pour rejoindre la 134. Aucune ne s'arrêta pour les aider. Elles faisaient juste tanguer la vieille Range Rover dans leur sillage et continuaient de rouler, insouciantes.

***

Romeo appela Juliet et annonça :

— Ils viennent de quitter West Hollywood. Ils ont acheté quelque chose chez un prêteur sur gages, avec la carte de Baldacci. Après, ils ont dîné dans un resto très cher, avec la carte de Lozano.

— Que pouvaient-ils vouloir se procurer chez un prêteur sur gages ?

— On s'en moque. L'important, c'est qu'ils étaient à West Hollywood, à tuer le temps, sans but apparemment, ce qu'on peut supposer qu'ils ne feraient pas s'ils avaient encore des choses à faire, comme localiser Mme Dayton, par exemple. Nous devrions donc considérer qu'ils savent où elle se trouve maintenant.

— Comment le sauraient-ils ?

— On s'en moque. Ce qui importe, c'est ce qu'ils ont prévu de faire. Ils étaient peut-être à West Hollywood pour se cacher jusqu'à la nuit. Auquel cas ils sont sans doute retournés près de la maison et s'apprêtent à entamer une surveillance de longue durée.

— Nos gars n'y sont plus.

— Alors renvoie-les là-bas. Dis-leur d'inspecter les environs avec l'œil d'un militaire et de trouver d'où une équipe de spécialistes observerait. Il ne peut pas y avoir plus d'une poignée de postes de guet convenables. Ils ne seront pas tapis dans le jardin d'un voisin, par exemple. Ils sont probablement assez loin. Le manuel militaire requiert une vision frontale et préconise un point élevé. À l'étage dans un immeuble vide, peut-être, ou en haut d'un château d'eau, ou d'un parking à étages. Demande à nos gars de dresser une liste de possibilités, puis de se séparer et d'aller vérifier. Ce sera plus efficace de cette manière. Il faut que ce soit fait ce soir.

— Chez un prêteur sur gages, on peut acheter des armes.

— Mais ils n'en ont pas acheté. Il y a un délai d'attente. Lois californiennes. Et ils n'ont dépensé que trente dollars.

— Avec la carte bancaire. Il a pu y avoir un paiement en espèces. Lozano et Baldacci en avaient beaucoup sur eux dans l'avion.

— Un achat illégal ? Dans ce cas, ils n'auraient pas traîné dans les parages pour manger. Pas dans le même quartier. Ils auraient été trop tendus. Ils seraient allés ailleurs. Considère qu'ils ne sont toujours pas armés.

— J'espère que tu as raison sur ce point-là. Ça faciliterait tout, conclut Juliet.

***

Turner passa une demi-heure à observer avec les jumelles, puis les repassa à Reacher, cligna des yeux et se frotta les paupières. Reacher régla l'espacement des objectifs, ajusta pour faire la mise au point, ce qui demanda un grand tour de molette. Soit il était à moitié aveugle, soit c'était elle.

— Je veux rappeler le sergent Leach, dit Turner. Je veux savoir si elle va bien.

— Transmets-lui mes amitiés.

Il écouta la conversation d'une oreille en surveillant ce qui se passait à trois cents mètres de là. À savoir pas grand-chose. Le Hummer restait à sa place. La compacte blanche restait à sa place. Personne n'entrait par la porte d'entrée bleue et personne n'en sortait. Apparemment, le sergent Leach allait bien. Tout comme sa très coopérative amie Margaret Vega. Pour le moment, du moins. Jusque-là. La conversation fut brève. Turner ne dit rien d'explicite, mais a priori Leach semblait penser avec elle que les dés étaient jetés et que les seules possibilités étaient de gagner gros ou d'abandonner la partie.

La porte bleue restait fermée. La plupart du temps, Reacher gardait les jumelles braquées sur elle, mais en procédant toutes les vingt secondes à une exploration fragmentée du quartier pendant quatre secondes. Il dirigeait les objectifs vers la rue, puis vers le coude par où ils étaient arrivés, avec le camion de boulanger devant l'épicerie, le vélo abandonné et la voiture sans roues. Ensuite venait la rue principale, Vineland Avenue, à peu près à la même distance du sud de l'autoroute que le cabinet de l'avocat l'était du nord.

Il braqua de nouveau l'objectif sur la porte bleue, qui restait fermée.

Puis il l'orienta vers la rue, mais de l'autre côté tout au bout, à droite plutôt qu'à gauche. Il découvrit un coude identique, comme une image miroir. Même genre de secteur, et même genre de difficultés. Puis de nouveau la rue principale, toujours Vineland Avenue, mais six cents mètres plus au sud. Le quartier ne formait pas tout à fait un rectangle. Le côté droit était plus grand que le gauche. Ça rappelait un pavillon de navire. Un peu au-dessus de l'angle supérieur droit se trouvait l'autoroute, puis le cabinet de l'avocat, et un peu en dessous de l'angle inférieur droit un vieux *coach diner*, tout éclairé et brillant.

Reacher savait quel chemin il emprunterait à pied.

Il refit la mise au point sur la porte bleue. Toujours fermée.

***

Elle le resta jusqu'à 19 h 59. Puis elle s'ouvrit, et la fille sortit, comme dans l'après-midi. Même démarche souple, presque gracieuse, même coiffure, même tee-shirt, même veste, mêmes chaussures. Probablement ni chaussettes ni lacets et vraisemblablement la même expression, mais il faisait noir et l'optique avait ses limites.

Exactement comme dans l'après-midi.

Mais elle tourna de l'autre côté.

Elle prit à l'est, pas à l'ouest. Dans le sens opposé à celui de l'échangeur de l'autoroute. Vers la rue principale. Personne ne lui emboîtait le pas. Elle n'était ni prise en filature, ni protégée. Reacher la montra du doigt. Turner hocha la tête.

– Tu crois possible qu'ils ne les aient mises au courant ni l'une ni l'autre ?

– De toute évidence, ils n'ont pas mis la gamine au courant. Ils ne peuvent pas lui dire : on a trouvé ton père, mais on a décidé de l'arrêter.

– Ils peuvent dire ça à sa mère ? Elle ne va pas obtenir des masses de pension alimentaire s'ils t'enferment pour le restant de tes jours.

– À quoi penses-tu ?

– Ils n'ont envoyé personne avec elle. Ce qu'ils auraient dû faire. Si je ne peux pas la voir dans la maison, j'essaierai de la voir quand elle sort. C'est évident, non ? Mais personne ne l'accompagne. La seule explication rationnelle, c'est qu'ils ne les ont mises au courant ni l'une ni l'autre. Et comme ils ne peuvent pas justifier la présence de quatre types qui les suivraient partout, ils ne les suivent pas partout.

– Et ils sont radins. S'ils les mettaient au courant, ils seraient obligés de poster un agent femme dans la maison. Ce qui coûterait du fric.

– OK, donc si la mère et la fille sont des appâts, mais ne le savent pas, et qu'elles quittent la maison, alors tout ce qu'Espin ou un autre peuvent faire, c'est les filer de loin, et passer de temps en temps avec un véhicule.

– D'accord.

– Mais personne ne bouge et aucun véhicule n'a allumé son moteur.

– Ils attendent peut-être qu'elle soit hors de vue.

– Voyons si c'est leur tactique.

Ce n'était pas leur tactique. La fille tourna à droite au bout de la rue, puis disparut, mais aux alentours de la maison personne ne bougea et aucune voiture ne démarra.

– Il y a peut-être une autre équipe, suggéra Turner.

– Tu approuverais un budget pareil ?

– Bien entendu.

– Et eux, ils le valideraient ? S'ils ne postent même pas une femme agent dans la maison ?

– OK, il n'y a qu'une équipe et elle est statique. Flemmardise et passivité. En plus, ce doit être difficile de trouver à se garer.

— Ils ne bougent pas parce qu'ils pensent que je suis assez stupide pour venir à pied et frapper à la porte.

À ce moment-là, une voiture surgit de l'extrémité la plus éloignée du quartier, de Vineland Avenue. Elle prit le coude qu'ils avaient emprunté plus tôt. Ses phares virèrent à droite, à gauche, puis arrivèrent dans la rue, de front et aveuglants, dépassèrent le Hummer, la porte bleue, vinrent presque à hauteur de la petite voiture blanche. Puis le véhicule s'arrêta, fit marche arrière à vive allure, repassa devant la maison, devant le Hummer et se gara sur le dernier emplacement libre, évidemment beaucoup plus loin de la maison que ne le désirait son conducteur. Il se rangea parallèlement au trottoir, soigneusement, et les phares s'éteignirent. Deux types en descendirent, impossibles à identifier à cause de la distance. De simples ombres animées, en réalité. L'une peut-être plus imposante que l'autre.

Le cerveau reptilien s'éveilla, et un milliard d'années plus tard, Reacher se pencha en avant de deux centimètres.

52

Les jumelles étaient insuffisantes à cette distance, et il y avait très peu de lumière. Il réserva son jugement. Presque quarante millions de personnes circulaient tous les jours en Californie et la probabilité que deux individus précis apparaissent au moment où une troisième personne, bien précise elle aussi, les observait était faible.

Mais les hypothèses peu probables se vérifient de temps en temps. Reacher fit un cadrage serré sur les deux types, puis modifia progressivement la mise au point pendant qu'ils avançaient, de façon à conserver l'image la plus nette possible. Ils marchaient dans la rue, mais pas sur le trottoir, directement sur la chaussée, vite, l'un à côté de l'autre. Ils se rapprochaient de plus en plus et Reacher était de plus en plus sûr de les reconnaître. Ils repassèrent devant le Hummer, puis arrivèrent dans un rond de lumière. Et là, il n'eut plus aucun doute.

Il était bien en train d'épier le conducteur de la première nuit et, à côté de lui, le grand au crâne rasé et aux petites oreilles.

Ils s'arrêtèrent juste devant la maison, puis se retournèrent vers le chemin qu'ils avaient emprunté, comme s'ils observaient l'horizon au loin, et se mirent à pivoter sur leurs talons, lentement, dans le sens contraire des aiguilles d'une montre, à tous petits pas, pointant de temps à autre le doigt dans une direction, toujours vers le haut.

– Ils nous cherchent, dit Reacher.

Ils continuèrent de pivoter, dépassèrent les cent quatre-vingts degrés de rotation, et aperçurent alors l'extrémité droite de la bretelle d'autoroute pour la première fois. Le type aux petites oreilles sembla comprendre immédiatement. Il leva le bras et décrivit une large courbe de droite à gauche, puis recommença mais de gauche à droite, pour indiquer que l'échangeur contournait tout le quartier. Il rapprocha ensuite sa paume de sa poitrine, semblant dire : le premier rang du premier balcon est là-bas, et la scène est ici, puis il mit sa main en visière et examina la pente en détail, segment par segment, mètre par mètre, à la recherche du meilleur angle, et quand il finit par s'arrêter, ce fut comme s'il regardait tout droit dans les jumelles par le mauvais bout.

– Ils nous ont trouvés, dit Reacher.

Turner consulta le plan et répondit :

– Ils ne peuvent pas arriver ici très vite, vu la manière dont le réseau routier est conçu. Il faudrait qu'ils descendent jusqu'au Hollywood Bowl, en n'empruntant donc pas l'autoroute, puis qu'ils remontent derrière nous par la 101. Ça fait un sacré grand carré.

– La gamine est dehors toute seule.

– C'est nous qu'ils veulent.

– Et c'est elle que nous voulons. Ils devraient la garder à l'œil. C'est ce que je ferais.

– Ils ne savent pas où elle est allée.

– Ce n'est pas sorcier. Sa mère n'est pas à la maison. Elle a regardé des émissions à la télé jusqu'à 20 heures et elle est sortie s'acheter quelque chose à manger.

– Ils ne vont pas la prendre en otage.

— Ils ont tabassé Moorcroft. Et ils manquent de temps.

— Que veux-tu faire ?

Il ne répondit pas. Il posa les jumelles sur les genoux de Turner, démarra la voiture, passa la première et regarda par-dessus son épaule. Il accéléra pour quitter les zébras et s'engager sur la voie, descendit en suivant la courbe, quitta la 101 pour rejoindre la 134, se fondit dans la circulation lente, chercha la première sortie qui, selon lui, se présenterait bientôt, et qui, selon lui, serait Vineland Avenue. C'était bien elle et elle lui laissait le choix d'aller vers le nord ou vers le sud. Il se faufila petit à petit dans l'embouteillage, frustré, et prit la direction du sud, en longeant le côté le plus grand du quartier, dépassa la première bretelle, la seconde, et continua, sur cent mètres, jusqu'à ce qu'il aperçoive le *diner*, tout illuminé et brillant.

Et la fille qui traversait Vineland pour s'y rendre.

Il ralentit, la laissa prendre cinquante mètres d'avance sur lui, puis la regarda entrer sur le parking. Il y avait un groupe de jeunes dans un coin, une huitaine au total, des garçons et des filles qui passaient le temps en profitant de l'ombre et de la fraîcheur de la nuit, qui plaisantaient, se donnaient des airs et se pavanaient, comme le font les jeunes. La fille se dirigea vers eux. Peut-être n'allait-elle pas dîner. Ou alors elle avait dîné chez elle. Du surgelé, peut-être, passé au micro-ondes. Et peut-être était-ce sa vie sociale d'après le dîner. Peut-être était-elle sortie pour se rendre à un rendez-vous habituel, rejoindre sa bande sur son lieu de prédilection, pour passer le temps en s'amusant, toute la nuit.

Ce qui serait opportun. Plus on est nombreux, moins il y a de danger.

Elle s'approcha du groupe. Des apostrophes fusèrent. On se tapa dans la main. Il y eut des rires et un peu de chahut. Reacher était presque arrivé au bout de la rue. Il prit une décision rapide, entra sur le parking, et se gara dans l'angle opposé. La gamine parlait toujours. On sentait à son langage corporel qu'elle était détendue. Ça se voyait. Elle n'était pas mal à l'aise.

Mais dix minutes plus tard, elle s'éloigna. Son langage corporel indiquait « j'entre maintenant ». Personne ne la suivit et elle ne parut pas déçue. Presque l'inverse. Elle avait l'air d'avoir apprécié la compagnie de la bande, bien sûr, mais à présent elle allait apprécier la tranquillité. Bien sûr également. Comme si pour elle ça revenait au même.

— C'est une solitaire, dit Turner.

— Et elle est grande, ajouta Reacher.

— Ça ne prouve pas forcément grand-chose.

— Je sais.

— On ne peut pas rester ici.

— Je veux entrer.

— Aucun contact. Pas encore.

— Je ne lui parlerai pas.

— Tu risques d'attirer l'attention sur elle.

— Seulement si les autres remarquent la voiture.

Turner garda le silence. Reacher regarda la fille tirer la porte et entrer. Le *diner* était construit dans le style traditionnel : carrosserie en acier Inox aux reliefs ondoyants soulignés par une triple ligne comme une vieille voiture, petites fenêtres à châssis comme un vieux wagon de train et lettres au néon façon Art déco. Il avait l'air d'être en pleine activité. Le coup de feu, entre les clients venus pour le menu du jour et les buveurs de café de fin de soirée. Il savait tout sur les *diners*. Il connaissait leur rythme. Il y avait passé des centaines d'heures.

— Observation seulement, l'avertit Turner.

— D'accord, répondit-il.

— Aucun contact.

— D'accord.

— OK, vas-y. Je vais cacher la voiture quelque part et je t'attends. Ne t'attire pas d'ennuis.

— Toi non plus.

— Appelle-moi quand tu auras fini.

— Merci.

Il descendit et traversa le parking. Entendit des voitures dans Vineland Avenue et un avion dans le ciel. Entendit le groupe de jeunes, qui se bagarraient, discutaient, riaient. La Range Rover qui démarrait derrière lui. Il marqua une pause et inspira profondément.

Puis il tira la porte du *diner*.

L'intérieur était conçu dans le style traditionnel, comme l'extérieur. Box à gauche et à droite, comptoir qui s'étendait sur toute la largeur de la salle, face à lui, à environ deux mètres du mur du fond pourvu d'une ouverture pour le passe-plat, mais dont le reste de la surface était tapissé de verre miroir. Les box étaient équipés de banquettes en Skaï et le comptoir d'une rangée de tabourets aux pieds chromés et à l'assise couleur pastel, pour rappeler les décapotables des années 50. Il y avait du lino au sol et tous les plans horizontaux étaient recouverts de mélaminé rose, bleu ou jaune pâle dont le motif faisait penser à de petites notations au crayon, qui dans cette ambiance vintage lui évoquèrent les équations ésotériques sans fin en rapport avec la barrière du son ou la bombe à hydrogène.

Derrière le comptoir se tenait un serveur au dos voûté et aux cheveux gris. Du côté gauche du wagon, une serveuse blonde quadragénaire et du droit une brune quinquagénaire, débordées toutes les deux car la salle était remplie plus qu'aux trois quarts. Tous les box de la gauche étaient occupés, certains par des gens venus dîner après leur journée de travail, d'autres avant de sortir, et un dernier par un quatuor de mecs qui se la jouaient branché en recherchant apparemment l'authenticité de l'époque. Du côté droit, deux étaient libres. Au comptoir, on dénombrait dix-neuf dos et cinq places vacantes.

La fille était assise tout à droite sur le dernier tabouret. Elle l'accaparait, comme si l'établissement était un bar et qu'elle y avait ses habitudes depuis cinquante ans. Des couverts, une serviette et un verre d'eau étaient posés devant elle, mais pas encore d'assiette. À côté d'elle, un siège libre. Ensuite un type penché au-dessus de son plat, puis un autre, et encore un autre. Le tabouret inoccupé suivant se trouvait neuf places plus loin. Reacher se dit qu'il pourrait mieux l'observer depuis l'un des box, mais les *diners* avaient une étiquette bien particulière et on voyait d'un mauvais œil les clients seuls occuper un box à quatre places à l'heure de pointe.

Il resta donc sur le seuil, hésitant. La serveuse blonde du côté gauche du wagon eut pitié de lui, fit un détour et esquissa un sourire accueillant. Mais elle était fatiguée et il se changea en un regard terne et indifférent, totalement absent.

— Asseyez-vous où vous voulez. Quelqu'un va venir s'occuper de vous tout de suite, dit-elle.

Et elle s'éloigna, affairée. Reacher déduisit que *où vous voulez* incluait les box pour quatre, tourna à droite et avança d'un pas.

La fille l'observait dans le miroir.

Et le fixait, franchement. Droit dans les yeux, grâce à un jeu de réflexions, de réfractions, d'angles d'incidence et tous ces autres trucs enseignés dans les cours de physique au lycée. Elle ne détournait pas le regard.

Aucun contact, avait-il promis.

Il avança jusque dans la partie droite du wagon, puis il s'installa dans un box libre, à un box de celui situé juste derrière elle. Pour mieux la voir, il appuya l'épaule contre la fenêtre, dos à la salle, ce qu'il trouvait fâcheux, mais il n'avait pas d'autre solution. La serveuse brune arriva avec un menu et un sourire aussi pâle que celui de la blonde.

— De l'eau? proposa-t-elle.

— Du café.

La fille l'observait toujours dans le miroir.

Il n'avait pas faim, parce que le repas payé par Lozano à West Hollywood avait été un festin digne d'un roi. Il mit le menu de côté. La brune ne fut pas ravie qu'il ne passe pas commande. Il eut le sentiment qu'il ne la reverrait pas de sitôt. On ne lui resservirait pas de café.

La fille l'observait toujours.

Il goûta le café et le trouva acceptable. Le type du comptoir servit une assiette à la fille, et elle coupa le contact visuel avec Reacher assez longtemps pour dire au type quelque chose qui le fit sourire. Sur son uniforme, il avait une étiquette brodée à son nom : Arthur. Il lui répondit quelque chose. La fille sourit, puis il s'éloigna.

Elle prit ensuite ses couverts et sa serviette dans une main, son assiette dans l'autre, descendit de son tabouret et gagna le box de Reacher.

— Je peux me joindre à vous? lui demanda-t-elle.

53

Elle posa ses couverts, sa serviette et son assiette, puis retourna au comptoir chercher son verre d'eau. Elle fit signe au dénommé Arthur et lui indiqua le box, comme pour lui dire : *Je change de place*, puis elle revint avec son verre, le posa à côté de son assiette, se glissa sur la banquette en Skaï et se retrouva pile en face de Reacher. Vue de près, elle donnait la même impression qu'à distance, mais tous les détails étaient plus nets. En particulier ses yeux, dont l'expression paraissait bien assortie à celle de sa bouche, tout aussi narquoise.

— Pourquoi voulez-vous vous joindre à moi ? lui demanda-t-il.

— Pourquoi je ne le voudrais pas ?

— Vous ne me connaissez pas.

— Vous êtes dangereux ?

— Je pourrais l'être.

— Arthur garde un Colt Python sous le comptoir, à peu près en face de l'endroit où vous êtes assis. Et un autre à l'autre bout. Ils sont tous les deux chargés. Avec des .357 Magnum. Et ils ont des canons de huit pouces.

— Vous venez beaucoup manger ici ?

— Quasiment à tous les repas, mais le terme exact serait « souvent ». Pas « beaucoup ». « Beaucoup » renvoie à une quantité et je préfère les petites portions.

Reacher resta silencieux.

— Désolée. Je ne peux pas m'en empêcher. Je suis d'un naturel pédant.

— Pourquoi vouliez-vous me tenir compagnie ?

— Pourquoi ai-je aperçu votre voiture à trois reprises aujourd'hui ?

— Quand était la troisième ?

— Théoriquement, c'était la première. J'étais au cabinet de l'avocat.

– Pourquoi?

– Par curiosité.

– À quel sujet?

– J'étais curieuse de savoir pourquoi on voit les mêmes voitures trois fois par jour.

– « On »?

– Ceux d'entre nous qui y prêtent attention. Ne jouez pas les imbéciles, monsieur. Il se passe quelque chose dans le quartier et nous aimerions beaucoup savoir quoi. Et vous semblez disposé à me le dire. Si je vous le demandais gentiment.

– Pourquoi croyez-vous que je pourrais vous le dire?

– Parce que vous faites partie de ceux qui viennent dans les parages et espionnent toute la journée.

– Que pensez-vous qu'il se passe?

– On sait que vous êtes très intéressé par le cabinet d'avocat. Et on sait que vous êtes très intéressé par ma rue. Donc on se dit que quelqu'un dans ma rue est le client de l'avocat et qu'ils trempent dans des affaires louches ensemble.

– Qui dans votre rue?

– C'est la grande question, non? Tout dépend du degré d'astuce dont vous faites preuve avec vos places de stationnement. On pense que vous voulez être près de votre cible, mais pas juste devant chez elle parce que ce serait trop flagrant. Mais à quelle distance exactement, c'est ce qu'on ignore. Vous pourriez surveiller des tas de maisons différentes, selon que vous allez un peu plus à gauche ou un peu plus à droite, en haut ou en bas.

– Comment vous appelez-vous?

– Vous vous rappelez le Colt Python?

– Il est chargé.

– Je m'appelle Sam.

– Sam comment?

– Sam Dayton. Et vous?

– C'est vraiment tout ce que vous savez sur l'opération qui se déroule dans votre rue?

– Ne me faites pas de faux éloges. Je trouve qu'avec ces déductions, on s'est très bien débrouillés. Vous gardez la bouche cousue, hein? C'est une expression géniale, non? Garder la bouche cousue? Mais l'indice révélateur, c'est que vos voitures se déplacent entre le cabinet de l'avocat et ma maison. Je comprends pourquoi vous le faites, mais ça démontre que vous établissez un lien entre les deux.

— Personne ne vous en a parlé?

— Pourquoi m'en parlerait-on?

— Votre mère vous a dit quelque chose?

— Elle n'y fait pas attention. Elle est très stressée.

— À quel propos?

— Tout.

— Et votre père?

— Je n'en ai pas. Enfin, évidemment, j'en ai forcément un du point de vue biologique, mais je ne l'ai jamais vu.

— Des frères et sœurs?

— Non.

— Qui pensez-vous que nous sommes?

— Des agents fédéraux, de toute évidence. Soit la DEA, soit l'ATF, soit le FBI. On est à Los Angeles. C'est toujours une question de drogue, de flingues ou de fric.

— Quel âge avez-vous?

— Presque quinze ans. Vous ne m'avez pas encore dit votre nom.

— Reacher, répondit-il en l'observant très attentivement.

Mais elle n'eut aucune réaction. Aucune étincelle dans les yeux. Rien qui ressemble à un *Ah!* ou plutôt à un *J'y crois pas!*, qui selon lui devait être le plus courant chez les jeunes. Son nom ne lui disait rien. Rien du tout. Il n'avait pas été mentionné en sa présence.

— Alors vous allez me dire ce qui se passe? reprit-elle.

— Votre repas refroidit. Voilà ce qui se passe. Vous devriez commencer.

— Vous mangez, vous?

— J'ai déjà dîné.

— Alors pourquoi êtes-vous venu?

— Pour le décor.

— Arthur en est très fier. D'où venez-vous?

— Je me déplace.

— Alors vous êtes un superagent fédéral.

Puis elle entama ce que, Reacher l'aurait parié, le menu désignait comme *Le fameux pain de viande de Mamie*. L'odeur du bœuf haché et du ketchup était immanquable. Il savait tout sur les *diners*. Il y avait passé des centaines d'heures et il avait essayé la plupart des plats qu'on y propose.

– Alors j'ai raison ? C'est l'avocat et le client ?

– En partie. Mais il n'y a pas d'affaires louches entre eux. Il serait plutôt question d'un type susceptible d'aller voir l'un d'entre eux. Ou les deux.

– Une troisième partie impliquée ? Avec une dent contre quelqu'un ?

– Quelque chose comme ça.

– Alors c'est une embuscade ? Vous attendez que le gars se pointe ? Vous allez le coincer dans ma rue ? Ce serait supercool. À moins que ça se passe au cabinet de l'avocat. Vous pouvez choisir ? Si vous pouvez, faites-le dans ma rue. Enfin… vous devriez l'envisager. Ce serait plus sûr. La petite rue commerçante est très fréquentée. Il est dangereux ?

– Vous avez vu quelqu'un rôder dans le coin ?

– Juste vos collègues. Ils restent dans leurs voitures à surveiller la rue toute la journée. Plus les équipes mobiles. On a beaucoup vu le type en Malibu grise.

– « Beaucoup » ?

– Je devrais dire qu'il passe fréquemment. Ou souvent. Et les deux dans la voiture de location. Et vous deux dans la Range Rover. Mais je n'ai aperçu aucun homme seul qui aurait eu l'air dangereux.

– Comment ça, « les deux dans la voiture de location » ?

– Il y en a un avec une tête qui a une drôle de forme. Et des oreilles taillées.

– « Taillées » ?

– Au début, de loin, j'ai cru qu'elles étaient simplement petites. Mais de près on voit qu'elles ont été coupées. En minuscules hexagones.

– Quand vous êtes-vous approchée de lui ?

– Cet après-midi. Il était sur le trottoir devant chez moi.

– Il a dit quelque chose ?

– Rien du tout. Pourquoi aurait-il parlé ? Je ne suis ni avocate ni cliente et je n'ai de dent contre personne.

– Je ne suis pas autorisé à vous en dire beaucoup, mais ces types-là ne sont pas avec nous. Ils ne sont pas des nôtres. D'accord? En fait, ils pourraient faire partie du problème. Alors gardez vos distances. Et faites passer le message à vos amis.

– C'est pas si cool en fait.

Le téléphone de Reacher sonna. N'ayant pas l'habitude d'en avoir un, il crut d'abord que c'était celui de quelqu'un d'autre et ignora la sonnerie. Mais la fille regarda fixement sa poche jusqu'à ce qu'il l'en sorte. Le numéro enregistré de Turner était affiché à l'écran.

Il s'excusa et répondit.

Turner haletait.

– Je reviens et je veux que tu viennes devant le *diner*, tout de suite.

La gorge nouée.

Il raccrocha, laissant Sam Dayton seule dans le box, sortit et traversa en vitesse le parking pour rejoindre la rue. Une minute plus tard, il aperçut sur sa gauche des phares espacés et larges qui arrivaient vers lui à toute allure. La vieille Range Rover venant du sud, en urgence. Puis il se retrouva dans leur faisceau et la voiture s'arrêta brusquement juste à sa hauteur. Il ouvrit la portière d'un coup sec et se glissa sur le siège.

– Qu'est-ce qui se passe? demanda-t-il.

– La situation a un peu dégénéré.

– À quel point?

– Je viens de descendre un type.

54

Turner prit l'autoroute Ventura en direction de l'ouest.

– Je pensais que le cabinet de l'avocat serait fermé jusqu'à demain et sans doute toutes les boutiques de la rue aussi, alors je me suis dit que les observateurs seraient partis, eux aussi, et suis allée jeter un coup d'œil parce qu'il y a des détails qui pourraient devenir indispensables plus tard comme le genre de verrous et le genre d'alarme dont est équipé le cabinet. Qui, soit dit en passant, sont assez basiques. On pourrait y rester cinq minutes si on devait. Et puis j'ai regardé mon plan et j'ai vu que je pouvais atteindre Mulholland Drive assez facilement, parce que j'ai toujours rêvé de rouler dans Mulholland Drive au volant d'une voiture, comme un agent spécial dans un film, et je me suis dit : si la gamine est là-dedans avec toi pour dîner, elle en a au moins pour une demi-heure et ça me laisse le temps de faire une petite excursion, alors je suis partie.

— Et puis ? demanda Reacher, simplement pour qu'elle poursuive.

Descendre des gens est stressant et l'état de stress est complexe. On y réagit de différentes manières. Certains le refoulent et d'autres l'expriment. Elle était de ceux qui l'expriment.

— On m'a suivie, continua-t-elle.

— C'était idiot, dit-il uniquement parce qu'elle n'aimait qu'on acquiesce bêtement.

— Je l'ai vite remarqué. L'habitacle était éclairé par des phares derrière et je voyais qu'il n'y avait qu'un type dans le véhicule. Un conducteur, rien de plus. Alors je n'y ai pas accordé beaucoup d'importance. Et puis plein de gens aiment Mulholland Drive, alors ça ne m'a pas inquiétée qu'il aille dans la même direction que moi.

— Qu'est-ce qui t'a inquiétée ?

— C'est qu'en plus, il roulait aussi à la même vitesse. Ce n'est pas naturel. La vitesse, c'est un truc personnel. Et je roule assez lentement la plupart du temps. En général, les gens me collent au cul, ou me dépassent. Mais ce type restait simplement derrière, tout le temps. Et je savais que ce n'était ni la 75ᵉ de la police militaire ni le FBI parce qu'ils ne savent pas quel véhicule je conduis. Ça devait être nos autres potes, sauf qu'il n'y avait qu'un type, pas deux, ce qui voulait dire qu'il ne s'agissait pas d'eux ou qu'ils s'étaient séparés et chassaient en solo. Quoi qu'il en soit, c'est devenu très vite agaçant et les films nous disent que Mulholland Drive rend très vite nerveux. Alors j'ai pensé que je ferais mieux de m'arrêter à la première zone de dégagement que je verrais, comme pour lui faire passer un message, pour lui dire que je l'avais bien eu, ce qui lui donnerait alors le choix d'accepter la défaite élégamment et de continuer à rouler ou d'être mauvais perdant et de s'arrêter pour me harceler.

— Et il s'est arrêté ?

— Ça oui. C'était le troisième des quatre dans la voiture cabossée ce matin. Celui que tu appelles le conducteur de la première nuit. Ils se sont séparés et ils chassent en solo.

— Je suis content que ç'ait été lui et pas l'autre.

— Il était suffisamment menaçant.

— Menaçant comment ?

— Vraiment menaçant.

— N'importe quoi. Il ne vaut pas la corde pour le pendre. C'est celui que j'ai cogné en second. Ça le rend encore plus nul que celui qui vient de nous payer à dîner.

— OK, tu m'as grillée. C'était du gâteau.

— Quel genre de gâteau ?

— Il avait un flingue.

— Ça équilibre un peu le jeu.

— Ça l'a équilibré. Pendant trois quarts de seconde. Et après, il n'avait plus son flingue, donc moi je l'avais, et une voix dans ma tête me criait : « Menace, menace, menace, tirer au centre », alors j'ai cligné des yeux et je me suis rendu compte que je l'avais fait, en plein cœur. Il était mort avant de toucher le sol.

— Et pourquoi as-tu besoin de moi tout de suite ?

— Tu veux dire que tu ne proposes pas de soutien psychologique ?

— Ça ne fait pas partie de mes points forts.

— Par chance, je suis soldat de profession, et je n'en aurai pas besoin.

— Alors que puis-je faire pour toi ?

— J'ai besoin que tu déplaces le corps. Je ne peux pas le soulever.

***

Mulholland était exactement comme dans les films, mais en plus petit. Ils s'y engagèrent, aussi prudents que des agents secrets, prêts à s'arrêter si la voie était libre, prêts à continuer de rouler si des gyrophares clignotaient et que des radios grésillaient déjà sur les lieux.

Mais il n'y en avait pas. Alors ils s'arrêtèrent. La circulation était fluide. L'endroit était pittoresque, à défaut d'être pratique.

Mais la vue de nuit depuis la zone de dégagement était spectaculaire.

— On n'est pas venus pour ça, Reacher.

Le type gisait sur le dos, genoux repliés sur le côté, près de l'avant de sa voiture. Aucun doute possible, c'était le conducteur de la première nuit. Avec un trou dans la poitrine.

— C'était quoi comme flingue? demanda Reacher.

— Un Glock 17.

— Qui est où maintenant?

— Dans sa poche, essuyé. Pour l'instant. Il faut qu'on décide comment la jouer.

— Il n'y a que deux possibilités. Soit le LAPD le trouve rapidement, soit il le découvre plus tard. Le mieux serait de le jeter dans le ravin. Il pourrait y rester une semaine. Se faire dévorer. Ou au moins grignoter, les doigts surtout. Le charger dans le coffre, c'est bien pire. Parce que peu importe qu'on fasse passer sa mort pour un suicide ou un homicide, la première chose que feront les flics, c'est une recherche par les empreintes et à partir de là tout le monde va se démener à Fort Bragg et toute l'affaire sera démêlée depuis l'autre bout de l'écheveau.

— Tu veux dire de l'intérieur, pas par nous. Et ce n'est pas ce que tu veux.

— Toi si?

— Je veux juste que ça se dénoue. Je me fiche de qui le fait.

— Alors tu es la personne la moins « férale » que j'aie jamais rencontrée. Ils t'ont calomniée de la pire des façons. Tu devrais les décapiter avec un couteau à beurre.

— C'est pas pire que ce qu'ils ont dit de toi avec le coup du Big Dog.

— C'est vrai. Et je vais m'arrêter acheter un couteau à beurre. Alors donne-moi ma chance. Ça ne fera de mal à personne s'il passe quelques jours dans le ravin. Parce que même si on ne règle pas tout nous-mêmes, le LAPD et Fort Bragg s'en chargeront. La semaine prochaine peut-être, quand ils finiront par le trouver. D'une manière ou d'une l'autre, ça se dénouera.

– OK.

– Et on garde le Glock.

***

Ils le prirent, ainsi qu'un portefeuille et un téléphone portable. Reacher empoigna ensuite les revers du manteau du type, qu'il souleva et transporta en titubant au bord du précipice, mais sans prendre de risques inutiles. Le plus souvent, quand on tente de se débarrasser d'un cadavre dans un ravin, on échoue. Le corps reste accroché, deux mètres en contrebas, sur la pente. À cause du manque de hauteur et de recul. Alors il fit tournoyer le type, tel un lanceur de marteau aux jeux Olympiques, deux tours complets sur une orbite verticale qui rasait le sol et s'élevait haut dans les airs, et le lança dans l'obscurité. Il entendit des branches craquer, des cailloux s'entrechoquer, puis plus grand-chose excepté le bourdonnement de la plaine en contrebas.

***

Ils firent demi-tour pour quitter la zone de dégagement et rebroussèrent chemin par Laurel Canyon pour rejoindre l'autoroute. Turner démonta le Glock, l'examina, le remonta et le mit dans sa poche avec une cartouche de neuf millimètres dans la chambre et quinze de plus dans le chargeur. Puis elle ouvrit le portefeuille. Même contenu que les autres. Une épaisse liasse de billets de vingt, quelques coupures de moindre valeur, un jeu entier de cartes bancaires, des vraies, en cours de validité, et un permis de conduire délivré en Caroline du Nord. Feu Jason Kenneth Rickard avait terminé son séjour sur terre un mois avant son vingt-neuvième anniversaire. Il n'était pas donneur d'organes.

Son téléphone était un modèle bon marché semblable à ceux qu'ils avaient achetés. Un prépayé qu'on ne pouvait pas tracer et destiné à une seule mission, sans aucun doute. Il ne contenait que trois contacts, les deux premiers aux noms de Pete L et Ronnie B, qui correspondaient évidemment à Lozano et Baldacci. Le troisième était simplement Shrago.

– Shrago doit être le grand aux petites oreilles, dit Turner. Il semble tenir le rôle de leader dans l'équipe.

– Elles ne sont pas petites, corrigea Reacher. Elles sont taillées.

– Comment ça ?

– On lui a taillé les oreilles.

– Comment le sais-tu ?

– La gamine me l'a dit. Elle les a vues de près.

– Tu lui as parlé ?

– Elle m'a abordé, au *diner*.

– Pourquoi ?

– Elle nous prend pour des agents fédéraux. Elle a envie de savoir ce qui se passe dans sa rue. Elle pensait qu'on pourrait lui fournir les détails.

– Où a-t-elle vu le type aux oreilles ?

– Au bout de son allée.

– Elle ignore vraiment ce qui se passe ?

– Elle n'est même pas au courant pour la recherche en paternité. Mon nom ne lui a rien dit. Visiblement, sa mère ne lui a pas parlé de la déclaration sous serment. Elle ignore même que c'est elle la cliente de l'avocat. Elle croit que c'est un de leurs voisins.

– Tu n'aurais pas dû lui parler.

– Je n'avais pas le choix. Elle s'est assise à ma table.

– Elle s'est installée avec un parfait inconnu ?

– Elle se sent en sécurité dans le *diner*. Le type qui tient le comptoir semble veiller sur elle.

– Quelle impression elle t'a faite ?

– Elle a l'air d'une chouette gamine.

– La tienne ?

– C'est la meilleure candidate pour le moment. Elle est à peu près aussi bizarre que moi. Mais je ne me rappelle toujours aucune femme en Corée. Pas la dernière fois que j'y suis allé.

– Des oreilles taillées ?

– En petits hexagones.

– Jamais entendu parler de ça.

– Moi non plus.

Il sortit son téléphone et composa le numéro d'Edmonds. Il était 21 heures sur la côte Ouest et donc minuit sur la côte Est, mais il était sûr qu'elle allait répondre. C'était une idéaliste. Elle décrocha au bout de sept sonneries, la bouche pâteuse comme la fois précédente.

– Vous avez un stylo? lui demanda-t-il.

– Et du papier, répondit-elle.

– Je voudrais que vous cherchiez deux autres noms dans les fichiers des Ressources humaines. Les types appartiennent à la même compagnie à Fort Bragg, la logistique, c'est presque sûr, mais j'ai besoin d'une confirmation. Le premier s'appelle Jason Kenneth Rickard, et le second Shrago. Je ne sais pas si c'est son nom ou son prénom. Essayez de trouver des infos sur lui. Apparemment, il a les oreilles mutilées.

– Les oreilles?

– Oui, les trucs de chaque côté de la tête.

– J'ai parlé avec le major Sullivan plus tôt dans la soirée. Le Bureau du secrétaire de l'armée fait pression pour que l'affaire Rodriguez soit résolue rapidement.

– Retirer les chefs d'inculpation serait assez rapide.

– Ça ne va pas se passer de cette manière.

– D'accord, je m'en charge, répondit Reacher.

Il raccrocha, rangea le téléphone dans sa poche et reprit sa conduite les deux mains sur le volant. Laurel Canyon Boulevard était un nom idiot pour la route sur laquelle ils roulaient. Elle se trouvait dans Laurel Canyon, ça oui, elle serpentait, étroite et vallonnée, dans un très beau quartier pittoresque, mais c'était loin d'être un boulevard. Un boulevard est une voie noble, large et rectiligne, souvent bordée d'arbres remarquables ou d'autres éléments paysagers traditionnels. Le terme est dérivé du vieux français *bolevers*, rempart, parce que la notion vient de là. Le boulevard était le chemin de ronde paysagé situé au sommet d'un rempart, long, large et plat, idéal pour flâner.

Puis ils sortirent dans Ventura Boulevard, qu'il ne fallait pas confondre avec l'autoroute Ventura, mais qui, au moins, était large et rectiligne. L'autoroute Ventura s'étendait devant eux, avec Universal City à droite, et Studio City à gauche.

— Attends, dit-il.

— Quoi ?

— L'avocat du Big Dog avait son cabinet dans Studio City. Juste dans Ventura Boulevard, je me rappelle l'avoir lu dans la déclaration sous serment.

— Et ?

— Peut-être que ses verrous et ses alarmes ne sont pas terribles non plus.

— C'est un grand pas, Reacher. C'est une porte ouverte pour commettre tout un tas de crimes supplémentaires.

— Allons au moins jeter un coup d'œil.

— Ça fera de moi ta complice.

— Tu peux exercer un droit de veto. Deux pouces sur le bouton, comme pour un tir nucléaire.

Il tourna à gauche, puis un téléphone sonna. Un fort trille électronique, comme un oiseau chanteur atteint de démence. Ce n'était pas celui de son téléphone, ni celui de Turner, mais celui de Rickard, posé sur la banquette arrière à côté du portefeuille vide.

55

Il se gara le long du trottoir et se contorsionna pour se saisir du téléphone. Il sonnait fort et vibrait dans sa main. L'écran affichait *appel entrant*. Information superflue étant donné la sonnerie et les vibrations, mais il indiquait aussi *Shrago*, ce qui était utile. Reacher ouvrit le portable et le tint contre son oreille.

— Allô ? dit-il.

— Rickard ?

— Non, dit Reacher. Ce n'est pas Rickard.

Silence.

— À quoi vous vous attendiez? reprit Reacher. Une bande de magasiniers contre la 110ᵉ de la police militaire? On a marqué trois points sur trois. Comme un frappeur de baseball à l'entraînement. Et vous êtes le dernier. Vous êtes seul maintenant. Et vous êtes le prochain. Qu'est-ce que ça vous fait?

Silence.

— Mais ils n'auraient pas dû vous placer dans cette position, poursuivit Reacher. C'était injuste. Je le sais. Je sais comment sont les gens du Pentagone. Je compatis. Je peux vous aider.

Silence.

— Donnez-moi leurs noms, rentrez tout de suite à Fort Bragg et je vous laisserai tranquille.

Silence.

Bip, bip, bip rapide dans l'écouteur, puis fin de l'appel sur l'écran. Reacher jeta le téléphone sur la banquette et déclara :

— Je demanderai deux fois, mais pas trois.

***

Ils continuèrent de rouler, puis Studio City déferla sur eux, compacte et survoltée. Il y avait des entreprises de chaque côté du boulevard. Certaines occupaient des immeubles entiers, d'autres étaient blotties les unes contre les autres sous des arcades, semblables à celles de North Hollywood. L'accès à certains de ces établissements se faisait par des voies de service partagées. D'autres se dressaient au fond de leurs propres parkings. Les numéros étaient difficiles à distinguer parce que de nombreuses devantures étaient sombres. Ainsi à deux reprises tournèrent-ils trop tôt dans des parkings d'où ils ressortirent immédiatement. Mais ils trouvèrent assez vite l'endroit qu'ils cherchaient. Cinq bâtisses en enfilade, avec des façades vert-jaune. Le cabinet de l'avocat du Big Dog devait se trouver dans le bâtiment central.

Sauf qu'il n'y était pas.

Le bâtiment central était occupé par un conseiller fiscal. *Se habla español*, plus une centaine d'autres langues.

— Les choses changent en seize ans, fit remarquer Turner. Les gens prennent leur retraite.

Reacher garda le silence.

— Tu es sûr que c'est la bonne adresse ? lui demanda-t-elle.

— Tu penses que je me trompe ?

— Ce serait pardonnable.

— Merci, mais je suis sûr de moi.

Il s'approcha pour mieux voir. Le bureau n'était pas du dernier cri. L'affichage et la vitrine étaient un peu datés. L'avocat n'avait pas pris sa retraite récemment.

Il y avait de la lumière au fond.

— C'est une minuterie, affirma Turner. Pour la sécurité. Il n'y a personne à l'intérieur.

— C'est l'hiver. Les impôts arrivent. Le type est dedans.

— Et ?

— On pourrait lui parler.

— De quoi ? Tu attends le remboursement d'un trop-perçu ?

— Il transmet le courrier du vieux, au moins ça. Peut-être même qu'il le connaît. Peut-être que le vieux est toujours propriétaire.

— Peut-être que le vieux est mort il y a dix ans. Ou a déménagé dans le Wyoming.

— Il n'y a qu'un moyen de le savoir.

Il avança, et frappa fort contre la vitre.

— À cette heure-ci de la nuit, ça marchera mieux si c'est toi qui parles.

***

Juliet appela Romeo parce que certaines responsabilités lui incombaient, et annonça :

— Shrago m'informe que Reacher a le téléphone de Rickard. Et donc son arme, j'imagine. Et il sait qu'ils sont magasiniers à Fort Bragg.

— À cause du dossier de Zadran. Le lien était facile à établir.

— Il ne nous reste que le dernier homme. Nous sommes presque sans défense.

— Shrago est efficace.

— Contre eux ? Nous avons perdu trois hommes.

— Tu es inquiet ?

— Bien sûr que je suis inquiet. Nous sommes en train de perdre.

— Tu as quelque chose à suggérer ?

— C'est le moment, répondit Juliet. Nous connaissons la cible de Reacher. Nous devrions donner le feu vert à Shrago.

***

Pendant un moment, Turner sembla avoir raison. Il n'y avait personne, uniquement de la lumière avec une minuterie de sécurité. Mais Reacher continua de frapper et, finalement, un type apparut et leur fit signe de s'en aller. Reacher répondit lui aussi par des signes, mais pour lui demander de le laisser entrer, ce qui les conduisit à une impasse. Le type mimait *Je ne reçois pas de nuit*, et Reacher se sentait comme le gamin du film qu'on envoie chez le médecin au milieu de la nuit, *Venez vite, le vieux Jeb est coincé sous un tas d'ogives nucléaires*. Le type craqua le premier. Il grogna, exaspéré, et se dirigea d'un pas lourd vers l'allée centrale de sa boutique. Il déverrouilla la porte et l'ouvrit. C'était un jeune Asiatique. Petite trentaine, environ. Il portait un pantalon gris et un pull sans manches.

— Que voulez-vous ? demanda-t-il.

— Vous présenter nos excuses.

— À quel propos ?

— Nous vous interrompons et nous savons que votre temps est précieux. Mais ça ne prendra que cinq minutes. Pour lesquelles nous serions ravis de vous payer cent dollars.

— Qui êtes-vous ?

— En théorie, pour le moment, nous travaillons pour le gouvernement.

— Je peux voir vos cartes ?

— Non.

— Mais vous voulez me payer cent dollars.

— Seulement si vous détenez des informations pertinentes.

– À quel propos?

– À propos de l'avocat qui occupait ces locaux avant vous.

– Que voulez-vous savoir sur lui?

– Le Congrès nous demande de vérifier certaines informations auprès de cinq sources différentes. Nous en avons déjà quatre, alors nous espérons que vous serez le cinquième ce soir pour que nous puissions tous rentrer chez nous.

– Quel genre d'informations?

– Tout d'abord, on exige que nous posions, par simple formalité, la question suivante : savez-vous personnellement si le sujet de notre enquête est vivant ou mort?

– Oui, je le sais.

– Et donc?

– Il est vivant.

– Bien. C'est un simple renseignement. Et tout ce que nous avons besoin de savoir maintenant, c'est son nom d'état civil et son adresse actuelle.

– Vous auriez dû venir me voir en premier, pas en cinquième. Je lui transmets son courrier.

– Non, on s'attaque d'abord aux plus difficiles. Pour bien finir la journée. Les difficultés diminuent au fur et à mesure.

– Je vais vous noter ça.

– Merci, dit Turner.

– Il faut que ce soit très précis, ajouta Reacher. Vous savez comment ils sont au Congrès. Si quelqu'un écrit « Avenue » et quelqu'un d'autre « Av », ça risque d'être rejeté.

– Ne vous inquiétez pas, répondit le conseiller fiscal.

***

Le nom d'état civil de l'avocat était Martin Mitchell Ballantyne, et il n'avait pas déménagé dans le Wyoming. Il résidait toujours en Californie, à Los Angeles, à Studio City. Quasiment à côté. Le plan de Turner indiquait que son domicile était situé dans Coldwater Canyon Drive, près de l'extrémité débouchant dans Victoria Avenue. Peut-être y vivait-il depuis le début.

Auquel cas ç'avait été un mauvais avocat. L'adresse était celle d'un appartement en rez-de-jardin, sans doute construit dans les années 30, et qui avait connu huit décennies de délabrement. Il était déjà démodé depuis longtemps. À présent, il était épouvantable. Murs vert foncé, comme de la vase, et lumière jaune aux fenêtres.

— Ne te réjouis pas trop vite, dit Turner. Il pourrait refuser de nous voir. Il est un peu tard pour passer.

— La lumière est encore allumée.

— Et il pourrait ne rien se rappeler. Ça remonte à seize ans.

— Alors on ne sera pas moins avancés.

— Sauf s'il considère que c'est de la subornation de témoin.

— Il devrait considérer ça comme une déposition.

— Ne t'étonne pas s'il nous met dehors, c'est tout.

— C'est un homme seul. Il ne demande rien de mieux qu'un peu de visite.

***

Ballantyne ne les mit pas dehors, mais ne parut pas non plus heureux de les voir. Il resta sur le seuil, plutôt passif, comme s'il avait passé une grande partie de sa vie à ouvrir sa porte à des heures tardives de la nuit pour répondre à des requêtes urgentes. Il était de taille moyenne, visiblement en assez bonne santé, et devait avoir soixante ans tout juste passés. Mais il semblait fatigué. Et son comportement était vraiment sinistre. Il avait l'air d'un homme qui a affronté le monde et qui a perdu. Reacher supposa que la cicatrice qu'il avait à la lèvre ne résultait pas d'une opération chirurgicale. Il supposa aussi que la femme qui se tenait derrière lui était son épouse. Elle était moins apathique, mais avait l'air tout aussi sombre et plus franchement hostile.

— Nous voudrions vous acheter un quart d'heure de votre temps, monsieur Ballantyne, commença Reacher. Cent dollars vous conviendraient-ils ?

— Je ne suis plus juriste, répondit Ballantyne. Je ne suis plus habilité à exercer.

— Retraité ?

— Radié du barreau.

– Quand?

– Il y a quatre ans.

– C'est d'une vieille affaire dont nous voudrions vous parler.

– Pourquoi vous y intéressez-vous?

– Nous tournons un film.

– À quand remonte-t-elle?

– À seize ans.

– Pour cent dollars?

– Ils sont à vous, si vous voulez.

– Entrez. On verra si j'accepte.

Ils longèrent tous les quatre un couloir étroit pour gagner un salon étroit, mieux meublé que Reacher s'y attendait, à se demander si les Ballantyne n'avaient pas été forcés de quitter un logement plus cossu. Quatre ans plus tôt, peut-être. Radié du barreau, peut-être condamné à payer une amende, peut-être poursuivi en justice, peut-être insolvable.

– Et si je ne me souviens pas? demanda-t-il.

– Vous aurez quand même le fric, répondit Reacher. Du moment que vous faites preuve de bonne volonté.

– Quelle était l'affaire?

– Il y a seize ans, vous avez rédigé une déclaration sous serment pour un client du nom de Juan Rodriguez, aussi connu sous le pseudonyme de Big Dog.

Ballantyne se pencha en avant, prêt à faire preuve de cent dollars de bonne volonté, mais n'atteignit que la somme d'un dollar et quinze *cents*.

Il se recala contre le dossier de son fauteuil.

– L'histoire avec l'armée? demanda-t-il.

Le ton de sa voix laissait supposer qu'il connaissait la réponse. Il trahissait aussi une espèce de détresse. Comme si de terribles souvenirs avaient été réveillés et exhumés. Comme si l'histoire avec l'armée ne lui avait apporté que des problèmes.

– Oui, acquiesça Reacher. L'histoire avec l'armée.

– Et pourquoi vous y intéressez-vous, exactement?

– Vous avez utilisé mon nom, là où il fallait remplir les blancs.

– C'est vous? Et vous venez chez moi? Je n'ai pas assez souffert comme ça?

— Dégagez! lança sa femme. Tout de suite!

Et elle devait y tenir parce qu'elle le répéta, intelligiblement, d'une voix pleine de fiel, à plusieurs reprises, en accentuant bien le « tout de suite ». Reacher vit dans le ton et le contenu du message une preuve incontestable que leurs hôtes avaient retiré leur consentement, que Turner et lui devenaient des intrus et puisqu'il lui avait promis deux pouces sur le bouton nucléaire et qu'il se souciait quand même un peu du problème que poserait un témoin à charge, il dégagea, tout de suite, Turner sur les talons. Ils retournèrent à la voiture et s'y adossèrent.

— Donc tout repose sur le système de classement, dit-elle.

— Croisons les doigts.

— Tu vas utiliser Sullivan?

— Tu le ferais, toi?

— Sans hésiter. Elle a de l'expérience et elle est sur place au JAG, pas coincée aux Ressources humaines.

— D'accord.

Il sortit son téléphone et appela Edmonds.

56

Elle décrocha, ensommeillée et un peu agacée, et Reacher lui dit :

— Plus tôt dans la soirée, vous m'avez informé que le major Sullivan vous avait confié que le secrétaire de l'armée faisait pression pour voir l'affaire Rodriguez résolue au plus vite.

— Et vous m'avez réveillée en pleine nuit pour faire un autre commentaire spirituel?

— Non, j'ai besoin que vous trouviez qui exactement a délivré ce message au major Sullivan ou du moins par quel canal il est passé.

— Merci d'avoir pensé à moi, mais le major Sullivan ne devrait-elle pas s'en charger directement?

– Elle va être très accaparée par une autre occupation. C'est très important, capitaine. Et très urgent. J'ai besoin que ce soit fait dans les plus brefs délais. Contactez tous les gens que vous connaissez. Dès que possible. Pendant qu'ils sont encore en train de courir sur leur tapis de jogging ou de se livrer à d'autres activités matinales.

***

Reacher tapota ses poches et trouva le numéro personnel de Sullivan noté sur la feuille de bloc-notes coupée en deux que Leach lui avait remise. Il le composa et compta les sonneries. Elle décrocha à la sixième, ce qu'il trouva plutôt pas mal. Elle avait le sommeil léger, apparemment.

– Allô? dit-elle.

– C'est Jack Reacher. Vous vous souvenez de moi?

– Comment pourrais-je vous oublier? Il faut que nous parlions.

– Nous sommes en train de le faire.

– Parler de votre situation, je veux dire.

– Plus tard, d'accord? Là, maintenant, nous avons du pain sur la planche.

– Là, maintenant? En pleine nuit?

– Soit maintenant, soit dès que possible. Selon votre niveau d'accès.

– À quoi?

– Je viens de m'entretenir avec l'avocat qui a rédigé la déclaration sous serment du Big Dog.

– Au téléphone?

– En personne.

– C'était une initiative extrêmement inopportune.

– La conversation a été très courte. Nous sommes partis quand on nous l'a demandé.

– Nous?

– Le major Turner m'accompagne. Un officier de même grade et de même compétence. Un témoin indépendant. Elle l'a entendu, elle aussi. Ça fait un second point de vue en quelque sorte.

– Entendu quoi?

— Y a-t-il un moteur de recherche informatique dans vos archives juridiques?

— Évidemment.

— Donc, si je tapais « Reacher » et « plainte contre », qu'obtiendrais-je?

— Exactement ce que vous avez, en fait. La déclaration sous serment du Big Dog, ou quelque chose de comparable.

— Est-ce que la recherche est rapide et fiable?

— Vous m'avez vraiment réveillée en pleine nuit pour discuter d'ordinateurs?

— J'ai besoin d'informations.

— Le système est assez rapide. Le moteur de recherche n'est pas très intuitif, mais il peut vous conduire directement à un document particulier.

— J'ai mentionné l'affaire à l'avocat et il s'en est souvenu immédiatement. Il a appelé ça « l'histoire avec l'armée ». Ensuite, il m'a demandé pourquoi je m'y intéressais, je lui ai répondu, et il m'a dit : « Je n'ai pas assez souffert? »

— Qu'entendait-il par là?

— Il fallait être là pour l'entendre. Tout était dans le ton de sa voix. La déclaration sous serment du Big Dog n'est pas une simple plainte qu'il a envoyée et oubliée. Ce n'était pas de la routine. C'était une histoire. Complète. Avec un début, un milieu et une fin. Et je pense que ce n'était pas une fin heureuse. C'est du moins ce que nous avons entendu. À sa voix, ça semblait être un épisode douloureux de sa vie. Quand il y repensait, c'était avec regret.

— Reacher, je suis avocate, pas coach en communication. Il me faut des faits, pas des impressions fondées sur le ton d'une voix.

— Et mon travail à moi, c'est d'interroger les gens et on en apprend beaucoup en les écoutant. Il m'a demandé pourquoi je m'y intéressais, comme s'il se demandait quel intérêt l'affaire pouvait encore présenter. Tous les recours n'ont-ils pas été épuisés?

— Reacher, on est en pleine nuit. Où voulez-vous en venir?

— Patience. Ce n'est pas comme si vous aviez autre chose à faire. Vous n'allez pas vous rendormir maintenant. Ce qu'il faut retenir, c'est qu'ensuite il a dit : « Je n'ai pas assez souffert? » Et en même temps, sa femme s'est mise à hurler et nous a fichus dehors. Ils vivent avec des revenus très modestes et en sont profondément affectés. Et le Big Dog était un sujet sensible. Un événement décisif, il y a des années de ça, avec des conséquences désastreuses durables. C'est la seule interprétation possible de cette phrase. Bref, maintenant je me demande si une action en justice a bien été intentée à l'époque. Peut-être que l'avocat s'est fait botter le cul. Peut-être qu'il a écopé de son premier blâme pour manquement au code de déontologie. Qui aurait pu être le premier pas sur un chemin semé d'embûches dont il a vu la fin il y a quatre ans quand il a été radié du barreau. Si bien que ni lui ni sa femme ne peuvent supporter d'entendre encore parler de cette affaire parce qu'elle est à l'origine de tous leurs malheurs. « Je n'ai pas assez souffert? » Soit, formulé autrement : J'ai vécu seize ans d'enfer à cause de cette affaire, et maintenant vous voulez me faire revivre tout ça?

— Vous fumez quoi, Reacher? Vous ne vous souveniez pas de l'affaire. Donc vous n'avez pas intenté d'action en justice. Sinon, vous vous en souviendriez. Et si des poursuites judiciaires ont bien été engagées il y a seize ans, au point que l'avocat se soit fait botter le cul, pourquoi les reprennent-ils maintenant?

— Ils les reprennent maintenant?

— Je vais raccrocher.

— Que se passerait-il si quelqu'un cherchait « Reacher », « plainte contre », demandait à consulter la déclaration sous serment du Big Dog et entrait ce document dans le système au niveau des données concernant l'unité? Avec un petit tour de passe-passe pour en exagérer l'importance?

Pas de réponse.

— Ça ressemblerait exactement à une procédure judiciaire, non? On constituerait un dossier, on se mettrait tous à préparer une stratégie, on attendrait un entretien préalable avec le procureur et on espérerait que notre stratégie y survive.

Pas de réponse.

— Avez-vous eu un entretien préalable avec le procureur?

— Non, répondit Sullivan.

— Peut-être qu'il n'existe pas. Peut-être que c'est un leurre. Conçu pour ne fonctionner qu'une minute. Autrement dit, que j'étais censé lire le dossier et décamper.

— Il ne peut pas s'agir d'un leurre. Le Bureau du secrétaire me met la pression.

— Qui exactement ? Vous recevez peut-être des messages, mais vous ne savez pas vraiment qui vous les envoie. Savez-vous seulement si le Big Dog est vraiment mort ? Avez-vous vu un certificat de décès ?

— Vous nagez en plein délire.

— Peut-être. Mais faites-moi plaisir. Imaginez que l'affaire a vraiment donné lieu à une action en justice il y a seize ans. À mon insu. Une parmi des centaines peut-être, un cas exemplaire mettant en cause un autre type, mais dans lequel je jouais les seconds rôles. Un recours collectif en justice peut-être. Peut-être ont-ils entrepris une nouvelle politique agressive contre les requins. Ce qui pourrait expliquer que le type se soit fait botter le cul à ce point. Quel genre de documents aurions-nous vu ?

— Si elle avait vraiment été portée en justice ? Des tonnes de documents. Je ne vous raconte même pas.

— Donc, si je cherchais « Reacher » et « défense contre plainte », que trouverais-je ?

— Au final, vous obtiendriez tout ce qu'ils ont étiqueté « document de la défense », je suppose. Des centaines de pages, sans doute, pour une grosse affaire.

— C'est comme quand on fait du shopping en ligne ? Ça propose des liens d'un article à l'autre ?

— Non, je vous l'ai dit. C'est un vieux système malcommode. Il a été créé par des programmeurs âgés de plus de trente ans. C'est l'armée, ne l'oubliez pas.

— Bien. Donc si un dénommé Reacher me gênait, que je voulais le faire fuir, et que j'étais très pressé, je pourrais chercher « Reacher » « plainte contre » dans les archives, trouver la déclaration sous serment du Big Dog et la remettre en circulation tout en ignorant complètement qu'elle n'était qu'un tout petit élément d'une bien plus grosse affaire du fait de la manière dont est conçu le moteur de recherche. C'est bien ça ?

– En théorie.

– Et c'est votre boulot, à partir de maintenant. Vous devez tester cette théorie. Voyez si vous trouvez la trace d'un plus gros dossier. Cherchez avec tous les mots-clefs auxquels vous penserez.

**

Turner et lui montèrent dans la Range Rover, prirent à l'est par l'autoroute pour retrouver Vineland Avenue, puis au sud au-delà du quartier de la gamine et se rendirent au *diner*. Elle était partie, forcément, ainsi que la serveuse blonde et tous les clients venus dîner. Le coup de feu était terminé. La fin de soirée avait commencé. Trois hommes dans des box séparés buvaient du café et une femme mangeait de la tarte. La serveuse brune parlait au type du comptoir. Ils attendirent près de la porte. La serveuse interrompit sa discussion pour aller les accueillir.

– Je suis désolé, s'excusa Reacher, mais j'ai dû partir précipitamment tout à l'heure. J'ai eu une urgence. Je n'ai pas réglé ma tasse de café.

– Quelqu'un l'a fait pour vous.

– Qui ? Pas la petite, j'espère. Ce ne serait pas correct.

– Quelqu'un l'a fait pour vous, répéta la serveuse.

– Pas de problème, lança le type du comptoir.

Arthur. Il essuyait son bar.

– C'est combien la tasse de café ? lui demanda Reacher.

– Deux dollars et un *cent* TTC.

– Bon à savoir.

Il tira de sa poche deux billets de un dollar et une pièce d'un *cent* oubliée et les posa sur le comptoir.

– Pour rendre la pareille à la personne qui a réglé pour moi. J'apprécie vraiment. On récolte ce que l'on sème.

– OK.

Il laissa l'argent où il était.

– Elle m'a dit qu'elle venait ici souvent.

– Qui ?

– Samantha. La gamine.

Le type acquiesça.

— C'est une habituée.

— Dites-lui que je suis désolé d'avoir dû partir. Je ne veux pas qu'elle pense que j'ai été grossier.

— C'est une gamine. Qu'est-ce que ça peut faire ?

— Elle croit que je travaille pour le gouvernement. Je ne veux pas lui donner une mauvaise impression. Elle est futée. Elle pourrait envisager d'entrer dans la fonction publique.

— Pour qui travaillez-vous en réalité ?

— Le gouvernement. Mais pas dans la branche qu'elle croit.

— Je transmettrai le message.

— Depuis quand la connaissez-vous ?

— Depuis plus longtemps que je vous connais. Alors si je dois choisir entre le respect de sa vie privée et vos questions, je pense que je vais opter pour sa vie privée.

— Je comprends. Je n'en attendais pas moins. Mais vous pourriez lui transmettre un dernier message de ma part ?

— Qui serait ?

— De se souvenir de ce que j'ai dit à propos des hexagones.

— Des hexagones ?

— Les petits hexagones. Dites-lui que c'est important.

***

Ils remontèrent dans la Range Rover, démarrèrent, mais n'allèrent nulle part. Ils restèrent sur le parking, leurs visages éclairés en rose et bleu par le néon Art déco.

— Tu penses qu'elle est en sécurité ? demanda Turner.

— La 75ᵉ et le FBI surveillent sa fenêtre toute la nuit. Ils sont sur le qui-vive pour repérer un éventuel intrus. Moi, selon eux, sauf que ce ne sera pas moi pour la bonne raison que je n'y vais pas, et Shrago non plus, je pense, parce qu'il sait ce que je sais. Aucun de nous deux ne pourrait entrer dans cette maison ce soir. Donc oui, je pense qu'elle est en sécurité. Presque par accident.

— Alors on devrait chercher un endroit où dormir. Une préférence ?

– C'est toi le commandant.

– J'aimerais aller au Four Seasons. Mais on devrait éviter les cartes bancaires parce qu'elles permettent notre localisation nocturne. Donc on ne paiera qu'en espèces, ce qui veut dire qu'on peut uniquement viser un motel et qu'on devrait retourner à celui de Burbank qui loue des chambres à l'heure, celui où on a donné rendez-vous à Emily. Pour vivre une expérience authentique.

– Comme conduire une voiture dans Mulholland Drive?

– Ou y abattre un homme. On voit aussi ça dans les films.

– Tu vas bien?

– Si j'ai un problème, tu seras le premier informé.

***

Le motel était pour le moins authentique. La fenêtre de la réception était protégée par une grille et seuls les paiements en liquide étaient acceptés. La chambre avait tout pour être du genre froid et humide, mais c'était Los Angeles où rien n'est froid et humide. Au contraire, elle était sèche et parcheminée comme si on l'avait laissée trop longtemps au four. Mais elle était fonctionnelle et pas loin d'être confortable.

Ils avaient garé la voiture cinq chambres plus loin. Il n'y avait aucun autre endroit où la cacher. Mais ça restait assez sûr, même si Shrago la repérait. Il observerait la chambre devant laquelle elle était stationnée, entrerait par effraction, ne tomberait pas sur ceux qu'il cherchait et se dirait que le véhicule n'était qu'à deux pas de l'endroit où il aurait dû se trouver, mais un peu plus à droite ou un peu plus à gauche. La probabilité étant de cinquante pour cent, s'il se méprenait, il aurait commis deux effractions avant même d'apercevoir sa cible. Et à supposer que la voiture se trouve à trois pas de là où elle aurait dû être? Combien de chambres cela représentait-il? Sa tête exploserait bien avant d'arriver à cinq pas. Ses petites oreilles fuseraient au loin comme des éclats d'obus.

Reacher se dit qu'il lui restait environ quatre heures pour dormir. Il était persuadé qu'Edmonds, en Virginie et à l'heure de la côte Est, suait sang et eau pour rassembler des informations afin de l'appeler en pleine nuit et de le réveiller.

57

Le premier coup de fil d'Edmonds arriva à 2 heures du matin, heure locale, soit 5 heures sur la côte Est. Reacher et Turner se réveillèrent tous les deux. Il plaça le portable ouvert entre leurs oreillers et ils s'installèrent sur le flanc, front contre front, pour entendre tous les deux.

— Vous m'avez demandé des infos sur un certain Jason Kenneth Rickard et un dénommé Shrago, dit Edmonds. Vous avez un stylo?

— Non, répondit Reacher.

— Alors écoutez attentivement. Ils sont comme les deux premiers. Tous servent dans la même compagnie déployée à Fort Bragg. Trois équipes pour une escouade, et ils forment une équipe. Ce que ça veut dire exactement, je l'ignore. Sans doute que c'est du travail qualifié, et ils apprennent à compter les uns sur les autres.

— Et à garder leurs secrets mutuels. Parlez-moi de Shrago.

— Ezra-pas-de-deuxième-prénom-Shrago, sergent et chef d'équipe. Trente-six ans. Grands-parents hongrois. A intégré l'unité au début de la guerre, a fait des allers-retours en Afghanistan pendant cinq ans et depuis, est basé sur le territoire, exclusivement.

— Qu'est-ce qui est arrivé à ses oreilles?

— Il a été capturé.

— En Caroline du Nord ou en Afghanistan?

— Par les talibans. Il a disparu pendant trois jours.

— Pourquoi ne lui ont-ils pas coupé la tête?

— Sans doute pour la même raison que nous n'avons pas abattu Emal Zadran. Eux aussi ont des hommes politiques.

— Quand était-ce?

– Il y a cinq ans. Ils lui ont donné un billet de retour définitif après ça. Il n'est pas retourné en Afghanistan depuis.

Reacher ferma le portable.

– Je n'aime pas du tout ça, dit Turner. Pourquoi vendrait-il des armes à ceux qui lui ont coupé les oreilles ?

– Il ne s'occupe pas des transactions. C'est un simple rouage de la machine. Ils se fichent de ce qu'il pense. C'est sa force physique qui les intéresse, pas ses opinions.

– On devrait lui promettre l'immunité. On pourrait vite le faire changer de camp.

– Il a failli tuer Moorcroft.

– J'ai dit promettre, pas donner. On pourrait le poignarder dans le dos ensuite.

– Alors appelle-le et sers-lui ton discours. Son contact est toujours enregistré dans le portable de Rickard.

Turner se leva, trouva le bon téléphone, retourna au lit et composa le numéro, mais la compagnie de téléphone lui apprit que le correspondant qu'elle voulait joindre bloquait ses appels.

– Efficace, dit-elle. Ils font le ménage derrière eux, minute après minute. Fini MM. Rickard, Baldacci et Lozano. Jetés aux oubliettes.

– On va y arriver sans l'intervention de Shrago. On va trouver une idée. Peut-être dans un rêve, dans cinq minutes.

Elle sourit et répondit :

– OK, re-bonne nuit.

***

Juliet appela Romeo parce que certaines responsabilités lui incombaient.

– Shrago a localisé leur voiture, annonça-t-il. Sur le parking d'un motel au sud de l'aéroport de Burbank.

– Mais ?

– Shrago a l'impression que, par mesure élémentaire de sécurité, elle n'est pas garée devant la bonne chambre. Il devrait en vérifier dix ou douze et il sent qu'il ne s'en tirerait pas en toute impunité. Une ou deux, peut-être, mais pas plus. Et ça ne servirait à rien de mettre la voiture hors d'usage parce qu'ils en loueraient une autre avec une de nos cartes.

— Il ne peut pas avoir la gamine ?

— Pas avant qu'elle ne ressorte de la maison. Nous avons les mains liées.

— Il y a de l'activité dans les archives judiciaires. Un unique utilisateur avec un accès JAG qui cherche quelque chose. C'est inhabituel à cette heure de la nuit.

— Le capitaine Edmonds ?

— Non, la personne en question est entrée dans le système des Ressources humaines. Elle vient d'examiner de près les dossiers de Rickard et Shrago, il y a une heure environ. Ils se rapprochent.

— De Shrago, peut-être. Mais pas de nous. Il n'y a pas de lien direct.

— Le lien, c'est Zadran. Et c'est une enseigne au néon. Alors dis à Shrago de quitter Burbank. Dis-lui de s'occuper de la gamine. Dis-lui qu'on compte sur lui, et dis-lui que ce merdier doit être réglé à la première heure demain, quoi qu'il en coûte.

***

Le deuxième appel d'Edmonds arriva à 5 heures, heure locale, 8 heures sur la côte Est. Reacher et Turner se replacèrent front contre front.

— OK, il y a du nouveau. Le jogging sur tapis roulant est terminé et les bureaux sont sur le point d'ouvrir, alors je n'ai que des rumeurs et des ragots, mais à Washington, ce sont en général les informations les plus fiables.

— Et ?

— J'ai parlé à huit personnes qui travaillent pour le Bureau du secrétaire ou sont en relation avec lui.

— Et ?

— Les noms Rodriguez, Juan Rodriguez, Dog ou Big Dog ne disent rien à personne. Personne ne le reconnaît, personne n'est au courant d'une affaire en cours, personne n'a transmis de message au major Sullivan et personne n'a entendu parler d'un officier supérieur qui l'aurait fait.

– Intéressant.

– Mais pas décisif. Huit personnes, ça ne représente qu'un petit échantillon et il semble qu'on n'accorderait pas un grand crédit à une source d'embarras vieille de seize ans. Nous en saurons plus dans une heure, quand tout le monde sera de retour au bureau.

– Merci, capitaine.

– Vous dormez bien?

– Nous sommes dans un motel qui loue des chambres à l'heure. On en a pour notre argent. Est-ce qu'on a proposé un soutien psychologique à Ezra Shrago après l'épisode de l'oreille en Afghanistan?

– Les notes des psychiatres sont ultra-confidentielles.

– Mais je suis sûr que vous les avez lues quand même.

– On lui a proposé de l'aide, et il l'a acceptée, ce qui a été jugé inhabituel. Dans la plupart des cas, les hommes le gèrent dans le style de l'armée : ils refoulent tout jusqu'à ce que la dépression se déclare. Mais Shrago était un patient motivé.

– Et?

– Trois ans après l'incident, il nourrissait encore une violente colère, de la haine, du ressentiment, et se sentait encore humilié. Le retour sur le territoire était préventif, autant que thérapeutique. On considérait qu'on ne pouvait pas lui faire confiance s'il évoluait parmi les autochtones. C'était un barbare en puissance. Les notes indiquent qu'il hait passionnément les talibans.

Une fois la conversation terminée, Turner déclara :

– Ça ne me plaît vraiment pas du tout. Pourquoi, encore une fois, vendrait-il des armes à des gens qu'il déteste?

– Il n'est qu'un rouage de la machine. Il vit en Caroline du Nord. Il n'a pas vu d'enturbanné depuis cinq ans. Il touche un max de fric.

– Mais il est partie prenante.

– Il dissocie. Loin des yeux, loin de l'esprit.

Reacher laissa le téléphone où il était, entre leurs oreillers. Et ils se rendormirent.

***

Mais pas longtemps. Edmonds appela une troisième fois quarante minutes plus tard, à 5 h 45, heure locale.

– J'ai réexaminé les déploiements de Fort Bragg, juste pour m'amuser, parce que je voulais voir combien de temps ils avaient servi ensemble en quatuor. Shrago était là au début, comme je l'ai dit, puis est arrivé Rickard, ensuite Lozano, et enfin Baldacci, il y a quatre ans, et ils sont restés ensemble depuis. Ce qui fait d'eux la plus ancienne équipe de l'unité, et de loin. Ils ont eu tout le temps d'apprendre à bien se connaître.

– OK, dit Reacher.

– Mais ce n'est pas là le plus important. Le plus important, c'est qu'il y a quatre ans, cette unité a eu un commandant provisoire. Le précédent est mort d'une crise cardiaque. C'est le commandant intérimaire qui a constitué l'équipe de Shrago. Et devinez qui c'était ?

– Morgan, répondit Reacher.

– Bravo, vous l'avez eu du premier coup. Il était major à l'époque. Il a été promu peu après, pour des raisons peu évidentes. Son dossier est assez mince. Vous pourriez le lire pour soigner votre insomnie.

– Je vais garder ça en tête. Mais pour le moment je dors bien, excepté quand je suis réveillé par le téléphone.

– Même chose pour moi.

– Qui a envoyé Morgan à Fort Bragg il y a quatre ans ? Qui peut dire à un gars de ce genre où il doit aller ?

– C'est ce que j'essaie de découvrir.

Reacher laissa le téléphone où il était et ils se rendormirent.

***

Ils profitèrent d'une dernière demi-heure de sommeil, puis le quatrième appel du matin arriva, à 6 h 15, heure locale. Il provenait directement du major Sullivan au JAG.

– Je viens de passer trois heures à consulter les archives et je crains que vous soyez un peu à côté de la plaque avec votre théorie. La plainte du Big Dog n'a été portée en justice ni il y a seize ans, ni depuis.

Reacher marqua un temps d'arrêt.

– OK, dit-il. Compris. Merci d'avoir essayé.

– Vous voulez connaître la bonne nouvelle ?

– Il y en a une ?

– Elle n'a pas été portée en justice, mais elle a donné lieu à une enquête approfondie.

– Et ?

– C'était bidon, du début à la fin.

58

– Quelqu'un est vraiment intervenu en votre faveur, dit Sullivan. On devait vous tenir en très haute estime, major. Ça n'avait rien à voir avec un recours collectif en justice. Il n'y avait pas de nouvelle politique à l'égard des requins. Ça ne concernait que vous. Quelqu'un voulait défendre votre honneur.

– Qui ?

– Le travail ingrat a été fait par un capitaine de la 135e de la police militaire du nom de Granger.

– C'est un homme ou une femme ?

– Un homme, basé sur la côte Ouest. Don Granger.

– Jamais entendu parler.

– Toutes les copies de ses notes ont été remises à un major général de la police militaire du nom de Garber.

– Leon Garber. C'était mon rabbin, plus ou moins. Je lui dois beaucoup. Encore plus que je ne pensais, apparemment.

– C'est aussi mon sentiment. Il a dû mener l'affaire de bout en bout. Et vous deviez être son chouchou parce qu'il a dû résister à de sacrées pressions. Mais vous êtes aussi redevable à Granger. Il s'est décarcassé pour vous et il a remarqué quelque chose que personne n'avait vu.

– Quoi donc ?

— Que vous et vos collègues de la 110ᵉ suscitez beaucoup de plaintes. Le mode opératoire standard de votre division est de jouer les imbéciles et d'espérer qu'elles n'aient pas de suites, ce qui est souvent le cas, mais quand elles en ont, les affaires sont défendues, avec des résultats en général mitigés. Ça s'est passé de cette manière pendant de nombreuses années. Mais un beau jour, les affaires qui n'avaient pas eu de suites ont commencé à poser problème, para-doxalement. Vos dossiers contenaient tous de vieilles allégations jamais prouvées. Du grand n'importe quoi pour la plupart et igno-rées avec raison, mais certaines étaient un peu particulières. Et les commissions chargées des promotions ont lu les rapports. On a alors commencé à se demander s'il y avait de la fumée sans feu et pourquoi les personnes concernées n'obtenaient pas d'avancement, et c'est devenu embarrassant. Et la plainte du Big Dog était plus grave que la grande majorité des autres. Je suppose que le général Garber a eu l'impression qu'elle était trop dangereuse pour être prise à la légère, même si elle aurait pu rester sans suite. Il ne voulait pas la laisser telle quelle dans les archives. Elle faisait beaucoup trop de fumée.

— Il aurait pu m'en parler directement.

— Granger lui a demandé pourquoi il ne l'avait pas fait.

— Et que lui a-t-il répondu ?

— Garber pensait que les allégations pouvaient être fondées. Mais il ne voulait pas vous en parler directement.

— Vraiment ?

— Il pensait que vous auriez pu être fâché à l'idée de voir des mitrailleuses dans les rues de Los Angeles.

— C'était le problème du LAPD, pas le mien. Tout ce que je voulais, c'était un nom.

— Que vous avez obtenu. Et Garber ne voyait pas très bien par quel autre biais vous auriez pu l'avoir.

— Il ne m'a pas parlé après non plus.

— Il craignait que vous fassiez un saut chez l'avocat et que vous lui colliez une balle dans la tête.

— J'aurais pu, effectivement.

— Alors Garber était un sage. Sa stratégie était impeccable. Il a mis Granger sur l'affaire. La première chose qui ne lui a pas plu c'était le Big

Dog, la seconde, c'était l'avocat. Mais la plainte ne présentait aucune faille, et puis il savait que vous aviez rencontré le Big Dog juste avant qu'il se fasse tabasser et la déclaration sous serment était ce qu'elle était, donc il se retrouvait coincé. Il a eu la même idée que vous, à savoir affirmer que le coupable était quelqu'un d'autre, qu'ils étaient même peut-être plusieurs, éventuellement des hommes de main envoyés par un client mécontent, ce qui dans ce contexte voulait dire un gang, de Latinos comme Rodriguez, ou de Noirs. Mais seul, il n'a pas progressé. Alors il est allé voir le LAPD, mais les flics n'avaient rien non plus. Ce que Granger n'a pas forcément jugé irrémédiable puisqu'au moment qui nous intéresse ils croulaient sous les plaintes pour discrimination raciale, comme souvent au LAPD à l'époque, et ils évitaient de parler des gangs avec un inconnu, au cas où l'inconnu aurait été un journaliste convaincu que « problèmes avec les gangs » signifiait en réalité « discrimination raciale » en langage codé. Alors il est revenu à son idée de gang et il a examiné les dossiers pour savoir qui était armé et dangereux au moment du passage à tabac, pour disposer en quelque sorte d'un point de départ, et il a découvert que personne n'était armé ni dangereux. Sur une période de soixante-deux heures, aucun crime de gang n'était mentionné nulle part. Il en a donc d'abord conclu que les gangs étaient sur le déclin à L.A. et qu'il valait mieux chercher ailleurs, mais il n'a pas eu de chance. Et Garber était à deux doigts de lui retirer l'affaire. Et il a fini par remarquer ce qui lui avait échappé jusque-là.

La tête sur l'oreiller, Turner précisa :

– Le blanc de soixante-douze heures, c'est parce que le LAPD se débarrassait de tous les rapports concernant les crimes de gang. Sans doute sur les conseils de son équipe de relations publiques. Et pas parce qu'il ne se passait rien.

– Exact, major, acquiesça Sullivan. Mais les carnets des agents de police contenaient encore tous les détails. Granger a coincé un lieutenant et, bizarrement, la vérité a éclaté. Environ vingt minutes après votre départ, cinq Noirs du gang El Segundo se sont pointés et ont tabassé le Big Dog dans son jardin, devant sa porte. Un voisin a appelé les flics, qui ont débarqué, ont été témoins des faits, au moins une minute. Ils sont ensuite passés à l'action, ont arrêté les types d'El Segundo et ont eux-mêmes emmené le Big Dog à l'hôpital.

Mais il y avait eu usage excessif de la force pendant l'arrestation et de nombreuses blessures graves, alors le rapport a été révisé, puis la hiérarchie a donné l'ordre d'enterrer tout ce qui n'était pas entièrement réglo. Les capitaines des commissariats de quartier ont péché par excès de prudence et ont tout enterré. Ou peut-être que ce n'était pas de la prudence. Peut-être que rien n'était réglo.

– Donc, mon nom figure dans une déclaration sous serment concernant un passage à tabac que le LAPD a vu être commis par quelqu'un d'autre ?

– Granger a obtenu des photocopies de leurs carnets. Tout est dans nos archives.

– Le Big Dog s'est trouvé un avocat sacrément couillu.

– C'est pire que vous le pensez. Le plan A consistait à prendre le train en marche et à engager des poursuites contre le LAPD. Et pourquoi pas ? Tout le monde le faisait. Une nuit, Granger a fouiné dans le cabinet de l'avocat, dans Ventura Boulevard. Il a trouvé un brouillon de déclaration sous serment identique à la vôtre, sauf qu'elle mentionnait partout le LAPD, au lieu de votre nom. Mais, et c'est assez ironique, ça ne pouvait pas passer puisque, tous les dossiers étant falsifiés, le LAPD pouvait prouver qu'aucun de ses agents ne s'était rendu dans le quartier ce jour-là. Dès qu'il a constaté cette petite complication, l'avocat est passé au plan B, à savoir l'armée. Ce qui, bien entendu, constitue un crime et une imposture, mais le raisonnement tenait très bien la route. En effet, même a posteriori, le LAPD ne pouvait pas reconnaître qu'il avait balancé les procès-verbaux de crimes par commodité politique, donc l'avocat avait la garantie d'un silence total de ce côté-là. Et le Big Dog voulait toucher le pactole, mais comme les types d'El Segundo n'avaient pas de capitaux traçables, l'Oncle Sam était la meilleure solution de remplacement.

– Comment Granger a-t-il réglé la situation ?

– Il a dû trouver un juste milieu parce qu'il ne voulait pas mettre publiquement le LAPD dans l'embarras. Il connaissait un type au JAG qui connaissait un type à l'Association du barreau et, à eux deux, ils ont porté atteinte à la réputation de l'avocat. Granger lui a fait rédiger une autre déclaration sous serment, attestant que la première était frauduleuse, ce dont il avait été personnellement témoin. Et d'ailleurs, cette déclaration se trouve encore dans les archives, juste à côté de celle qui était bidon. Après, Granger a fendu la lèvre de l'avocat.

– Il a aussi mentionné ça dans les archives ?

– Apparemment, il se défendait contre une attaque injustifiée.

– Ça peut arriver. Comment va le colonel Moorcroft ?

– Il est hors de danger, mais il n'est pas au mieux.

– Transmettez-lui mes amitiés, si vous en avez l'occasion. Et merci pour vos efforts cette nuit.

– Je vous dois des excuses, major, ajouta Sullivan.

– Non, vous ne m'en devez pas.

– Merci. Mais vous me devez encore trente dollars.

Reacher se remémora la silhouette de Turner en Virginie, à Berryville, après les achats à la quincaillerie, de dos dans son pantalon neuf, avec la chemise bouffant autour d'elle, l'ourlet lui frôlant les genoux.

– C'étaient les trente dollars les plus géniaux que j'aie jamais eus, conclut-il.

***

Ils fêtèrent ça de la meilleure façon, comme il savait le faire, et il fut ensuite trop tard pour se rendormir. Alors ils se levèrent et prirent une douche.

– Comment tu te sens ? demanda Turner.

– Pareil qu'avant.

– Pourquoi ?

– Je savais que j'étais innocent, donc ce coup de fil n'a pas fourni de nouvelles informations et ne m'a pas soulagé, parce que je n'étais pas contrarié et que je me moque de ce que pensent les gens.

– Même moi ?

– Tu savais que j'étais innocent. Comme je savais que tu n'avais pas volé cent mille dollars.

– Je suis contente qu'elle se soit excusée. C'était très courtois de ta part de lui dire qu'elle n'avait pas besoin de le faire.

– Ce n'était pas de la courtoisie. C'était un simple constat. Elle n'avait vraiment pas besoin de s'excuser. Parce que son intuition initiale était exacte. Et je n'aurais pas dû dire que j'étais innocent parce que je suis presque coupable. J'étais à deux doigts d'accréditer moi-même les allégations de cette déclaration sous serment. Pas à cause des mitrailleuses dans les rues de Los Angeles. Ça ne m'inquiétait pas. Il faut être très entraîné et très solide pour s'en servir correctement. Et elles demandent de l'entretien. On confie la mitrailleuse de l'escouade au meilleur homme, pas au pire. Et est-ce qu'il existe des gars comme ça dans les rues de Los Angeles? Je ne le pensais pas. Je me suis dit que les mitrailleuses tireraient une fois et finiraient à la cave. Il n'y avait pas de quoi s'inquiéter. C'étaient les autres armes qui m'inquiétaient. Les mines Claymore et les grenades à main. Aucune compétence n'est requise pour les utiliser. Mais elles font beaucoup de dommages collatéraux dans un contexte urbain. Des passants innocents et des enfants. Et pendant ce temps, le gros tas de lard méprisant se faisait un fric fou et le dépensait pour se payer de la drogue, des putes et vingt Big Mac par jour.

— Allons prendre le petit déjeuner, proposa Turner. Et ne revenons pas ici. L'authenticité perd de son charme.

Ils rangèrent leur brosse à dents dans leur poche, enfilèrent leur manteau et gagnèrent le parking. C'était encore l'heure où la clarté des lampadaires est plus vive que celle du ciel. La voiture se trouvait toujours à l'endroit où ils l'avaient laissée, cinq chambres plus loin.

On avait écrit quelque chose dessus.

Dans la crasse de la vitre, côté passager. Un doigt épais avait tracé quatre mots, douze lettres au total, en capitales, soigneusement, avec la ponctuation requise :

OÙ EST LA FILLE ?

59

Samantha Dayton se réveilla tôt, comme souvent, descendit de la mansarde par l'escalier étroit, puis regarda dehors par la fenêtre du salon. Le Hummer était parti. En pleine nuit sans doute, attendu à son poste au cabinet de l'avocat. Il avait été remplacé par le Dodge Charger violet, beaucoup trop cool pour être une voiture de flic. Mais c'en était quand même une. Au sens large, du moins. Empiriquement, elle supposa qu'elle avait affaire à un véhicule d'agent fédéral. De la DEA, de l'ATF ou du FBI. Elle reconnut le conducteur. Elle commençait à saisir le roulement. Plus bas dans la rue, la petite voiture rouge était garée à sa place habituelle. Et c'était elle le vrai mystère. Parce que ce n'était pas une voiture de flic, mais plus vraisemblablement un véhicule de location. Hertz ou Avis, de l'aéroport de L.A. Mais la DEA, l'ATF et le FBI avaient des bureaux à Los Angeles, beaucoup de personnel et des voitures à eux. Donc le type dans la compacte blanche appartenait à une organisation suffisamment importante pour participer à la surveillance, mais dotée d'effectifs trop réduits et trop spécialisée pour avoir une antenne locale. Donc le type était arrivé en avion, d'une autre ville. De Washington, probablement, la cité de tous les secrets.

Elle prit sa douche, enfila son pantalon noir et sa veste en jean préférés, mais avec un tee-shirt bleu, propre, et donc des chaussures bleues. Elle démêla ses cheveux et regarda de nouveau par la fenêtre. Ce qu'elle appelait « l'heure zéro » s'annonçait. Deux fois par jour, la compacte blanche partait. Son conducteur devait aller manger ou faire une pause toilettes, et environ quatre fois par jour le Hummer et le Charger échangeaient leurs positions. Mais il n'y avait apparemment aucune coordination entre les agences, parce que tous les jours, tôt le matin, tout le monde s'absentait au même moment, pendant une vingtaine de minutes. Zéro agent, heure zéro. Retour à la normale. Question de logique, se disait-elle, ou de mathématiques élémentaires, comme en cours. Un nombre x de voitures, un nombre y de lieux, et un nombre z d'heures à couvrir. Il fallait faire des compromis.

Elle s'aperçut que la compacte était déjà partie et le Charger démarra pendant qu'elle l'observait. Il quitta lentement le bord du trottoir et s'éloigna. La rue devint calme. Retour à la normale. Heure zéro.

***

Reacher reprit son raisonnement encore une fois : la 75ᵉ et le FBI surveillaient la maison et s'attendaient notamment à l'arrivée d'un intrus. *Je n'y vais pas et Shrago non plus, parce que aucun de nous ne pourrait entrer.*

— C'est du bluff. Il essaie de nous manipuler. Il essaie de nous faire sortir. C'est tout. Il ne peut pas s'approcher de la fille.

— Tu en es absolument sûr ? lui demanda Turner.

— Non.

— On ne peut pas y aller. Tu es toujours sur la liste noire, jusqu'à ce que Sullivan t'innocente officiellement. Et je suis encore sur la liste noire moi aussi, sans doute pour toujours.

— On peut y retourner une fois.

— Non. Ils ont déjà vu la voiture hier. Deux fois peut-être. Et si on se fait arrêter, ça ne va pas aider la gamine. Et nous non plus.

— On peut s'en procurer une autre. À l'aéroport de Burbank. Shrago sera au courant dans l'heure, mais on peut mettre cette heure à profit.

***

Le petit déjeuner posait toujours problème. Il n'y avait jamais rien chez elle, et de toute façon, sa mère, fatiguée et stressée, dormait tard et n'aurait pas apprécié qu'elle fasse du tintamarre dans la cuisine. Alors prendre le petit déjeuner relevait d'une véritable expédition, mot qui lui plaisait car dérivé selon elle du latin archaïque *ex* pour « hors de » et *ped* pour « pied », comme dans pédale, pédicure ou pédestre. Ces deux termes associés signifiaient donc aller à pied, ce qu'elle faisait d'ordinaire parce que évidemment elle n'avait pas encore le droit de conduire puisqu'elle n'avait que quatorze ans, même si elle allait sur ses quinze.

Elle attendait avec impatience d'obtenir son permis. Ce serait un gros avantage : ça élargirait son horizon. En voiture, elle pourrait aller prendre le petit déjeuner à Burbank, Glendale ou Pasadena, ou même à Beverly Hills. Alors qu'à pied son choix se limitait au *diner*, au sud dans Vineland Avenue, ou bien au café près du cabinet de l'avocat, au nord, toujours dans Vineland Avenue. Et ça s'arrêtait là parce que l'alternative consistait à manger des *tacos*, des *quesadillas*, ou des plats vietnamiens, et aucun des établissements qui en vendaient n'étaient ouverts à l'heure du petit déjeuner. Frustrant.

D'habitude.

Mais pas si grave ce matin-là parce que les agents fédéraux seraient confrontés au même choix limité, et seraient donc plus faciles à trouver. Il y avait une chance sur deux, en gros, comme quand on tire à pile ou face, et elle espérait un lancer heureux parce que le grand, celui qui s'appelait Reacher, semblait disposé à parler de trucs qui valaient la peine d'être entendus. Il était de toute évidence au centre de l'affaire, sorte d'homme d'expérience qui partait tout d'un coup pour répondre à des appels urgents et vendait la mèche sur le gars aux oreilles.

Alors, pile ou face?

Elle referma la porte bleue derrière elle et partit, à pied.

***

Ils laissèrent la vieille Range Rover le long du trottoir dans une zone de stationnement interdit hors du parking de l'agence de location de voitures et firent la queue au comptoir derrière un couple aux cheveux blancs tout juste débarqué de Phoenix. Quand leur tour arriva, ils utilisèrent le permis et la carte bancaire de Baldacci et choisirent une berline de taille moyenne. Puis, après de nombreuses signatures et autres paraphes, on leur remit la clef. La voiture était une Ford blanche garée sous un hangar, encore ruisselante de son récent lavage, neutre, anonyme et donc adéquate à tous égards, à l'exception de ses vitres dont la nuance verte, discrète et moderne n'avait rien à voir avec les feuilles en plastique opaque qui recouvraient le verre de la Range Rover. Conduire cette Ford allait être très différent. Seuls le soleil et les reflets restreindraient la visibilité à l'intérieur. Ou non.

Turner avait apporté ses cartes routières. Elle trouva un itinéraire permettant d'éviter Vineland Avenue jusqu'au dernier pâté de maisons. Un jour nouveau se levait, radieux, et il n'y avait pas de circulation. Il était encore très tôt. Ils quittèrent Burbank par les petites rues, traversant surtout des zones d'immeubles de bureaux, puis ils roulèrent dans North Hollywood, poursuivirent au-delà de l'autoroute à l'est de Vineland Avenue et se dirigèrent en diagonale vers le quartier de la gamine. À découvert derrière la fine paroi de verre vert.

— Un seul passage, décréta Turner. Vitesse réduite et constante jusqu'au bout de la rue. On ne s'arrête sous aucun prétexte, on fait comme si tout était normal, y compris la présence de véhicules des forces de l'ordre, et si ça se passe autrement, on continue quand même jusqu'au bout de la rue et on avise. Il ne faut pas se faire coincer devant la maison, OK ?

— Entendu, répondit Reacher.

Ils tournèrent au premier coude, dépassèrent l'épicerie et la voiture sans roues, prirent à gauche, puis à droite, et arrivèrent dans la rue. Elle s'étendait devant eux, longue, droite et sans surprise avec des voitures garées pare-chocs contre pare-chocs des deux côtés, étroite bande argentée scintillant dans le soleil matinal.

— FBI devant sur la droite, dit Turner. Dodge Charger violet.

— Bien reçu, répondit Reacher.

— Plus la dernière voiture sur le terrain devant à gauche. Forces spéciales de la police militaire.

— Bien reçu, dit de nouveau Reacher.

— Tout semble normal côté maison.

Et en effet. Elle semblait impénétrable, calme et tranquille, comme si des gens dormaient à l'intérieur. La porte d'entrée était fermée et toutes les fenêtres aussi. Le vieux coupé rouge n'avait pas bougé.

Ils continuèrent de rouler.

— Tous les autres véhicules sont vides. Aucun signe de Shrago. C'était un coup pour rien.

Ils continuèrent jusqu'au bout de la rue à vitesse réduite et constante et ne virent rien d'inquiétant.

— Allons prendre le petit déjeuner, dit Reacher.

**

Romeo appela Juliet et annonça :

— Ils ont loué une autre voiture. Une Ford blanche, à l'aéroport de Burbank.

– Pourquoi ? Ils doivent bien savoir qu'ils ne peuvent pas se cacher de nous.

– Ils se cachent du FBI et de la police militaire. Changer de voiture est sensé.

– Une Ford blanche ? Je mets tout de suite Shrago au courant.

– Il progresse ?

– Il ne m'a pas donné de nouvelles.

– Attends une seconde, dit Romeo.

– Qu'est-ce qui se passe ?

– Il y a de nouveau de l'activité sur la carte de Baldacci. Le monsieur de Long Beach vient de prendre un deuxième jour de location pour la Range Rover. Ce qui signifie qu'ils n'ont pas changé de voiture. En réalité, ils ont ajouté une voiture. Ils se sont donc séparés et se déplacent chacun de leur côté. C'est rusé. Ils sont à deux contre un. Ils prennent un sérieux avantage. Assure-toi que Shrago le sache.

***

Ils firent une boucle par le sud du quartier et ressortirent assez loin au nord de Vineland, au niveau du *diner*. La Ford blanche remplissait son office. Elle ne se faisait pas remarquer. Elle était quelconque, impersonnelle et invisible, comme une goutte d'eau dans la mer. Idéale, à l'exception de ses vitres transparentes.

Les affaires marchaient bien pour le *diner* à cette heure-là du matin. On s'y activait avec sérieux et application. Les clients qui travaillaient tôt venaient se ravitailler avant d'entamer de longues journées de travail. Il n'y avait pas de mecs qui se la jouaient branché. Pas de gamine non plus. Ça n'avait rien de surprenant car même si c'était plutôt une habituée qui y prenait presque tous ses repas, elle ne se levait pas de si bonne heure. Reacher ne savait presque rien des adolescentes de quatorze ans, mais il imaginait que se lever tôt n'entrait pas dans le hit-parade de leurs activités favorites. Le dénommé Arthur se tenait derrière son comptoir et la serveuse brune s'affairait dans la salle. Peut-être le service était-il organisé par roulement entre la fin de soirée et la matinée. La blonde n'était pas là. Peut-être ne travaillait-elle que pendant les heures d'affluence, commençant avant le déjeuner et finissant juste après le dîner.

Ils s'installèrent dans le dernier box sur la droite, juste derrière le tabouret inoccupé de la gamine. Un garçon leur apporta de l'eau et la brune leur servit du café. Turner commanda une omelette et Reacher des pancakes. Ils mangèrent, apprécièrent leur repas, s'attardèrent et attendirent. La fille ne se montra pas. La clientèle changea petit à petit. Employés de bureau et vendeurs remplacèrent les ouvriers. Leurs commandes étaient un peu plus raffinées et un peu moins caloriques et leurs manières de table rappelaient moins l'enfournage de charbon dans une chaudière. Reacher reprit quatre fois du café. Turner commanda des toasts. La fille ne se montrait toujours pas.

Reacher se leva et alla s'asseoir sur son tabouret inoccupé. Le dénommé Arthur suivit le mouvement du regard, comme sa profession l'exigeait, puis il hocha la tête, semblant dire : *Je suis à vous tout de suite.* Reacher patienta. Arthur servit du café, un jus d'orange, porta une assiette, prit une commande et retourna vers lui.

— Samantha prend-elle son petit déjeuner ici ? lui demanda Reacher.

— La plupart du temps.

— À quelle heure arrive-t-elle ?

— Serais-je dans le faux en disant que vos quarante ans sont derrière vous ?

— Ce serait généreux, pas faux.

— On dit parfois que c'est l'époque, mais je crois qu'il n'en a jamais été autrement. Alors quand un quadragénaire commence à poser une quantité malsaine de questions sur une fille de quatorze ans, la plupart des gens le remarquent et certains réagissent même, par exemple en posant à leur tour des questions.

— Comme il se doit. Mais qui vous a nommé grand inquisiteur ?

— C'est à moi que vous avez posé la question.

— J'ai apprécié sa conversation et j'aimerais lui parler à nouveau.

— Ce n'est pas rassurant.

— Elle est intriguée par une opération des forces de l'ordre. Ça n'augure rien de bon.

– L'opération qui se passe dans sa rue ?

– Je pensais lui proposer quelques explications en échange de sa promesse de rester en dehors de tout ça.

– Vous faites partie des forces de l'ordre ?

– Non, je suis ici en vacances. C'était ça ou Tahiti.

– Elle est trop jeune pour les explications.

– Je crois que non.

– Êtes-vous habilité à en fournir ?

– Est-ce que je respire ?

– C'est une lève-tôt. Elle serait déjà venue et déjà repartie à l'heure qu'il est. Depuis longtemps. Je pense qu'elle ne viendra pas aujourd'hui.

60

Reacher régla l'addition avec les billets de Baldacci, puis Turner et lui regagnèrent la Ford.

– Soit elle a mangé chez elle aujourd'hui, soit elle a sauté le petit déjeuner, dit Turner. C'est une ado. On ne peut pas s'attendre à un comportement constant.

– Elle a dit qu'elle prenait quasiment tous ses repas ici.

– Ce n'est pas la même chose que tous ses repas tout court.

– Le type a dit « la plupart du temps ».

– Et ce n'est pas la même chose que « tout le temps ».

– Mais pourquoi ne viendrait-elle pas aujourd'hui ? Elle a envie de savoir ce qui se passe et elle pense que je suis une source d'informations.

– Pourquoi penserait-elle que tu viendrais ici ?

– Les membres des forces de l'ordre doivent se nourrir, eux aussi.

– Alors il serait tout aussi logique que tu ailles au café près du cabinet de l'avocat. Elle sait qu'il y a deux possibilités.

– On devrait aller y jeter un œil.

– Ce serait trop difficile. On ne verrait rien depuis la rue, et on ne peut pas y aller à pied. En plus, c'est une lève-tôt. Elle serait déjà repartie.

– On devrait repasser devant chez elle.

– Ça ne nous apprendrait rien. La porte est fermée. On n'est pas dotés d'une vision à rayons X.

– Shrago est quelque part dans les parages.

– Retournons sur la bretelle, proposa Turner.

– Dans une voiture blanche, en plein jour ?

– Juste dix minutes. Pour nous rassurer.

***

En plein jour, les vieilles jumelles s'avérèrent excellentes. L'image grossie était très nette. Reacher distinguait chaque détail de la rue, de la compacte blanche, du Dodge violet, de la porte d'entrée bleue. Mais il ne se passait rien. Tout semblait tranquille. C'était juste une nouvelle journée ensoleillée et une nouvelle opération de surveillance interminable, ennuyeuse et sans événement particulier, comme le sont la plupart des opérations de surveillance. Aucun signe de Shrago. Certaines voitures stationnées avaient des vitres teintées ou des chromes aveuglants, mais elles n'étaient pas assez ordinaires pour être de location. Et celles assez banales pour être louées étaient inoccupées.

– Il n'est pas là, constata Turner.

– J'aimerais qu'on sache avec certitude où il se trouve, répliqua Reacher.

Puis son portable sonna. C'était le capitaine Edmonds, qui appelait de Virginie.

– J'ai trouvé un autre dossier concernant Shrago. Daté de cinq ans. La décision de le retirer du Moyen-Orient était sujette à controverse. Nous menions deux guerres, nous manquions cruellement d'effectifs, des centaines d'hommes étaient rappelés sans se porter volontaires, la Garde nationale était partie depuis des années entières et l'idée de payer un type imprévisible qu'on ne pouvait envoyer ni en

Irak ni en Afghanistan paraissait absurde. On souhaitait privilégier un départ volontaire, mais il invoquait des raisons personnelles, alors il a fallu l'entendre, et finalement la controverse est remontée en haut de la chaîne de commandement des Ressources humaines jusqu'à un assistant du chef d'état-major adjoint, qui s'est prononcé en faveur de Shrago.

– Et donc?

– Ce même assistant était aussi responsable des commandements temporaires. C'est lui qui a envoyé Morgan à Fort Bragg l'année suivante.

– Intéressant.

– C'est ce que j'ai pensé. Et c'est pourquoi j'ai appelé. Shrago lui était redevable et Morgan était son pion sur l'échiquier.

– Comment s'appelait-il?

– Crew Scully.

– Qu'est-ce que c'est que ce nom?

– Sang bleu de la Nouvelle-Angleterre.

– Où est-il maintenant?

– Il a été promu. Il est lui-même chef d'état-major adjoint maintenant.

– Responsable de quoi?

– Du personnel. Il supervise les Ressources humaines. Concrètement, c'est mon chef.

– Et c'est lui qui a transféré Morgan à la 110ᵉ cette semaine?

– Plutôt son second, j'imagine. À moins que les choses n'aient changé.

– Vous voudrez bien vérifier pour moi? Et vérifier si Scully a accès aux systèmes de renseignements de la Sécurité du territoire?

– Je ne pense pas qu'il y aurait accès.

– Je ne le pense pas non plus, dit Reacher.

Il mit fin à l'appel et reprit sa surveillance de la rue.

***

Juliet appela Romeo parce que certaines responsabilités lui incombaient, et il annonça :

– Shrago m'affirme qu'ils ne se déplacent pas séparément. Il a décidé d'aller vérifier à l'entrepôt de location, et il y est arrivé juste à temps pour voir la Range Rover se faire enlever par la fourrière.

– Ils n'ont qu'à s'en prendre à eux-mêmes. Se servir d'une seule voiture les limite. Ce qui nous avantage.

– Ce n'est pas le problème. La Range Rover a été louée avec la carte de Baldacci. On va devoir payer la fourrière et la journée de location. C'est une nouvelle gifle.

– Qu'est-ce que Shrago a vu d'autre?

– Il est près du but. La gamine est sortie de la maison. Elle se promène. Il n'y a personne dans un périmètre de deux kilomètres autour d'elle. Il va choisir l'endroit idéal.

– Et de quelle manière va-t-il leur transmettre le message?

– Grâce au *diner*. Ils y sont allés deux fois. Un dénommé Arthur semble disposé à communiquer l'information.

***

Les dix minutes suggérées par Turner s'étaient changées en presque quarante, mais rien ne s'était produit, ni derrière eux sur l'aire de repos, ni devant eux dans la rue.

– Il faut y aller, déclara Turner.

– Où ça?

– Contente-toi de conduire. Au hasard. Dans un périmètre de deux kilomètres autour de chez elle, parce que si elle est sortie, elle est à pied. Et ne prends pas les autoroutes, là encore parce qu'elle est à pied. Shrago aura la même idée.

Il démarra donc la Ford et rejoignit la 134, qu'il quitta immédiatement. Puis ils commencèrent la recherche dans Vineland Avenue, pâté de maisons après pâté de maisons, au hasard, mais sans s'aventurer dans sa rue. La plupart de ces derniers s'étendaient sur trois cents mètres de long et soixante mètres de profondeur. Il y en avait donc plus de cent vingt sur deux kilomètres carrés, soit presque quatre cents dans la zone qu'ils couvraient, ce qui représentait près de cent cinquante kilomètres de bitume. Mais pas tout à fait parce que certains pâtés de maisons avaient une longueur double, que les accotements des autoroutes et les bretelles d'accès accaparaient de la surface et que certains terrains n'avaient jamais été construits. Il restait donc une centaine de kilomètres. Trois heures, à une vitesse prudente de trente-cinq kilomètres-heure. Non pas que le déplacement augmentât les chances de rencontre fortuite. L'espace et le temps ne fonctionnent pas de cette manière. Mais il semblait préférable de se déplacer.

Ils ne virent rien au cours de la première heure, excepté un paysage confus de trottoirs, de poteaux, d'arbres, d'habitations, de magasins et de voitures garées par centaines. Ils croisèrent à peine une poignée de piétons qu'ils observèrent tous avec attention, mais n'aperçurent ni la fille, ni Shrago. Ni aucune voiture qui aurait roulé à vitesse réduite comme la leur. La plupart allaient d'un point A à un point B en toute innocence, simplement, à vitesse normale. Parfois un peu plus vite. Ce qui provoqua au cours de la deuxième heure la seule animation de la matinée, quand le conducteur d'une BMW noire aux réflexes ralentis grilla un feu trois cents mètres plus haut, et que sa voiture fut percutée de plein fouet sur l'aile par une vieille Porsche arrivant d'une rue perpendiculaire. Un nuage de vapeur s'éleva et une petite foule se forma. Reacher tourna à gauche et n'en vit pas davantage. Jusqu'à ce qu'un autre tournant pris au hasard le ramène dans la file. Une voiture de police était déjà sur les lieux, rampe de gyrophare allumée, et trois autres tournants plus tard il en apparut une seconde suivie d'une ambulance.

Mais autrement, rien. Rien du tout. Une demi-heure plus tard, Turner trancha.

— Allons déjeuner, même s'il est un peu tôt. Parce qu'elle pourrait aller manger si elle a pris le petit déjeuner aux aurores. Ou si elle n'en a pas pris du tout.

— Au *diner*?

— Je dirais que oui. Quasiment tous les repas, ça implique qu'elle peut en sauter un, mais pas deux.

Ils reprirent le dédale de rues, rejoignirent Vineland Avenue juste au nord du quartier, puis roulèrent vers le sud jusqu'à ce qu'ils aperçoivent le vieux *diner* devant eux sur la gauche, tout brillant au soleil.

Et, traversant pour s'y rendre, la fille.

61

Juliet appela Romeo et annonça :

— Je crains que le plan ne soit tombé à l'eau. Nous n'avons pas eu de chance. Shrago aurait dû l'attraper quand elle était près de la voiture, ça va de soi. Juste à côté, dans l'idéal. Hors de question de la traîner dans la rue alors qu'elle hurlerait, pas sur une distance importante. Alors il l'a dépassée, il a garé la voiture, puis il a fait une boucle à pied et est réapparu derrière elle. Jusque-là tout se déroulait à merveille. Il était sur le point de la rejoindre à hauteur de sa voiture. C'était l'affaire d'une vingtaine de mètres à peine, mais un imbécile a grillé un feu et provoqué un petit accrochage, si bien qu'un attroupement s'est formé et qu'une voiture de police est arrivée, puis une autre. Évidemment, il ne pouvait rien faire devant une foule ni devant le LAPD, alors la fille est restée regarder le spectacle une minute avant de repartir. Il a dû la laisser filer parce qu'il n'a pas pu dégager sa voiture coincée au milieu de tout ce bazar et quand il a enfin redémarré, il avait perdu la fille de vue et n'a pas réussi à la retrouver.

— Alors c'est quoi, le programme ?

— Shrago s'y remet. Il cherche dans tous les endroits qu'elle fréquente. La maison, le cabinet de l'avocat, le *diner*. Il va la cueillir ailleurs.

— Il faut qu'on boucle ça en Californie. On ne peut pas se permettre de les voir rentrer chez eux.

***

Reacher ralentit, laissa la gamine traverser cinquante mètres devant lui, puis tourna et la suivit sur le parking du *diner*. Elle franchit directement la porte. Il se gara.

— Tu veux que je t'accompagne ? lui demanda Turner.

— Oui, je veux bien.

Ils entrèrent et attendirent devant la porte, comme ils l'avaient déjà fait auparavant. Tout était identique. Serveuse blonde s'occupant de la gauche du wagon, la brune d'une patience à toute épreuve sur la droite, Arthur derrière son comptoir, la fille sur son tabouret, au fond. La serveuse blonde vint vers eux, comme la fois précédente, avec le même sourire inexpressif. Reacher lui montra du doigt un box sur la droite, à un box derrière la fille, et la blonde les confia à la brune sans aucune réticence visible. Ils avancèrent, s'assirent, Reacher de nouveau dos à la pièce, Turner face à lui de l'autre côté du mélaminé atomique, la fille dos à eux, à environ deux mètres.

Elle les observait dans le miroir.

Reacher lui adressa un signe, en partie pour la saluer, en partie pour lui dire *Viens te joindre à nous*, et le visage de la gamine s'éclaira comme si c'était bientôt Noël. Elle quitta son siège, surprit le regard d'Arthur, leva le pouce en direction du box derrière elle, l'air de dire *Je re-bouge*, puis les rejoignit. Turner se poussa et la gamine s'installa à côté d'elle sur la banquette, si bien qu'ils formaient un petit triangle.

Reacher fit les présentations.

— Samantha Dayton, Susan Turner. Susan Turner, Samantha Dayton.

La gamine se tourna sur le siège en Skaï et demanda :

— Vous êtes son assistante ?

— Non, son commandant.

— Trop fort. Dans quelle agence ?

— La police militaire.

— Génial. Qui sont les autres ?

— Il n'y a que nous et le FBI.

— Ce sont eux qui dirigent ou vous ?

— Nous, bien sûr.

— Alors, c'est un de vos hommes dans la voiture blanche ?

— Oui, c'est le nôtre.

— Parachuté ici de quel endroit ?

— Je pourrais vous le dire, mais il faudrait que je vous tue après.

La gamine rit, et parut ravie. Des révélations, une femme commandant et des blagues.

— Donc, le gars qui doit se pointer fait partie de l'armée? Une sorte de déserteur qui vient dire au revoir à sa famille avant de disparaître pour toujours? Mais pourquoi sa famille aurait-elle un avocat? Parce que c'est bien son avocat? C'est un espion ou un truc dans le genre? Un officier supérieur, vieux et décoré, mais tragiquement désabusé? Il vend des informations secrètes?

— Tu as vu quelqu'un aujourd'hui? lui demanda Reacher.

— Les mêmes qu'hier.

— Pas d'homme seul?

— L'homme aux oreilles taillées est seul aujourd'hui. Dans la voiture de location. Peut-être que son partenaire est malade.

— Où l'as-tu vu?

— Il a descendu Vineland Avenue en voiture. Je prenais mon petit déjeuner au café. Près du cabinet de l'avocat. Même s'il va nous falloir revoir cette implication. C'est une espèce de triangle, non? Et on ne sait pas pour qui travaille l'avocat. Ça pourrait être le voisin, ça pourrait être le soldat. Ça pourrait être les deux, j'imagine, même si je ne vois pas comment. Ni pourquoi en fait.

— À quelle heure as-tu pris ton petit déjeuner? demanda Reacher.

— Tôt. Juste après le départ des agents.

— Ils sont partis?

— Seulement vingt minutes. Apparemment, c'est le principe. Vous devriez mieux vous coordonner. Tout le monde bouge au même moment. Ça laisse un temps mort.

— C'est regrettable.

— Moi, ça me va. Comme ça, je peux sortir sans qu'ils le sachent. Et ensuite, quand je reviens, ils sont tout surpris parce qu'ils me croient encore à l'intérieur.

— C'est ce que tu as fait ce matin?

— C'est ce que je vais faire tous les matins.

— Est-ce que l'homme aux oreilles t'a vue partir?

— Je ne crois pas.

— Il t'a vue dans un autre endroit?

– Je ne crois pas. J'essayais de passer inaperçue. À cause de vos hommes, pas de lui. Je ne l'ai pas vu. Mais j'ai revu sa voiture plus tard. Elle était garée sur les lieux d'un accident.

– Tu dois te tenir à distance de lui.

– Je sais. Vous me l'avez dit hier. Mais je ne peux pas rester à la maison toute la journée.

Turner marqua une pause, puis demanda :

– Depuis quand vis-tu dans cette maison ?

– Depuis toujours, je crois. Je ne me rappelle aucune autre maison. Je suis pratiquement sûre d'y être née. C'est comme ça qu'on dit, non ? Même si on ne l'est pas, en réalité. Et moi pas plus que les autres. Je suis née à l'hôpital. Mais ensuite, je suis rentrée à la maison. Et c'est ce que l'expression signifie de nos jours, je suppose, maintenant que tout le secteur de la parturition est institutionnalisé.

– As-tu déjà vécu dans une voiture ? lui demanda Turner.

– Quelle question bizarre !

– Tu peux nous le dire. Nous connaissons des gens qui adoreraient gravir l'échelle sociale jusque-là.

– Qui ?

– Des tas de gens. Ce que je veux dire, c'est qu'on ne porte pas de jugements.

– J'ai des ennuis ?

– Non, tu n'as pas d'ennuis, dit Reacher. On vérifie juste deux ou trois trucs. Comment s'appelle ta mère ?

– Elle a des ennuis ?

– Non, personne n'a d'ennuis. Pas dans ta rue en tout cas. C'est à propos de l'autre type.

– Il connaît ma mère ? Oh mon Dieu, c'est nous que vous surveillez ? Vous attendez qu'il vienne voir ma mère ?

– Une chose après l'autre, dit Reacher. Comment s'appelle ta mère ? Et, oui, je suis au courant pour le Colt Python.

– Elle s'appelle Candice Dayton.

– Dans ce cas, j'aimerais la rencontrer.

– Pourquoi ? Elle est suspectée ?

– Non, ce serait plutôt personnel.

– Comment ça se pourrait ?

– C'est moi le type qu'ils recherchent. Ils pensent que je connais ta mère.

– Vous?

– Oui, moi.

– Vous ne la connaissez pas.

– Ils pensent que si je la voyais, je pourrais la reconnaître, ou qu'elle pourrait me reconnaître, elle.

– Elle ne vous reconnaîtrait pas. Et vous ne la reconnaîtriez pas non plus.

– C'est difficile à affirmer sans essayer.

– Croyez-moi.

– J'aimerais tenter.

– Monsieur, je peux affirmer de manière tout à fait catégorique que vous ne connaissez pas ma mère et qu'elle ne vous connaît pas.

– Parce que tu ne m'as jamais rencontré? On parle d'un paquet d'années, là, peut-être même d'avant ta naissance.

– Vous seriez censé la connaître à quel point?

– Assez bien pour qu'on se reconnaisse.

– Alors vous ne la connaissez pas.

– Que veux-tu dire?

– Pourquoi croyez-vous que je mange toujours ici?

– Parce que ça te plaît?

– Parce que je ne paie rien. Parce que ma mère bosse ici. Elle est là. C'est la blonde. Vous êtes passé à côté d'elle déjà deux fois sans sourciller. Et elle non plus n'a pas réagi. Alors vous ne vous êtes jamais rencontrés.

62

Reacher se glissa jusqu'au bord du siège, tourna la tête et jeta un coup d'œil. La serveuse blonde s'affairait, allait et venait, soufflait sur une mèche de cheveux rebelle qui lui cachait un œil, s'essuyait la main sur la hanche, souriait, prenait une commande.

Il ne la connaissait pas.

– Elle est déjà allée en Corée? demanda-t-il.

– Encore une question bizarre? dit la gamine.

– Pourquoi bizarre?

– Bizarre, si vous connaissez ma mère.

– Comment ça?

– Tout son numéro de martyre stressée repose sur le fait qu'elle n'a quitté le comté de Los Angeles qu'une seule fois dans sa vie, quand un de ses petits amis l'a emmenée à Las Vegas mais n'a pas pu payer l'hôtel. Elle n'a même pas de passeport.

– Tu en es sûre?

– C'est pour ça qu'elle se décolore les cheveux. On est dans le sud de la Californie. Elle n'a pas de papiers.

– Elle n'a pas besoin de passeport.

– Elle est sans-papiers. C'est long à expliquer.

– Elle s'en sort bien?

– Ce n'est pas la vie qu'elle avait prévue.

– Et toi, tu t'en sors bien?

– Ça va. Ne vous inquiétez pas pour moi.

Reacher garda le silence. Arthur sortit de l'angle mort derrière son épaule et murmura quelque chose à l'oreille de la gamine, mais sa manière d'accentuer les consonnes sourdes rendit sa phrase parfaitement compréhensible. *Cette dame et ce monsieur doivent avoir une conversation avec un autre monsieur.* Sur quoi la gamine se leva d'un bond, ravie et très heureuse d'être remplacée par leur supérieur hiérarchique, un agent qui se trouvait encore plus au cœur du drame. Arthur sortit à nouveau du champ de vision de Reacher. La gamine lui emboîta le pas, puis un petit personnage trapu se glissa adroitement sur la place qu'elle venait de libérer. Les coudes déjà sur la table, l'air triomphant.

L'adjudant Pete Espin.

***

Reacher regarda Turner, qui hocha la tête pour lui signaler qu'Espin avait posté des hommes dans la salle, au moins deux, probablement armés, et probablement à proximité. Espin s'installa confortablement sur la banquette, mit ses mains en coupe comme s'il remettait en ordre un jeu de cartes battues, et déclara :

— Vous n'êtes pas son papa.

— Apparemment non.

— J'ai vérifié, juste pour m'amuser. Le Département d'État certifie que Mme Dayton n'a jamais possédé de passeport. Le ministère de la Défense certifie qu'elle n'a jamais pénétré sur le territoire coréen, avec aucune autre pièce d'identité. Alors j'ai approfondi mes recherches et il s'avère que l'avocat vend des faux sur Internet. N'importe quel document, attestant tout ce qu'on veut. À deux tarifs selon que c'est un simple papier ou une pièce recevable. Dans ce genre de cas, recevable signifie femmes réelles, enfants réels, et vraie photocopie d'un acte de naissance authentique. Et ce type n'est pas le seul. C'est un business florissant. Il y a de quoi faire. Si vous voulez un gamin né à une certaine date, vous pouvez choisir.

— Qui a acheté la déclaration sous serment ?

— Il a donné comme nom Romeo, mais son fric existait bel et bien. En provenance des îles Caïmans.

— Quand Romeo l'a-t-il achetée ?

— Le matin de l'arrestation du major Turner. C'est un service instantané. On choisit les noms, les lieux, les dates, et ils trafiquent le modèle standard. On peut même télécharger du texte si on veut. Les documents sont réalisés par ordinateur, délivrés par e-mail, et ressemblent à des photocopies. Candice Dayton a été choisie à cause de la date de naissance de sa fille. L'avocat la connaissait en tant que serveuse parce qu'il venait manger ici. Elle a touché cent dollars pour signer de son nom. Mais le coup de la date de naissance était idiot. Vous l'avez remarqué ? C'était exactement au milieu de votre période de déploiement à Red Cloud. Exactement. C'est plutôt l'œuvre d'un type qui a consulté un calendrier que celle de la nature.

— Bien vu, dit Reacher.

— Alors vous êtes hors de cause.

— Mais pourquoi ai-je été mis en cause ? C'est la grande question. Vous avez une réponse à me fournir ? Pourquoi Romeo a-t-il acheté cette déclaration ?

Espin garda le silence.

— Et qui est réellement Romeo ?

Pas de réponse.

— Que se passe-t-il maintenant ? demanda Turner.

— Vous êtes en état d'arrestation, répondit Espin.

— Reacher aussi ?

— Affirmatif.

— Vous devez téléphoner au major Sullivan, au JAG.

— Elle m'a appelé la première. L'affaire Big Dog est morte et enterrée, mais entre le moment où Reacher est entré dans cette cellule à Fort Dyer et le moment où nous parlons, il a commis une centaine de crimes dont nous avons été informés, peut-être plus, de l'incarcération illégale d'un individu jusqu'à la fraude à la carte bancaire.

— Le sergent Leach vous a-t-elle transmis un message de notre part ? demanda Reacher.

— Apparemment, vous voulez que je redescende sur terre.

— Je vous demandais ce que vous auriez fait différemment.

— J'aurais fait confiance au système.

— N'importe quoi.

— Surtout si j'avais été innocent.

— Je l'étais ?

— Au départ.

— Vous n'avez pas répondu à ma question. Pourquoi Romeo a-t-il acheté cette déclaration ?

— Je l'ignore.

— Et Romeo pourrait avoir laissé ressortir l'affaire Big Dog ?

— C'est possible.

— Pourquoi aurait-il fait ça ? Et le reste ? Les deux déclarations bidon. Quel était leur but ? Quel pouvait être leur seul but ?

– Je ne sais pas.

– Si, vous le savez. Vous êtes intelligent.

– Romeo voulait que vous preniez la fuite.

– Pourquoi Romeo voulait-il que je fuie ?

– Parce que vous vous mêliez des affaires du major Turner.

– Et qu'est-ce que ça nous apprend sur les affaires du major Turner ? Si elle est coupable, Romeo devrait vouloir que je lui serve de témoin. Il voudrait que je sois appelé à la barre pour confirmer au jury tous les détails sinistres de l'affaire.

Espin marqua une pause. Puis il reprit en ces termes :

– J'ai ordre de vous ramener tous les deux, majors. Le reste n'est pas de mon ressort.

– Vous savez que c'est un coup monté. Vous venez de me dire que Romeo a de l'argent dans les îles Caïmans. Il a ouvert le compte du major Turner. Ce n'est pas sorcier. Vous avez connu des arnaques plus habiles. Celle-ci est tout droit tirée de *L'Arnaque pour les nuls*. Donc elle va échouer. Très bientôt sans doute. Parce que Turner et moi ne sommes pas des abrutis. On va les mettre hors d'état de nuire. Ce qui vous laisse deux possibilités : soit vous êtes l'employé modèle qui nous ramène chez nous menottes aux poignets à quelques jours de notre plus grand triomphe, soit vous faites marcher votre cerveau et vous commencez à vous demander où vous voudrez être quand l'affaire sera terminée.

– Et ce serait où ?

– Pas ici.

Espin hocha la tête.

– Vous savez ce que c'est. Je dois revenir avec quelque chose.

– On peut vous donner quelque chose.

– Quel genre ?

– Une arrestation rien qu'à vous, une preuve de votre détermination à remuer ciel et terre qui vous vaudra une décoration, et la cerise sur un très gros gâteau. Et sur un très gros gâteau, c'est toujours la cerise qu'on remarque en premier et qu'on a envie de manger.

– Il va falloir me proposer un peu plus que la brochure publicitaire.

– Quelqu'un a presque battu à mort le colonel Moorcroft et je pense que vous avez tous conclu que ce n'était pas moi. Alors qui était-ce ? Vous pourriez faire tomber un individu impliqué depuis longtemps dans une très grosse affaire, et offrir le tout aux politiciens avec un beau ruban en braquant les projecteurs dessus.

– Où trouverais-je ce comparse de longue date ?

– Vous devriez chercher quelqu'un qui serait resté hors de la base pendant un certain temps sans raison valable.

– Et… ?

– Vous comprendriez alors que quelqu'un a filé le train à Moorcroft quand il a quitté le réfectoire, puis l'a forcé ou persuadé de monter dans une voiture. Vous comprendriez qu'il n'y avait pas d'autre façon d'opérer. Et vous comprendriez qu'il ne s'agissait pas d'un sous-officier. Parce que le réfectoire se trouve au club des officiers. Vous pourriez donc rechercher un officier.

– Vous avez un nom ?

– Morgan. Il a monté un coup contre Moorcroft pour le passage à tabac. Il l'a livré. Fouillez son panier à linge. Je doute qu'il y ait participé, mais je parie qu'il était assez près pour bien observer.

– Il était hors de la base à ce moment-là ?

– Il affirme être allé au Pentagone. Son absence a été copieusement attestée. C'était une source de grande inquiétude. Et le Pentagone en conserve des preuves. C'est beaucoup de boulot, mais je vous parie à dix contre un que vous prouverez qu'il n'y était pas.

– C'est du solide ?

– Morgan appartient à un petit groupe hétéroclite qui comprend, à ce qu'on en sait, quatre sous-officiers d'une compagnie de logistique à Fort Bragg à un bout de la chaîne, et à l'autre deux pontes de l'état-major.

– C'est de la prison ferme si vous faites erreur.

– Je sais.

– Ils sont deux ?

– L'un appartient à la Sécurité du territoire et l'autre non.

– C'est de la prison de très haute sécurité si vous faites erreur.

– Mais est-ce que je me trompe ?

Espin ne répondit pas.

– Il y a toujours une chance sur deux, Pete, reprit Reacher. C'est comme de tirer à pile ou face. Soit je fais fausse route, soit j'ai raison. Soit vous nous ramenez, soit non. Soit les pontes sont ce qu'ils affirment être, soit non. Toujours une chance sur deux. Une des deux hypothèses est toujours exacte.

– Et vous êtes un juge impartial ?

– Non, je ne suis pas impartial. Je vais leur démolir le portrait pendant leur sommeil. Mais le fait que ça me mette très en colère ne veut pas dire qu'ils ne sont pas coupables.

– Vous avez des noms ?

– Un pour l'instant. Crew Scully.

– Qu'est-ce que c'est que ce nom ?

– Du sang bleu de la Nouvelle-Angleterre, apparemment.

– Je parie qu'il est allé à West Point.

– J'ai fait West Point et je n'ai pas un nom ridicule.

– Je parie qu'il est riche.

– Il y a plein de riches en prison.

– Qui est le deuxième ?

– Nous l'ignorons.

– Le meilleur pote de Crew Scully à l'école primaire, sans doute. Ces types restent entre eux.

– Peut-être, dit Reacher.

– Je m'occupe de Morgan et le major Turner s'occupe de ces gars ? demanda Espin.

– Vous apporterez votre touche d'humanité à cette histoire.

– Et quelles sont leurs activités supposées ?

Turner passa tout en revue, depuis le cash obtenu sur le marché de l'occasion, les vieux pick-up miteux avec des plaques bizarres, le cash dans les pick-up, puis dans les containers de l'armée, et aussi le contenu des containers de l'armée dans les pick-up qui partent ensuite pour la montagne, pendant que le cash est chargé clandestinement, prêt à être déchargé clandestinement par les quatre types en Caroline du Nord. Tout ça grâce à un autochtone afghan avec des antécédents de vente d'armes, tout ça vraisemblablement rentable et coordonné par les deux chefs d'état-major susceptibles ou non d'être aussi à l'origine d'une initiative stratégique officieuse et illégale.

– Je croyais que vous étiez sérieux, conclut Espin.

63

– Ce que vous décrivez est impossible, poursuivit Espin. L'armée des États-Unis a retenu la leçon, major. Il y a longtemps. Aujourd'hui, le moindre trombone figure à l'inventaire. Il y a des codes-barres partout. Tout est conservé dans un ordinateur à l'épreuve des bombes. On a des compagnies de la police militaire dans tous les endroits stratégiques. Les contrôles qu'on effectue sont plus nombreux que les puces sur le dos d'un chien. On ne perd plus rien. Croyez-moi. Ce chaos à l'ancienne est vraiment passé de mode. S'il y a un trou dans une chaussette, elle est rapatriée. Si une seule balle manquait à l'appel, ça déclencherait un tel merdier qu'on verrait d'ici le ciel virer au marron. C'est tout simplement impossible, madame.

Turner ne répliqua pas.

– Cela dit, il se passe quelque chose. Et vous le savez, dit Reacher.

– J'écoute. Éclairez-moi.

– Allez parler à l'inspecteur Podolski des services de police de Washington. Morgan se trouvait hors de la base au moment critique.

– C'est encore Morgan que vous me donnez?

– Il le mérite. Tout ce que je lui dois, c'est deux fausses actions en justice.

– On dirait que la valeur de Morgan vient de chuter, dans le cadre d'une conspiration crédible.

— Il se passe quelque chose, répéta Reacher. Faux comptes bancaires, faux documents légaux, passages à tabac, quatre gars qui nous traquent. Tout aura l'air très crédible quand ce sera fini. Comme à chaque fois. Anticiper la fin, c'est merveilleux. Et les plus malins commencent par anticiper.

— C'est un sacré pari.

— Il y a toujours une chance sur deux, Pete. C'est comme tirer à pile ou face. Soit Morgan vaut de l'or, soit pas, soit il se passe quelque chose, soit pas, et soit vous êtes un employé barbant, soit vous êtes le type qui sort du lot, prêt à accrocher un ruban de plus sur sa poitrine.

Espin garda le silence.

— Il est temps de lancer cette pièce, Pete. Pile ou face.

— Vous avez un plan ?

— Nous rentrons à Washington. Vous n'avez pas besoin de nous ramener à la maison. On y va de toute façon.

— Quand ?

— Maintenant.

— Et c'est là-bas que Morgan se trouve.

— C'est là qu'ils sont tous.

— Et vous acceptez qu'on prenne le même vol ?

— Ça nous va. Mais juste vous. Personne d'autre.

— Pourquoi ?

— Je veux que vous laissiez vos gars ici encore un jour. Le dernier des quatre de Fort Bragg traîne dans les parages. Il croit que la gamine peut encore servir d'appât. Alors je veux qu'elle soit protégée. Ce n'est peut-être pas la mienne, mais c'est une chouette gamine. Peut-être parce que ce n'est pas la mienne.

— Mes gars pourraient s'accorder une journée.

— Je veux une protection rapprochée, mais pas trop voyante. Ne lui faites pas peur. Voyez ça comme un exercice. Parce que ce ne sera probablement que théorique, de toute façon. C'est nous qu'il veut. Et il saura dans quel avion on voyagera parce que Romeo le lui dira. Il sera juste derrière nous. Il pourrait même se trouver dans le même avion.

Espin garda le silence.

– Décidez-vous, soldat, le pressa Reacher.

– Je n'ai pas besoin de me décider, répondit Espin. Votre proposition me laisse six heures pour le faire.

– Mais vous devez prendre une décision.

– Vol de Delta Airlines au départ de l'aéroport de Los Angeles dans quatre-vingt-dix minutes, conclut Espin.

Il donna à ses hommes, que Reacher ne voyait pas, l'ordre de se relever, en utilisant les signaux de la main en usage dans l'infanterie, puis il se glissa jusqu'au bout de la banquette, se leva et s'éloigna.

***

Une minute plus tard, Reacher et Turner l'imitèrent. La fille assise sur un tabouret du côté de la salle où officiait sa mère disait à Arthur quelque chose qui le faisait sourire. En sortant, Reacher la regarda. Longiligne, genoux et coudes saillants, veste en jean, pantalon, tee-shirt bleu propre, chaussures assorties, sans chaussettes, sans lacets, cheveux comme les blés en été, très longs, les yeux, le sourire. La paternité. Toujours peu probable. Comme obtenir le prix Nobel, ou jouer dans les World Series. Pas pour lui.

Une fois dans la voiture, Turner lui demanda :

– Comment tu te sens ?

– Pareil qu'avant. Je n'avais pas d'enfant avant et je n'en ai pas maintenant.

– Qu'aurais-tu fait ?

– Ça n'a plus aucune importance.

– Ça va ?

– J'imagine que je m'habituais à l'idée. Et j'aimais bien cette gamine. On aurait pu avoir des choses en commun. C'est étrange. J'imagine que les gens peuvent se ressembler partout dans le monde. Même s'ils ne sont pas de la même famille.

– Tu crois qu'elle va entrer dans la catégorie qui préfère le feu de camp et redoute le loup qui hurle ?

– Je crois qu'elle envie déjà le loup.

– Alors vous êtes peut-être parents. Vous avez de lointains ancêtres communs.

Reacher la regarda une dernière fois, par une petite fenêtre à châssis du *diner*, puis Turner démarra, prit par le sud de Vineland Avenue et la fille disparut.

***

Pour se rendre à l'aéroport de Los Angeles, ils allaient devoir emprunter la 101 et la 110, avec un dernier crochet par El Segundo Boulevard. Le trajet allait occuper la plus grande partie des quatre-vingt-dix minutes qu'Espin leur avait données parce que la circulation était lente sur les autoroutes. Edmonds appela de nouveau pendant qu'ils roulaient au nord du Hollywood Bowl.

— Crew Scully a transféré en personne Morgan à la 110e. Il n'a pas délégué cette fois-là. Alors qu'il le fait d'habitude, quand il s'agit de commandements temporaires. Et il n'a pas accès aux systèmes de renseignements de la Sécurité du territoire.

— Vérifiez s'il a des amis parmi ceux qui y ont accès.

— Je suis déjà dessus.

— Tenez-moi au courant.

— Nous sommes toujours du bon côté de l'histoire ?

— Vous pouvez compter là-dessus, répondit Reacher.

Il raccrocha.

Les véhicules avançaient, mais bizarrement, très lentement, comme si tous les conducteurs étaient des caméramans en train de filmer une scène au ralenti.

— Tu sais, c'est un peu comme si on allait en prison de notre propre initiative. Espin pourrait nous passer les menottes dès notre sortie de l'avion à l'aéroport à Washington.

— On va trouver une idée. Six heures, c'est long.

— Tu en as une ?

— Pas encore.

— Ces hommes sont rompus au maniement des armes. C'est tout ce qu'ils font.

— Il y a une chance sur deux, Susan. Soit c'est tout ce qu'ils font, soit pas.

– Que pourraient-ils faire d'autre ?

– On a six heures pour trouver.

– Et si on ne trouve pas ?

– Quand Espin a entendu le nom de Crew Scully, il s'est dit que le type était riche. Suppose qu'il le soit ? Suppose qu'ils le soient tous les deux ?

– On sait qu'ils sont riches.

– Mais on émet des hypothèses sur la manière dont ils le sont devenus. Suppose qu'ils l'étaient avant. Suppose qu'ils aient toujours été riches. Suppose qu'ils soient issus de familles de riches aristocrates de la côte Est.

– OK, je vais m'intéresser aux vieux en pantalon rose délavé.

– Ça pourrait fausser l'équation. On est partis du principe que le profit constitue le mobile. Mais on devrait peut-être revoir ce postulat à la baisse. Ils ont les moyens d'aplanir les difficultés. Ces cent mille dollars pourraient leur appartenir.

– Ce n'est pas un simple hobby pour eux, Reacher. Pas avec de faux comptes en banque, de faux papiers, des vieux qui se font tabasser, et quatre gars à nos trousses.

– Je suis d'accord, c'est bien plus qu'un hobby.

– Alors qu'est-ce que c'est ?

– Je ne sais pas. Je réfléchis juste à voix haute. J'essaie de prendre une longueur d'avance sur les six heures qui viennent.

***

Ils abandonnèrent la Ford blanche dans un parking couvert du terminal d'où partaient les vols de la Delta et jetèrent la clef dans une poubelle. Romeo allait débourser une sacrée somme en frais de location et de fourrière. Turner démonta le Glock de Rickard et se débarrassa des différents éléments dans quatre autres poubelles. Puis ils entrèrent par la mauvaise porte et choisirent le chemin le plus long. Ils arrivèrent au guichet par-derrière. Espin y était déjà. Il avait dû prendre l'autoroute 405. Et la prendre seul. Il n'était pas accompagné. Personne à côté de lui et personne dans l'ombre. Il se tenait immobile devant les portes principales du terminal. Ils avancèrent jusqu'à lui. Il se retourna et Reacher acheta trois billets de première classe avec la carte de Baldacci.

64

Ils étaient près de la porte vingt minutes avant le début de l'embarquement, assis dans des fauteuils d'où ils avaient une vue d'ensemble, mais ils ne virent pas Shrago. Non pas que Reacher s'attendît à le voir. L.A. est une grande ville où il est difficile de se déplacer et il faudrait d'abord découvrir où la carte avait été utilisée, après quoi le type qui voulait les coincer devrait se rendre à l'aéroport, et le temps manquait, tout simplement. Reacher but donc un café, se détendit et l'embarquement débuta. Son portable sonna et il s'installa à sa place en parlant au téléphone comme à peu près tous les autres passagers.

C'était Edmonds qui l'appelait de Virginie.

— La 75ᵉ de la police militaire vient de me transmettre des infos sur le problème Candice Dayton.

— Je vous avais bien dit que je ne me souvenais pas d'elle.

— Excusez-moi. J'aurais dû me montrer moins sceptique.

— Ne vous inquiétez pas. Je l'ai presque cru moi-même.

— Je me suis renseignée sur les amis de Crew Scully.

— Et ?

— Il est resté proche d'un de ses camarades de West Point. Leurs noms ont jailli ensemble, comme des fusées à eau. J'ai demandé à cinq personnes, et c'est lui qu'elles m'ont toutes donné.

— Quel poste occupe-t-il ?

— Actuellement il est chef d'état-major adjoint aux renseignements.

– Ceci explique cela.

– Ils viennent du même milieu. Ils habitent pas loin l'un de l'autre à Georgetown et ils sont membres des mêmes clubs, dont de très sélects.

– Riches?

– Pas autant que certains. Mais ils sont à l'aise, au sens où on l'entendait autrefois. Vous savez comment c'est avec ces gens-là. Pour être à l'aise il faut quelques millions.

– Comment s'appelle-t-il?

– Gabriel Montaigu.

– Vous aviez raison en parlant du même milieu. Gabe et Crew. Ça pourrait être le nom d'un bar près d'Harvard. Ou d'une boutique où on achète des jeans déchirés à trois cents dollars.

– Ce sont de très gros poissons, Reacher. Ce sont les géants sur la terre de la Bible. Et vous n'avez absolument aucune preuve.

– Vous raisonnez comme un avocat. Et il m'en faudrait un, d'ailleurs. Je suis innocent. Je ne veux plus de ces tours d'illusionniste pour maquiller ce qui s'est passé après qu'ils m'ont enfermé pour deux crimes que je n'ai pas commis. Si je me suis évadé, c'est parce que j'étais en droit de le faire.

– Le major Sullivan s'en occupe. Elle veut que toutes les charges soient abandonnées. Elles sont issues de procédures illégales.

– Dites-lui de se dépêcher. On est en train de rentrer avec une escorte semi-officielle. Je ne veux pas de coup fourré quand on arrivera à l'aéroport Reagan National. Il lui reste à peu près six heures.

– Je vais le lui dire.

Par haut-parleur, le steward annonça la fermeture des portes de la cabine et rappela que tous les appareils électroniques devaient être éteints. Ainsi, pour la première fois de sa vie, Reacher se conforma aux instructions d'un membre d'équipage et rangea le téléphone dans sa poche. L'avion recula, puis commença à rouler sur la piste. Décolla au-dessus de l'océan, fit un large demi-tour par la droite pour se retrouver de nouveau face à l'est, franchit la côte dans l'autre sens en survolant Santa Monica, prit de l'altitude, puis poursuivit sa route au-dessus des terres en laissant sur sa gauche North Hollywood, l'autoroute Ventura, Vineland Avenue, le *diner* et la petite maison à la porte bleue, tous loin derrière, tout en bas, à peine visibles.

***

Avoir une conversation à trois en première classe est une entreprise ardue. Du fait de la largeur des fauteuils, le siège hublot est passablement éloigné du siège couloir. Et par-dessus le marché les membres de l'équipage n'arrêtaient pas d'aller et venir depuis la zone d'entrée pour servir des collations et des boissons gratuites à n'en plus finir. Reacher comprenait mieux maintenant pourquoi on dit des riches qu'ils sont à l'aise, et comment, en même temps, ce confort rend les échanges difficiles. Finalement, Espin se leva et se percha sur le bras du fauteuil de Turner, qui se rapprocha de Reacher à la place fenêtre de sorte que tout le monde puisse voir et entendre tout le monde.

— Si j'ai besoin d'un mandat pour Morgan, ils vont forcément me poser des questions sur la nature de sa prétendue conspiration. Vous feriez bien de me fournir une explication avant qu'on descende de cet avion. Ou bien vous ne me donnez rien. Auquel cas il nous faudra reconsidérer votre statut spécial.

— Ça ne va pas se passer de cette manière, Pete. On n'essaie pas de percer dans le cinéma, on n'est pas là pour une audition. Et vous n'avez pas voix au chapitre. Nous allons nous séparer une fois arrivés à Reagan National, que nous ayons une explication ou non, et que ça vous plaise ou non, et vous allez nous faire au revoir de la main avec un sourire joyeux, soit sur vos deux pieds près de la porte, soit dans un fauteuil roulant avec une jambe cassée. Ce sont les règles de base. On est bien d'accord ?

— Mais on partage les informations dont on dispose ? demanda Espin.

— Absolument. Par exemple, le capitaine Edmonds vient de me dire que Crew Scully a un ami proche dénommé Gabriel Montaigu.

— Ça ne m'étonne pas. Ils sont allés à l'école primaire ensemble ?

— Plus ou moins. À West Point en tout cas.

— Que fait ce Montaigu ?

— Il est chef d'état-major adjoint aux renseignements.

– C'est presque le plus haut poste.

– Presque.

– Vous avez des preuves ?

– Mon avocate les a estimées à absolument aucune. Dans un intérêt de transparence.

– Mais vous les pensez coupables.

– Maintenant, je sais qu'ils le sont.

– Pourquoi maintenant ?

– À cause de Shakespeare. Il a écrit une pièce, *Roméo et Juliette*. Deux familles de même rang. Deux amants maudits parce que Juliette est une Capulet et Roméo un Montaigu. Comme les Sharks et les Jets dans *West Side Story*. Vous pourriez louer le film.

– Vous pensez que Montaigu se fait appeler Romeo ? Il serait idiot à ce point-là ?

– Il trouve sans doute ça mignon. Comme les pantalons roses délavés. Il pense sans doute que les gens comme nous n'ont jamais entendu parler de Shakespeare.

– Votre avocate a raison. Absolument aucune.

– Elle est avocate. Pas vous. C'est vous qui tenez la pièce dans votre main pour tirer à pile ou face. Soit Montaigu est Romeo, soit pas. Il y a exactement une chance sur deux.

– C'est comme aller à Las Vegas et parier l'hypothèque de la maison sur le rouge.

– Des chances égales, c'est merveilleux.

– Ce sont des chefs d'état-major adjoints, Reacher. Vous avez intérêt à être vraiment sûr de vous. Il faut que vous tiriez dans le mille.

***

Romeo appela Juliet et lui annonça :

– Ils sont sur le chemin du retour. Trois billets en première classe. Encore une gifle. Le troisième billet est celui d'Espin, de la 75ᵉ de la police militaire. Au début, je pensais qu'il les avait arrêtés. Mais dans ce cas, pourquoi Reacher aurait-il acheté les billets ? Ils ont contourné nos flancs. Voilà ce qu'ils ont fait. Espin a adopté les coutumes indigènes.

– Shrago se trouve à au moins une heure de l'aéroport.

– Dis-lui de s'activer. Il a une place sur le prochain vol d'American.

– Combien d'heures de retard aura-t-il sur Reacher ?

– Deux.

– C'est long. Il nous reste un homme et il n'est même pas sur place. Je pense que nous sommes vaincus.

– Nous avons toujours envisagé la possibilité d'un tel dénouement. Nous savions dans quoi nous nous embarquions. Et ce que nous pourrions être obligés de faire.

– On a tenu plutôt longtemps.

– Et on tiendra avec deux heures de décalage. Il ne se passera rien. Le major Turner aura besoin de prendre une douche. Voyager avec des femmes est improductif. Et ce sera plus facile pour Shrago à ce moment-là. Ce sont eux qui devront venir nous chercher. Nous, nous n'aurons pas à le faire.

***

Espin retourna de son côté du couloir à cause de la tournure médico-légale qu'avait prise la conversation et pour profiter du confort. Baldacci n'avait pas payé pour un trajet perché sur le bras d'un fauteuil. Pendant la majeure partie du vol, il resta assis à réfléchir, seul. Tout comme Turner et Reacher. Sans résultat concluant. Puis Turner le rappela.

– Nous avons un fait avéré : la chaîne logistique, lui expliqua-t-elle quand il fut installé. C'est un tapis roulant à double sens et qui ne s'arrête jamais. En ce moment même, des caisses vides entrent et des caisses pleines sortent. Et celles qui sont pleines contiennent tout ce qui est réglo. Des chaussettes à code-barres trouées. Pourquoi pas. Mais dans ce cas, il ne se passe rien. Or, il se passe quelque chose. Et si les caisses vides n'étaient pas vides ? Nous sommes conscients que des membres de tribus n'achèteraient pas de matériel muni de code-barres. Mais ils pourraient acheter des objets qu'on envoie là-bas exprès pour eux, non ? Une espèce de vente par correspondance. Ça expliquerait pourquoi les quatre gars de Fort Bragg avaient un rôle primordial. Ils chargeaient les caisses qui auraient dû être vides.

– Il y a des systèmes en place aux deux bouts, rétorqua Espin.

– Aussi paranoïaques les uns que les autres ?

– Je ne pense pas que ce soit possible.

– Cette situation pourrait donc être bien réelle ?

– Elle pourrait.

– Mais Reacher pense que le profit pourrait ne pas être le mobile central de l'affaire. Ce serait une entreprise personnelle. Peut-être qu'en fait, leurs livraisons sont sélectives. Et qu'ils arment une faction plutôt qu'une autre. Peut-être se prennent-ils pour de grands experts de l'Afghanistan. Les types qui vivent en Nouvelle-Angleterre se considèrent toujours à moitié anglais. Peut-être se rappellent-ils le bon vieux temps sur la frontière nord-ouest. Et pensent être exceptionnellement compétents.

– C'est possible.

– Mais le tapis roulant fonctionne dans les deux sens. On doit bien garder ça à l'esprit. Ils pourraient faire sortir des marchandises, et non en faire entrer, cachées avec l'équipement militaire rapatrié. D'où l'importance des gars de Fort Bragg. Ils les déballeraient en secret, et les transporteraient.

– Quel genre de marchandise ?

– Si le profit n'est pas primordial, il pourrait s'agir d'une sorte de passion. De la revente d'objets d'art, peut-être. De statues ou d'objets sculptés. Les trucs que les talibans balancent. Ce genre de choses peut plaire aux amateurs raffinés. Seulement, leur réaction a été très disproportionnée s'il s'agit d'objets d'art. On ne tabasse pas les gens pour une histoire de statue ancienne.

– Quel genre de marchandise alors ?

– Nous avons deux hommes dont les passions doivent être gardées secrètes. Parce que pour une raison ou pour une autre elles sont criminelles et honteuses. Mais lucratives aussi, tout en restant mondaines. C'est mon impression.

– Des fillettes ? Des jeunes garçons ? Des orphelins ?

– Considérez la situation du point de vue d'Emal Zadran. C'était un gars perturbé, un raté, mais il s'est réinséré. Il a gagné le respect de sa communauté. Comment ? Quelqu'un lui a donné un rôle à jouer, voilà comment. Comme entrepreneur, très probablement.

Quelqu'un voulait acheter ou vendre et Zadran est devenu l'homme de la situation. Parce qu'il connaissait les bonnes personnes. Il avait déjà des contacts en place. Peut-être des proches, peut-être le fruit de rencontres.

— Acheter ou vendre quoi ? demanda Espin.

— On trouvera la réponse à Washington. Quand vous nous aurez dit au revoir, debout ou assis.

***

Ils dormirent pendant le reste du vol. Il faisait chaud dans la cabine. Les sièges étaient confortables et le mouvement apaisant. Reacher rêva de la gamine, bien plus jeune, âgée de trois ans peut-être, joufflue, pas anguleuse, avec les mêmes vêtements, mais en miniature, et de petites tennis sans lacets. Ils marchaient dans la rue quelque part et il tenait la petite main douce et chaude de la fillette dans sa grosse patte. Elle avançait aussi vite qu'elle pouvait avec ses petites jambes pour essayer de suivre. Il jetait sans cesse des coups d'œil par-dessus son épaule, méfiant, inquiet de savoir comment elle allait faire pour courir s'il le fallait, avec ses chaussures sans lacets, puis il prenait conscience qu'il lui suffisait simplement de la prendre dans ses bras et de courir pour elle, peut-être pour toujours. De transporter son corps au parfum si doux, son corps si léger qu'il n'était pas un fardeau du tout. Il ressentit un intense soulagement, puis le rêve s'estompa comme s'il avait accompli sa mission.

La pression de l'air changea. Le steward prononça son laïus à propos des dossiers des sièges et des tablettes. Espin jeta un coup d'œil de l'autre côté de l'allée. Reacher et Turner lui rendirent son regard. La pièce de monnaie était lancée. Il prenait sa décision. Était-il l'employé modèle ou le type qui sort du lot ? Une chance sur deux, songea Reacher, comme tout le reste sur terre.

Le gros avion, en approche, redevint soudain lourd et pataud et aussitôt les agents de bord assis et tous les passagers rallumèrent leurs portables. Reacher constata qu'il avait un message vocal du major Sullivan, datant d'une heure. Il composa le numéro, entendit des grésillements, puis :

- 364 -

– Confirmation qu'aucune action ne sera intentée contre vous pour tout ce qui ressort des fausses déclarations sous serment. Vous êtes donc blanchi, à compter de maintenant. Mais le major Turner reste une fugitive légitime. Sa situation reste inchangée. Alors la réalité reprendra ses droits, dès votre atterrissage. On vous accusera de complicité. Vous serez complice d'un crime très grave. Sauf si vous la quittez à l'aéroport. Ce qu'en tant qu'avocate, je vous conseille vivement de faire.

Il effaça le message, appela Edmonds. Elle répondit.

– Où se trouvaient Scully et Montaigu il y a sept ans? lui demanda-t-il.

– Je vais essayer de le découvrir.

Puis l'avion atterrit et la réalité reprit ses droits.

65

Premier à bord signifiait également premier dehors, et la porte principale au bout de la passerelle de l'avion était encore fermée quand ils l'atteignirent. Avec le décalage horaire, il était très tard sur la côte Est. Reacher ouvrit et regarda devant lui. Une foule clairsemée attendait. Situation moins préoccupante qu'à Long Beach. Tout au plus dix membres de la police militaire en civil et dix agents du FBI sur les dix premiers mètres. Il tint la porte, laissa Espin sortir le premier, puis l'observa très attentivement. Mais l'adjudant ne cherchait personne en particulier, ne croisa le regard de personne et ne fit aucun signe ni aucun geste furtif. Il se contenta de traverser la foule comme n'importe qui. Reacher et Turner le suivirent et, une minute plus tard, ils se rejoignirent sur un mètre carré d'espace dégagé, dans le couloir sous le panneau indiquant la zone de retrait des bagages.

– Allez-y d'abord, dit Reacher. On va rester ici.

– Pourquoi? demanda Espin.

– Au cas où vous auriez placé vos gars de l'autre côté des contrôles de sécurité.

– Il n'y a personne.

– On va rester ici quand même.

– Pourquoi?

– Considérations tactiques.

– Je vous laisse vingt-quatre heures.

– Vous ne nous trouverez jamais.

– Je vous ai trouvés à L.A. Et il y a un appât ici aussi. Je sais où chercher.

– Vous devriez vous concentrer sur Morgan.

– Vingt-quatre heures, répéta Espin.

Et il partit. Reacher et Turner le regardèrent s'éloigner.

– On va se prendre un café? proposa Reacher.

– On reste ici?

Reacher consulta le panneau des arrivées.

– Ce serait sensé, dit-il. Le prochain atterrissage est prévu dans à peu près deux heures, un vol d'American. Shrago l'aura forcément pris. Et entre le moment où il sortira de l'avion et celui où il aura passé la sécurité, il ne sera pas armé. C'est donc l'endroit parfait pour l'attaquer.

– On va le faire?

– Non, mais je voulais instiller l'idée dans l'esprit d'Espin. Au cas où il aurait la trouille d'ici une heure. Il supposera qu'on est encore à l'aéroport. Mais on n'y sera pas. On va prendre un café à emporter. Et lui filer le train.

***

D'après l'expérience de Reacher, les entreprises réussies à Washington D.C. avaient toutes en commun un élément indispensable : une base opérationnelle judicieusement sélectionnée. Mais impossible de s'offrir un local approprié en réglant en liquide. Dans n'importe quel motel correct on exige une carte bancaire. Donc soit Margaret Vega allait payer, soit Gabriel Montaigu découvrirait leur localisation. Turner était d'avis de se laisser localiser pour que Shrago se montre et qu'ils puissent s'occuper de lui. Reacher ne l'entendait pas de la même oreille.

– Pourquoi? lui demanda-t-elle.

– S'ils nous envoient Shrago et qu'il disparaît, ils sauront ce qui lui est arrivé.

– Ça va de soi.

– Je ne veux pas qu'ils sachent ce qui lui est arrivé. Je veux qu'ils doutent. Aussi longtemps que c'est humainement possible. Je veux les tenir dans l'ignorance la plus totale. Je veux qu'ils contemplent le vide en espérant un signe.

– Voilà pourquoi il faut davantage de femmes officiers. Pour nous, gagner est suffisant. Pour vous, l'autre doit savoir qu'il a perdu.

– Je veux qu'ils laissent leurs portables allumés. C'est tout. Ça pourrait être le seul moyen d'obtenir des preuves irrécusables. Et surtout, le seul moyen de les trouver. Shrago doit disparaître d'un endroit inconnu; là, nous devons récupérer les numéros enregistrés dans son téléphone et ensuite, le sergent Leach doit contacter plein d'autres amis. Et nous devons trouver ces téléphones avant qu'ils décident d'arrêter de chercher Shrago et qu'ils les éteignent.

Margaret Vega paya donc une nuit au douzième étage d'un très joli hôtel dans une chambre avec vue sur la Maison-Blanche qui offrait tout ce dont ils avaient besoin et un tas de choses dont ils n'avaient pas besoin. Turner voulait des vêtements, mais il était minuit et rien n'était ouvert. Alors ils prirent une longue douche, sans se presser, s'enveloppèrent dans des peignoirs de cinq centimètres d'épaisseur, puis ils laissèrent passer les minutes jusqu'au moment où ils estimèrent qu'il n'en restait que vingt avant que l'avion de Schrago survole le fleuve. Et à ce moment-là, ils se rhabillèrent et sortirent.

***

Romeo appela Juliet et annonça :

– J'ai mis une alerte sur la carte de Margaret Vega au cas où Turner irait faire des courses toute seule, et la carte vient d'être utilisée pour payer une nuit d'hôtel, ici en ville.

— Le téléphone de Shrago sera rallumé dans une vingtaine de minutes.

— Dis-lui de ne pas y aller directement en taxi.

***

Ils virent Shrago sortir du terminal. Ils étaient dans un taxi, à vingt mètres de là. Le véhicule mesurait cinq mètres de long et deux mètres de large, mais il était invisible. C'était un taxi dans un aéroport. Shrago ne le remarqua pas. Il attendit dans la file derrière quelqu'un, puis monta lui-même dans un taxi.

— C'est lui, dit Reacher.

— Je le vois, répondit le chauffeur.

Le compteur tournait depuis l'hôtel. Et un pourboire de cent dollars venait s'ajouter à la course. Plus cent encore, juste comme ça. C'était le marché qu'ils avaient conclu. Ce n'était pas leur argent.

Le chauffeur s'éloigna du bord du trottoir et resta à environ cinquante mètres du véhicule dans lequel se trouvait Shrago. Qui se dirigea vers le centre-ville par le pont pour rejoindre directement la 14ᵉ Rue, dépassa le National Mall et le Triangle fédéral. Il s'arrêta après le croisement avec New York Avenue.

Et Shrago descendit.

Le taxi repartit.

Ils se trouvaient à peu près au niveau de Lafayette Square, face à la Maison-Blanche, mais deux pâtés de maisons à l'est, toujours dans la 14ᵉ Rue.

— Qu'y a-t-il ici ? demanda Turner.

— Rien, apparemment, répondit Reacher.

En effet, Shrago remonta vers le nord, jusqu'à l'angle d'H Street.

Et tourna à gauche.

Reacher régla le chauffeur avec l'argent de Billy Bob, trois cents dollars et gardez la monnaie, puis ils sortirent et se hâtèrent de rejoindre le croisement. Shrago longeait déjà le deuxième pâté de maisons. Il avançait vite et était sur le point de passer devant Lafayette Square. Il n'aurait aucune option sur la gauche. Pas la nuit. Et une seule option sur la droite.

– Il prend la direction de notre hôtel, dit Turner. Approche à pied pour que le chauffeur de taxi ne s'en souvienne pas. Montaigu a aussi la carte de Vega.

– Récupérée pendant le premier vol. Malin. Il a continué de suivre sa trace.

– Ça fait un peu avorter ta stratégie.

– Aucun plan ne survit au premier contact avec l'ennemi.

Ils restèrent en arrière, mais pas Shrago. Il entra dans l'hôtel à vive allure. Comme un homme affairé qui a des problèmes importants à traiter. Il entrait dans son rôle.

– Tu as un nouveau plan? demanda Turner.

– On n'est pas à l'intérieur. Il finira par s'en rendre compte. Et il ressortira.

– Et après?

– Le premier plan t'a plu? Celui avec les portables?

– Il était pas mal.

– Shrago pourrait nous aider à le mener à bien. Quand il s'apercevra qu'on n'est pas dans l'hôtel, il appellera peut-être tout de suite son chef. Pour le mettre au courant en temps réel. Peut-être que son chef l'exige. Auquel cas la suite des événements ne nous concerne pas. On n'était pas là. Il vient de le leur apprendre. Ils replongent dans l'inconnu.

– S'il téléphone.

– Il y a une chance sur deux. Soit il le fait, soit il ne le fait pas.

– Ça implique qu'on sache qu'il a passé le coup de fil.

– Il pourrait être au téléphone quand il sortira.

– Il pourrait appeler depuis notre chambre.

– Une chance sur deux. Soit on le voit, soit on ne le voit pas. Certitude dans un cas, supposition dans l'autre.

**

Ils restèrent dans l'ombre à l'extérieur du parc et attendirent. Il était presque 2 heures du matin. La météo restait inchangée. Il faisait froid et humide. Reacher repensa aux tennis sans lacets de la gamine. Elles ne respiraient pas le luxe. Puis il pensa à la sécurité de l'hôtel, au gardien de nuit en train de contrôler de faux papiers, de regarder dans le registre, de téléphoner dans la chambre, de se rendre à l'étage avec un passe. Dix minutes en gros.

Neuf minutes s'écoulèrent.

Shrago passa la porte.

Sans portable à la main.

— Pile ou face, Reacher ? demanda Turner.

Reacher sortit de l'ombre et lança :

— Sergent Shrago, approchez. J'ai des nouvelles urgentes.

66

Shrago ne bougea pas. Il resta immobile, sur le trottoir d'H Street. Reacher se tenait juste en face, sur le trottoir de l'autre côté de la rue. Tout était calme. Deux heures du matin. Dans une ville d'espions. Reacher poursuivit.

— Sergent Shrago, la nouvelle, c'est qu'à compter de maintenant, vous rentrez dans un segment démographique communément appelé « Les gens qui n'ont vraiment pas de bol ». Parce que vous ne pouvez plus gagner. Nous sommes trop près du but. À moins de nous refroidir tous les deux, ici et tout de suite. Dans cette rue. Mais vous ne le ferez pas. Parce que vous en êtes incapable. Vous n'êtes pas assez doué. Alors vous n'allez pas rentrer chez vous avec une médaille cette nuit. Ce qu'il vous faut, c'est limiter les dégâts. Et c'est possible. Tout ce que vous avez à faire, c'est de tout raconter par écrit.

Shrago ne répondit pas.

— Vous pourriez aussi vous enregistrer si c'est pas votre truc d'écrire. Mais d'une manière ou d'une autre, ils vont vous demander de tout déballer. Ça va être un gros scandale. Et vous ne serez pas seulement interrogé par l'armée. Il y aura des comités de sénateurs. Vous devrez parler le premier. Ils laissent toujours partir le premier. En héros. Il vous faut être le premier, Shrago.

Il ne dit rien.

– Vous pouvez affirmer que vous ne connaissez pas les commanditaires. Ce sera moins stressant. Ils vous croiront. Concentrez-vous
plutôt sur Morgan. Sur le fait qu'il a donné Moorcroft pour qu'on le
tabasse. Ils vont tout gober.

Pas de réaction.

– Il n'y a que deux possibilités, sergent. Vous enfuir ou traverser la
rue. Et vous enfuir ne vous apportera rien. Si on ne vous a pas ce soir,
on vous aura demain. Alors la meilleure option, c'est de traverser la
rue. Ce que vous serez obligé de faire de toute façon, que ce soit pour
nous serrer la main ou pour nous descendre.

Et Shrago obéit. Il descendit de son trottoir et traversa la chaussée,
qui pouvait sembler étroite en voiture, mais paraissait assez large à
pied. Reacher ne le quitta pas des yeux, fixa du regard ses épaules
et ses mains. Il assistait à une sorte de représentation théâtrale : un
homme dont l'esprit est soudain traversé par une illumination, un
homme qui comprend enfin quel est son devoir, et le numéro était
plutôt réussi. Mais il apparut clairement qu'il projetait de dépasser
suffisamment Reacher pour s'approcher de Turner et la mettre hors
de combat, ramenant le rapport de forces à un contre un. Reacher le
vit à son regard fou, à ses épaules tendues et projetées en avant sous
l'effet de l'adrénaline, et à ses poings qui s'ouvraient et se serraient,
à peine d'un demi-centimètre, comme s'il était pressé de démarrer.

Il monta sur le trottoir où ils se tenaient.

Reacher ne dit rien. Il ne força pas les choses. Il n'en avait pas besoin.
De toute façon, Shrago allait parler à Espin. En sortant d'une voiture,
ou en sortant du coma. Le choix lui appartenait. Il était né libre.

Mais pas futé. Il déclina la solution voiture et opta pour le coma.
Reacher le comprit. Agir tout de suite était toujours ce qu'il y avait
de mieux à faire. Shrago se mit en position, Reacher à sa droite, et
Turner derrière l'épaule la plus éloignée de Reacher. Le type avait dû
prévoir de lui balancer un revers du coude gauche à la gorge, ce qui
lui permettrait de gagner du terrain, comme propulsé par un aviron
pour atteindre aussitôt Turner, la main droite libre et assez de temps
pour un seul coup décisif, qui devrait être violent et dirigé vers le
milieu du visage. Nez cassé, une pommette aussi peut-être, peut-être

une arcade, perte de connaissance, voire traumatisme crânien. Peut-être même un crâne ou une nuque brisés.

Mais ça n'allait pas se produire.

– Règle du jeu : on ne mord pas les oreilles, dit Reacher.

De près, le type était sensationnel. Sa tête luisait dans la lumière des lampadaires. Il avait les yeux très enfoncés et l'ossature dure et anguleuse de son visage donnait l'impression qu'on aurait pu se casser une main rien qu'en tapant dessus. La ceinture de son pantalon était bien serrée. En dessous de la taille, les cuisses faisaient saillie et, au-dessus, le torse proéminent s'étalait dans toute sa largeur. Il devait avoir dans les quinze ans de moins que Reacher. C'était un jeune costaud, solide comme un roc et l'agressivité émanait de lui presque comme une odeur. Les replis du pavillon de ses oreilles étaient normaux, mais les contours extérieurs avaient été taillés, sans doute avec des ciseaux, à ras, si bien que ce qui restait ressemblait à des petites pâtes, à des tortellinis crus, brillants, de la couleur de peau d'un Blanc. Ce n'étaient pas des hexagones à proprement parler. Les hexagones ont une forme régulière, avec six côtés égaux, tandis que les oreilles de Shrago avaient été découpées en suivant la bordure du cartilage central, pas pour atteindre une précision géométrique. Les moignons étaient plus exactement des polygones irréguliers. Reacher songea que si la gamine avait été la sienne, il aurait eu une discussion à ce sujet avec elle. Inutile d'être pédant si on ne fait pas preuve d'une parfaite rigueur.

– C'est votre dernière chance, sergent, le prévint Reacher. C'est le moment de prendre votre grande décision. On sait tout sur Scully, Montaigu et Morgan. La seule manière de vous en sortir, c'est de parler. La meilleure arme du soldat, c'est son cerveau. Et c'est le moment de vous servir du vôtre. Mais dans tous les cas, je vais vous casser un bras. Je vous l'annonce, par souci de transparence. Parce que vous avez blessé la fille du Berryville Grill. C'était injustifié. Vous avez un problème avec les femmes ? Ce sont des femmes qui vous ont coupé les oreilles ?

Shrago prit un solide appui au sol, pivota au niveau de la taille, vivement, sur la droite et un peu vers le bas, si vite que son bras gauche vola loin derrière lui, si loin que son dos voûté apparut dans la lumière. Le coup suivant aurait été sur le même modèle, mais avec une torsion arrière plus rapide encore, plus violente encore, le bras gauche soigneusement dirigé cette fois-ci, le coude visant la nuque avec le maximum d'allonge, si bien que le coup, tout en remplissant son office, lui aurait en quelque sorte servi de point d'appui, pour se hisser vers Reacher.

Aurait.

Sauf que Reacher l'avait vu venir et déclencha son mouvement un quart de seconde après lui, calquant sa torsion sur celle de Shrago comme s'ils étaient deux danseurs presque synchrones. Le poing géant de Reacher se présenta bas à l'endroit précis où, du fait de son ample mouvement de pivot, les reins de Shrago allaient se retrouver. Pendant tout ce temps, Reacher continuait d'analyser la hargne de son adversaire, d'estimer quelle part jouait la question des oreilles, et quelle part jouait sa colère envers Scully et Montaigu, parce que le degré de passion qu'on met à se battre pour une cause est un indicateur de l'intensité avec laquelle on y adhère. Il conclut finalement que si la question des oreilles n'y était pas étrangère, la rage de Shrago s'expliquait aussi par la volonté de défendre une activité agréable, confortable et lucrative.

Shrago parvint alors à son point d'équilibre, vrillé comme un ressort, et commença à dérouler la torsion violente dans la direction opposée, le coude se levant vers sa cible. Mais il n'eut pas le temps de la toucher, le poing droit de Reacher l'atteignant aux reins. Coup parfait, anesthésiant. Douleur folle, paralysante et qui se propagea. Après avoir perdu la coordination de ses mouvements, Shrago tituba, jambes écartées. Reacher eut le loisir de déployer son poing, tout seul et au moment qu'il choisit, ce qu'il fit, un uppercut du gauche sur le côté du cou, sous l'angle de la mâchoire, puis il enchaîna deux coups rapides et puissants, un, deux, droite, gauche, les reins, le cou, qui envoya Shrago valser de l'autre côté, debout et bien droit cette fois-ci, mais prêt pour le décompte de l'arbitre, ce à quoi il n'eut pas droit parce qu'un combat dans le noir au bord de Lafayette Square n'est pas régi par des règles. Reacher le jaugea dans la pénombre, se dit qu'une seule partie de son corps était plus dure que les os de son visage et lui sauta dessus pour lui flanquer un coup de tête, pile sur l'arête du nez, comme une boule de bowling lancée à pleine vitesse qui viendrait percuter une tête posée au bout de la piste en érable, pile au point de rejet. Reacher fit un pas de danse vers l'arrière. Shrago resta sur ses pieds pendant une longue seconde, puis ses genoux reçurent le message : la lumière s'était éteinte à l'étage. Et il s'écroula à la verticale comme s'il avait sauté d'un mur. Avec la semelle de sa botte, Reacher le mit sur le ventre, puis se baissa, attrapa un poignet, le tordit jusqu'à ce que le bras soit tendu en arrière, et lui brisa le coude avec la même semelle. Il fouilla ensuite les poches, trouva un portefeuille et un téléphone, mais pas d'arme car Shrago était venu directement depuis l'aéroport.

Enfin il se leva, souffla, regarda Turner et lui dit :

– Appelle Espin et demande-lui de venir ramasser ce type. Dis-lui qu'il aura ce qu'il lui faut pour son mandat.

***

Ils attendirent dans l'ombre, dans un coin au fond du parc. Le téléphone était le même appareil bas de gamme que celui de Rickard, spécial mission, jetable, prépayé et programmé de la même manière, mais avec quatre numéros dans la liste de contacts, au lieu de trois. D'abord celui Lozano, puis ceux de Baldacci et de Rickard et le dernier simplement désigné par le nom *Maison*.

Et le journal d'appels indiquait que Shrago avait téléphoné chez lui deux minutes avant de sortir de l'hôtel.

– Depuis notre chambre, dit Turner. Tu avais vu juste. Ton plan a réussi l'épreuve du contact avec l'ennemi.

Reacher acquiesça.

– Ils l'ont probablement envoyé chercher ailleurs. Auquel cas ils ne vont pas s'attendre à ce qu'il appelle, pas avant qu'il ait du nouveau. Et ils n'essaieront sans doute pas de le joindre avant demain matin. Et on ne répondra pas de toute façon. Ça les perturbera. On aura peut-être douze heures avant qu'ils le laissent tomber.

– On ferait mieux de dire à Espin de rester discret. Sinon Montaigu aura vent de l'arrestation. Pas de doute, il écoute la 75ᵉ.

Turner passa donc un deuxième coup de fil à Espin, puis à Leach sur son portable. Elle commença par le même préambule que la première fois, pour se donner bonne conscience, conseillant à son sergent de raccrocher et de signaler l'appel à Morgan. Mais pour la deuxième fois, Leach n'en fit rien. Turner lui donna le numéro que

Shrago avait appelé et lui demanda de mobiliser tous ses contacts capables de fournir des renseignements en free-lance. Au ton de Turner, il était clair que Leach proposait des perspectives prudemment optimistes. Reacher sourit dans le noir. Ah, les sergents de l'armée américaine. Rien ne leur était impossible.

Puis une voiture s'arrêta de l'autre côté du parc, une berline cabossée dans le genre de celle qui avait déposé Reacher au motel le premier soir. Deux balèzes avec bottes et treillis en descendirent, traînèrent Shrago hors des buissons et l'allongèrent sur la banquette arrière. Non sans quelque difficulté. Ce n'était pas un poids plume.

Ils remontèrent ensuite dans la voiture et s'en allèrent. Reacher et Turner attendirent pendant un laps de temps convenable, comme à un enterrement, puis ils traversèrent la rue, entrèrent dans l'hôtel et prirent l'ascenseur pour rejoindre leur chambre.

67

Ils se douchèrent de nouveau, par pur principe de propreté, et pour utiliser de nouvelles serviettes dont le nombre devait s'élever à quarante, la plupart assez grandes et épaisses pour servir de couvertures. Puis ils attendirent le coup de fil de Leach qui, pensaient-ils, les appellerait rapidement ou jamais, selon que son réseau comprenait les personnes requises, ou non. Ce fut le téléphone de Reacher qui sonna le premier. Edmonds avait des informations.

— Il y a sept ans, Crew Scully est passé chef d'état-major adjoint responsable du personnel. Il n'a pas changé de poste depuis. À l'époque, il était basé à Alexandria. Maintenant, tout le service des Ressources humaines est basé dans le Kentucky, à Fort Knox. Excepté le bureau du chef d'état-major adjoint, qui est resté au Pentagone. Voilà pourquoi Scully peut encore habiter Georgetown.

— Il a l'air vraiment rasoir.

— Mais pas Montaigu. Il y a sept ans, il était en Afghanistan. Il commandait nos services de renseignements locaux. Tous. Pas seulement ceux de l'armée.

— Gros boulot.

— Je ne vous le fais pas dire.

— Et?

— Je ne peux rien prouver. Il ne reste aucun document.

— Mais?

— Il a dû soutenir Zadran. C'est de cette manière que le protocole fonctionne. Il est inconcevable qu'un présumé trafiquant de grenades puisse rentrer chez lui dans la montagne sans une autorisation du Bureau des renseignements. Alors la question que vous avez posée tout à l'heure… la raison pour laquelle ils ne l'avaient pas abattu quand même… C'est avant tout parce que Montaigu leur a donné l'ordre de ne pas le faire. Par conséquent, Zadran lui était redevable, et pas qu'un peu.

— Ou bien Zadran détenait des informations compromettantes sur Montaigu, et pas qu'un peu.

— Quoi qu'il en soit, leur relation remonte à au moins sept ans.

— J'aurais dû vous demander de vous renseigner sur les activités de Morgan à cette époque.

— J'ai été surprise que vous ne le fassiez pas. J'ai donc pris l'initiative. Morgan est allé un peu partout, en gros. C'est un bouche-trou parfait. Mais nous évoluons dans un univers imprévisible et il a servi dans plus de bataillons de logistique que les seules lois du hasard ne le laisseraient présager. Aucun n'approvisionnait l'Irak, mais tous approvisionnaient l'Afghanistan. Ce qui n'est pas entièrement fortuit non plus.

— C'est Scully qui l'a transféré à chaque fois?

— À chaque fois.

— Merci, capitaine.

— De quel côté nous trouvons-nous maintenant?

Reacher raccrocha sans répondre parce qu'un téléphone sonnait. Pas celui de Turner, celui de Shrago. Semblable à celui de Rickard, avec le chant d'oiseau fou. Le même genre d'appareil. Il était posé sur la commode et sa sonnerie forte et perçante grinçait à n'en plus finir comme un jouet mécanique. L'écran affichait : *appel entrant.*

Information superflue au demeurant. Mais juste en dessous, il indiquait *maison*.

Il sonna huit fois, puis s'arrêta.

Reacher garda le silence.

— Ils sont inquiets, fit remarquer Turner. Rien de plus. On n'a pas dépensé d'argent, donc on n'a pas généré de nouvelles pistes. Alors ils n'ont rien à lui dire.

— Je me demande combien de temps ils vont s'inquiéter. Avant de redescendre sur terre.

— Le déni est une chose merveilleuse.

Elle gagna la fenêtre et jeta un coup d'œil entre les rideaux.

— Quand je rentrerai, je ferai nettoyer mon bureau à la vapeur. Je ne veux pas qu'il reste une seule trace de Morgan.

— Pourquoi Montaigu a-t-il laissé Zadran retourner dans la montagne ?

— Tu veux dire pour des raisons politiques ou judiciaires ?

— Les deux sont possibles. Mais… et s'il y avait autre chose ?

— Je ne vois pas quoi. Le type avait la trentaine à l'époque, c'était le benjamin d'une fratrie de cinq enfants, mauvaise pioche dans une culture très hiérarchisée. Il était perturbé, c'était un raté. Encore mauvaise pioche. Le gars n'avait ni statut social ni valeur, et franchement pas de vrai talent non plus. Alors il n'intéressait personne. Il ne s'agissait pas de recruter un atout, ni pour l'argent, ni pour satisfaire une passion.

Sur ce, le portable de Shrago se remit à sonner. Même chant d'oiseau, même grincement, mêmes mots affichés à l'écran. Il sonna huit fois, puis s'arrêta.

***

Juliet retourna dans la chambre et s'assit sur le divan. Depuis un autre divan, à deux mètres de là, Romeo lui demanda :

— Alors ?

— J'ai essayé trois fois, répondit Juliet.

— Ton sentiment ?

— Il était peut-être occupé. S'il s'approche d'eux à moins de trente mètres, il va éteindre son téléphone. Ça me paraît assez évident.

– Combien de temps est-il susceptible de se maintenir dans leur proximité immédiate?

– En théorie, des heures.

– Alors on se contente d'attendre son appel?

– Je crois que nous n'avons pas le choix.

– Et s'il n'appelle pas?

– Alors on est foutus.

Romeo poussa un long soupir.

– Quoi qu'il arrive, ç'aura été une belle aventure.

***

Le portable de Turner sonna une minute après que celui de Shrago se fut arrêté pour la deuxième fois. Elle mit le haut-parleur.

– C'est un prépayé sans doute acheté en hypermarché. S'il a été réglé en liquide, il sera à peu près aussi difficile de le tracer que de localiser l'ex-mari de ma sœur.

– Des détails? demanda Turner.

– Des tonnes. Le seul point d'interrogation est l'identité du propriétaire. On peut savoir tout le reste. Ce téléphone n'a appelé que deux correspondants, et n'a reçu d'appels que de deux correspondants, les deux mêmes.

– Répartition équilibrée?

– Non, très dissymétrique.

– En faveur de?

Leach lut un numéro. Ce n'était pas celui de Shrago.

– Ce doit être Romeo, dit Reacher. Sergent, il faut que vous vous renseigniez sur ce numéro.

– J'ai déjà pris cette liberté, major. C'est le même cas de figure. Prépayé acheté en hypermarché, mais celui-là est encore plus isolé. Le seul portable qu'il ait appelé, et le seul qui l'ait appelé, est celui de son pote. C'est un système de communication très comparti-menté. Je trouve leur technique et leur discipline exemplaires. Vous avez affaire à des individus brillants. Vous me permettez de parler librement?

– Bien sûr, répondit Turner.

– Le major Reacher et vous devriez faire preuve d'une grande prudence. Et vous pourriez commencer par renforcer un tant soit peu votre sécurité.

– De quelle manière ?

– L'autre appel du premier type correspond à un portable immobile en ce moment, à deux pâtés de maisons au nord de la Maison-Blanche. À vue de nez, je dirais que vous êtes dans l'hôtel chic et que soit un de vos adversaires surveille l'immeuble, soit vous lui avez déjà pris son téléphone et l'appareil se trouve dans votre chambre. Auquel cas vous devez garder à l'esprit que si je le visualise, ils peuvent le visualiser eux aussi. Enfin… jusqu'à ce que vous l'éteigniez. Ce que vous devriez envisager.

– Vous le visualisez ?

– La technologie est une chose merveilleuse.

– Vous voyez les deux autres portables ?

– Absolument. Je les vois en ce moment même.

– Où sont-ils ?

– Au même endroit, à Georgetown.

– En ce moment ? C'est en temps réel ?

– Au moment où je vous parle. Les données sont rafraîchies toutes les quinze secondes.

– On est en pleine nuit. La plupart des gens dorment.

– En effet.

– Ils sont chez Scully ou chez Montaigu ?

– Ni chez l'un ni chez l'autre. Je ne sais pas de quel bâtiment il s'agit.

68

Leach expliqua qu'on débattait beaucoup de l'utilisation de la triangulation, du Wi-Fi, du GPS et de leurs marges d'erreur et que même si personne ne parlait de poche gauche de manteau ou de poche droite de pantalon, on s'accordait cependant à dire qu'il était possible de déterminer avec une certitude raisonnable dans quel immeuble se trouvait un téléphone portable. Plus le bâtiment était vaste, plus la certitude était grande, et Leach avait ciblé un immeuble assez grand. Elle avait été en mesure d'en déterminer l'adresse, l'avait localisée sur l'ordinateur et affirmait que le mode *street view* dévoilait une maison de ville plutôt imposante. Elle transféra les images, sur lesquelles on découvrait une façade d'époque en brique, trois étages, et des fenêtres jumelles à guillotine de chaque côté d'une porte d'entrée tape-à-l'œil surmontée d'une lanterne en cuivre et peinte en noir brillant. La porte comportait une fente pour glisser le courrier, le numéro de la maison et une petite plaque en cuivre où l'on devinait l'inscription *Dove Cottage*.

Turner resta en ligne avec Leach, et Reacher appela Edmonds depuis son portable. Il lui fournit l'adresse en question et lui demanda de faire des recherches partout où elle pourrait, dans les registres des impôts, les titres de propriété et les demandes de permis de construire. Elle répondit qu'elle s'en chargerait. Ils raccrochèrent, et Turner raccrocha aussi.

— On n'a pas de voiture, dit-elle.

— On n'en a pas besoin. On va faire comme Shrago. On va prendre un taxi et approcher à pied.

— Ça ne lui a pas tellement réussi.

— Nous ne sommes pas Shrago. Et ils sont sans défense maintenant. Les chefs d'état-major vivent dans une bulle. Il y a bien longtemps qu'ils ne font plus rien eux-mêmes.

— Tu vas leur couper la tête avec un couteau à beurre?

— Je ne m'en suis pas encore procuré. Je peux peut-être demander au *room service*?

— Je suis toujours commandant?

— À quoi penses-tu?

— Je veux une arrestation propre. Je veux qu'on les mette en cellule à Fort Dyer et je veux une comparution devant le tribunal militaire en tenue d'apparat. Je veux que ce soit un procès exemplaire, Reacher. Je veux être disculpée publiquement. Je veux que le jury entende chaque mot, et je veux une décision de la cour.

– Une arrestation propre suppose une présomption absolue.

– Et leur couper la tête avec un couteau à beurre devrait le requérir aussi.

– Pourquoi Montaigu a-t-il laissé Zadran rentrer chez lui ?

– À cause de ses antécédents.

– J'aimerais qu'on en sache plus sur lui.

– On sait tout ce qu'on peut savoir.

Reacher hocha la tête. *Un péquenaud ordinaire, quarante-deux ans, le benjamin d'une fratrie de cinq, la brebis galeuse de la famille, peu recommandable, s'est essayé à plusieurs activités, a échoué à chaque fois.*

– Ce serait plus simple au couteau à beurre.

Son téléphone sonna. C'était Edmonds.

– Vous avez été rapide.

– Je me suis dit que je pourrais dormir une heure cette nuit si je me dépêchais.

– Ne comptez pas là-dessus. Qu'est-ce que vous avez ?

– Le Dove Cottage est un club privé. Il a ouvert il y a quatre ans. La liste de ses membres est confidentielle.

– Il y a quatre ans ?

– Nous n'en avons pas de preuve.

– Il y a quatre ans, Morgan était à Fort Bragg, en train de monter une équipe autour de Shrago.

– Nous ne pouvons prouver aucun lien.

– Scully et Montaigu en sont membres ?

– Qu'est-ce qui vous échappe dans le mot « confidentiel » ?

– Des « on-dit », peut-être ?

– On dit que les membres sont tous des hommes. Dont des politiques, mais ce n'est pas un salon politique, ni militaire, ni de médias, ni d'affaires, et aucun contrat ne semble y être conclu. Ils y vont pour s'amuser, c'est tout. Parfois ils y passent la nuit.

– À faire quoi ?

– Personne ne le sait.

– Comment devient-on membre ?

– En ce qui me concerne, je ne serais pas admise puisqu'il n'y a que des hommes.

– Comment pourrais-je devenir membre ?

– Seulement sur invitation, j'imagine. Il vous faudrait connaître un type qui connaît un type.

– Et personne ne sait ce qu'ils fabriquent là-dedans ?

– Il y a des centaines de clubs privés à Washington. Il est impossible de tous les surveiller.

– Merci maître. Pour tout. Vous avez fait du beau boulot.

– Ça ressemble à des adieux.

– Peut-être. Ou pas. C'est comme tirer à pile ou face.

***

La latitude et la saison impliquaient qu'il restait à peu près quatre-vingt-dix-neuf minutes avant le lever du soleil. Ils emportèrent donc ce dont ils avaient besoin et gagnèrent la rue où un homme avec une casquette leur trouva un taxi. Qui remonta vers le nord dans la 16ᵉ Rue, jusqu'au rond-point Scott Circle, où il s'engagea dans Massachusetts Avenue jusqu'au Dupont, où il prit P Street, puis longea le parc pour gagner Georgetown. Il roula jusqu'au croisement avec Wisconsin Avenue, et Turner et Reacher descendirent. Le taxi s'éloigna. Ils parcoururent deux pâtés de maisons à pied en reprenant le chemin par lequel ils étaient arrivés, tournèrent à gauche et se dirigèrent vers leur cible, deux pâtés de maisons plus au nord, sur la droite, dans ce qui semblait être le quartier le plus cher depuis l'invention de la monnaie. À gauche, les terrains paysagés d'immenses hôtels particuliers. À droite, des maisons bourgeoises, étincelant dans la nuit de tout leur lustre et leurs dorures, chacune impressionnante à sa façon, chacune occupant fièrement sa place dans le rang.

Leur cible s'y intégrait parfaitement.

– Modeste cottage, plaisanta Turner.

C'était une haute et belle demeure, parfaitement symétrique, sobre, discrète et sans aucune prétention, mais qui brillait néanmoins d'un éclat doré. La plaque en cuivre était petite. Il y avait de la lumière à certaines des fenêtres dont la plupart étaient encore pourvues de vieilles vitres à la surface irrégulière, donnant à l'éclairage la douceur d'une bougie. La porte devait avoir été repeinte chaque année d'élection présidentielle, en commençant par celle de James

Madison. Elle était grande, solidement conçue, et correctement installée. Du genre qui s'ouvrait uniquement sur invitation.

À première vue, aucun moyen d'entrer.

Mais ils ne s'attendaient pas à voir des miracles, ils s'attendaient à devoir observer et attendre. Et le terrain paysagé de l'immense demeure les y aidait un peu. Il était protégé par une clôture en fer fixée dans un mur à hauteur de genoux, juste assez large pour qu'une personne pas trop grande s'y assoie. Turner était petite, et Reacher habitué à être mal installé. Au-dessus, un treillage de branches nues. L'absence de feuilles supposait l'impossibilité d'être complètement dissimulé, mais fournissait un camouflage correct, les branches étant assez serrées pour décomposer la lumière de la rue. Avec un effet semblable aux motifs numériques modernes sur les pyjamas.

Ils attendaient, à demi cachés.

— On ne sait même pas à quoi ils ressemblent, dit Turner. Ils pourraient sortir et passer devant nous sans qu'on le sache.

Elle rappela donc Leach pour lui demander de la prévenir si les téléphones bougeaient. Pour l'instant, ils étaient restés immobiles. Ils bornaient toujours dans le coin, triangulés au cordeau sur la maison devant eux. Reacher surveillait les fenêtres et les portes. *Les types y vont pour s'amuser. Parfois ils y passent la nuit.* Auquel cas, ils partiraient bientôt. Les politiques, les militaires, les personnalités des médias et les hommes d'affaires avaient tous du boulot qui les attendait. Ils sortiraient en titubant, prêts à rentrer à la maison pour faire un brin de toilette avant de commencer la journée.

Mais le premier à sortir ne titubait pas. Environ une heure avant l'aube, un type en costume apparut sur le seuil. La cinquantaine bien sonnée, soigné, douché, cheveux brossés, chaussures aussi lustrées que la porte. Il tourna à gauche et avança, ni vite, ni lentement, d'une démarche détendue, visiblement très serein, comblé, très content de son sort. Il se dirigea vers P Street et, cinquante mètres plus loin, disparut dans l'obscurité.

Inconsciemment, Reacher s'était imaginé de la débauche, du désordre, des cheveux décoiffés, des yeux rouges, des cravates défaites, du rouge à lèvres sur les cols, peut-être même des bouteilles tenues par le goulot et des poignets de chemises sans leurs boutons de manchette. Mais le type ne correspondait en rien à ce portrait. Peut-être que l'endroit était un spa. Peut-être que le monsieur s'était fait faire un massage aux pierres chaudes durant toute la nuit, ou un autre genre de physiothérapie qui assouplit le muscle en profondeur. Auquel cas elle avait été très efficace. Il semblait tout caoutchouteux de bien-être et de satisfaction.

– Bizarre, dit-elle. Je m'attendais à autre chose.

– C'est peut-être un club littéraire. Un club de poésie, peut-être. Le Dove Cottage original abritait William Wordsworth. Le poète anglais. « J'errais solitaire comme un nuage », « une foule de jonquilles dorées » et tout le tralala. C'était une petite maison blanchie à la chaux située en Angleterre dans le Lake District. Un endroit super.

– Qui passe des nuits blanches à lire de la poésie ?

– Plein de gens. Plus jeunes que ce type d'habitude, je dois l'admettre.

– Pour s'amuser ?

– La poésie peut être extrêmement plaisante. Elle l'était pour le mec aux jonquilles, en tout cas. Il parlait de détente, de rêverie, de beaux souvenirs.

Turner ne dit rien.

– Mieux que Tennyson, ajouta Reacher. Crois-moi sur parole.

Ils attendirent, surveillèrent, encore vingt minutes.

Le ciel derrière la maison s'éclairait. À peine. Nouvelle aurore, nouvelle journée. Puis un deuxième homme sortit. Semblable au premier. Vieux, soigné, rose, chic, en costume, serein, très content de son sort. Aucun signe de stress, de précipitation. Aucune angoisse, aucun embarras. Il tourna comme le premier, vers P Street, marchant d'un pas souple et léger, la tête haute, souriant à demi, confortablement installé dans sa bulle de satisfaction tel le maître d'un univers dans lequel tout va bien.

– Attends, dit Reacher.

– Quoi ?

– Montaigu.

– C'était lui ? Leach n'a pas appelé.

– Non, c'est le club de Montaigu. C'est lui le propriétaire. Ou bien Scully et lui en sont tous les deux propriétaires.

— Comment le sais-tu ?

— À cause du nom. Le Dove Cottage, c'est comme Romeo. Au fond, ce type est officier des Renseignements. Il est bien trop intelligent pour ce poste. Il ne peut pas résister.

— Résister à quoi ?

— Pourquoi a-t-il laissé Zadran rentrer chez lui ?

— À cause de ses antécédents.

— Non, malgré ses antécédents. À cause de la personnalité de ses frères. Ils lui ont pardonné et l'ont accueilli parmi eux. Zadran ne s'est pas réintégré tout seul, il ne s'est pas trouvé de rôle lui-même. Ce sont ses frères qui l'ont réintégré et lui ont donné un rôle à jouer. Ça faisait partie de leur accord avec Montaigu. Donnant-donnant.

— Quel accord ?

— Les gens se souviennent que William Wordsworth habitait avec sa sœur Dorothy, mais ils oublient qu'ils vivaient aussi avec sa femme, sa belle-sœur et une ribambelle d'enfants. Ils en ont eu trois en quatre ans, je crois.

— Quand était-ce ?

— Il y a plus de deux cents ans.

— Alors pourquoi on aborde le sujet ?

— Le Dove Cottage original était une petite maison blanchie à la chaux. Trop petite pour sept personnes. Ils ont déménagé. Elle a trouvé un nouveau locataire.

— Qui ?

— Un type qui s'appelait Thomas de Quincey. Un autre écrivain. À l'époque, ça fourmillait d'écrivains là-bas. Ils étaient tous amis. Mais Wordsworth n'a vécu que huit ans à Dove Cottage. De Quincey y est resté onze. Ce qui en fait son cottage, plutôt que celui de Wordsworth, si on considère le temps qu'ils l'ont occupé. Même si Wordsworth est le seul dont on se souvient. Sans doute parce que c'était un meilleur poète.

— Et ?

— Attends, répondit Reacher. Regarde ça.

La porte s'ouvrait de nouveau. Un troisième gars sortait. Cheveux gris, mais épais et admirablement coiffés. Visage rose, propre et rasé. Costume à trois cents dollars, chemise aussi fraîche que de la neige fraîche. Cravate en soie, nouée à la perfection. Un homme politique, vraisemblablement. Il s'attarda une seconde sur le perron, inspirant profondément l'air du matin, puis il se mit en route, comme les deux autres, détendu, insouciant, respirant la sérénité. Il se dirigea lui aussi vers P Street et ils finirent par le perdre de vue.

– Conclusions ? dit Reacher.

– Comme on l'avait pensé. C'est un sanctuaire pour messieurs raffinés qui viennent y assouvir leur passion.

– Quelle marchandise revient sur le territoire avec les cargaisons d'équipement militaire ?

– Je ne sais pas.

– Comment les frères de Zadran gagnent-ils leur vie ?

– Ils exploitent les terres familiales.

– Et ils cultivent quoi ?

– Du pavot.

– Exactement. Et ils ont donné un rôle à Zadran : vendeur. Parce qu'il avait déjà des contacts. Comme tu l'as dit. Qu'est-ce qu'écrivait Thomas de Quincey ?

– De la poésie ?

– Son œuvre la plus célèbre est un ouvrage autobiographique intitulé *Les Confessions d'un mangeur d'opium anglais*. C'est ce qu'il a fait à Dove Cottage, et pendant onze années entières. Il se déchargeait des tensions de la journée. Puis il en a tiré des Mémoires.

– Si seulement on pouvait entrer, soupira Turner.

***

Reacher avait visité le Dove Cottage original, en Angleterre. Pendant un séjour sur l'île. Il avait payé son ticket à l'entrée et s'était baissé pour passer sous le linteau. Ça n'avait pas été plus compliqué. Mais s'introduire dans le nouveau Dove Cottage allait s'avérer bien plus difficile. Ce n'est pas pour rien que la Delta Force et les Navy Seals s'entraînent tout au long de leur carrière à pénétrer dans une maison. Ce n'est pas chose facile.

– Tu as repéré des caméras ? demanda Reacher.

– Non, mais il doit sûrement y en avoir.

– Il y a une sonnette?

– Il n'y a pas de bouton. Juste un heurtoir. Ça donne un effet plus authentique, évidemment. Les habitants du quartier sont peut-être obligés d'en installer un.

– Alors il doit y avoir des caméras. Dans ce genre d'endroit on n'ouvre pas chaque fois que quelqu'un frappe à la porte. Il faut savoir qui se trouve derrière.

– Ça implique une salle des opérations, avec des écrans et un système d'ouverture à distance. Il suffirait d'une personne pour s'en occuper. Il y a des agents de sécurité d'après toi?

– Il doit y avoir des domestiques. Des petits mecs discrets en costume sombre. Des majordomes ou des intendants. Qui se chargent aussi d'assurer la sécurité. Je suppose qu'il y a des caméras miniatures. De simples lentilles en fibre optique, qui dépassent à peine des murs. Il pourrait y en avoir des dizaines. Ce serait logique. Quelqu'un doit garder l'œil ouvert pour surveiller un endroit comme celui-là.

– Il faut qu'on voie quelqu'un entrer, pas sortir. On a besoin de se faire une idée du fonctionnement du système.

Mais ils n'en eurent pas l'occasion. Personne n'entra. Personne ne sortit. La maison trônait là, avec son air suffisant. La lumière resta allumée aux mêmes fenêtres. Les premières lueurs du matin apparurent au-dessus du toit.

– On ne les a jamais vus, dit Turner.

– Mais eux ont vu nos photos, répliqua Reacher.

– Ils auraient montré nos photos au responsable de la salle des opérations?

– Je l'espère sincèrement. Parce qu'on parle d'un homme chargé des Renseignements pour l'armée des États-Unis.

– Alors la porte va rester fermée. C'est tout. Ça ne nous coûte rien.

– Ça les alerte? Ou sont-ils déjà sur le qui-vive?

– Tu sais bien qu'ils le sont. Ils regardent dans le vide.

– Peut-être qu'ils ne laissent pas entrer les femmes.

– Il faudrait qu'ils envoient quelqu'un pour l'expliquer. S'ils ne nous reconnaissent pas, on pourrait être n'importe qui. Des fonctionnaires municipaux, ou autres. Ils seraient obligés de nous parler.

– D'accord, admit Reacher. Frapper à la porte est une possibilité. Tu veux la placer à quel rang sur la liste ?

– Au milieu, répondit-elle.

Cinq minutes plus tard, Reacher lui demanda :

– Sous quel autre rang ?

– Je crois qu'on devrait appeler la DEA. Ou Espin, à la 75ᵉ. Ou la police. Ou les appeler tous. Le FBI aussi, sans doute. Ils pourraient commencer à travailler sur l'aspect financier.

– C'est toi le commandant.

– Je veux une arrestation effectuée dans le respect de la loi.

– Moi aussi.

– Vraiment ?

– Oui, parce que c'est ce que tu veux.

– C'est la seule raison ?

– J'aime les arrestations en bonne et due forme chaque fois que c'est possible. Je ne suis pas un barbare.

– De toute façon, on ne peut pas rester ici. Le jour se lève.

Et en effet. Le soleil pointait à l'horizon, dardant ses rayons rasants, éclairant la maison par-derrière, projetant des ombres incroyablement longues. Un bout de ciel en forme de cône était déjà bleu. La journée allait être agréable.

– Appelle, dit Reacher.

– Qui en premier ?

– Leach. C'est mieux si c'est elle qui coordonne. Sinon ça fera comme dans *Les Bandits du village*.

Turner sortit les portables de ses poches, à savoir deux appareils, le sien et celui de Shrago. Elle vérifia qu'elle tenait le bon, ouvrit le clapet et se plaça dos à la rue, prête à composer le numéro. À contre-jour, dans la clarté chaude et dorée du soleil naissant de l'aurore.

Et le téléphone de Shrago sonna. Il était posé sur le mur de pierre, sur le rebord sous la clôture. Le chant d'oiseau fou était coupé, mais pas le grincement. Il résonnait comme jamais. Le portable faisait des petits bonds, comme s'il tentait de choisir une direction où aller. L'écran s'alluma et afficha de nouveau *appel entrant* et *maison*.

Il sonna huit fois, puis se tut.

– L'aube. Un délai sans doute, dit Turner. Soit c'était une sonnerie réglée à l'avance, soit ils viennent de prendre une décision. Ils doivent être superangoissés maintenant. Ils vont bientôt laisser tomber Shrago.

Ils observèrent la maison encore une minute. Au moment où ils commençaient à s'éloigner, de la lumière apparut à l'étage, un bref éclair à une fenêtre rappelant le flash d'un vieil appareil photo. Ils entendirent deux coups de feu étouffés, presque simultanés. Très légèrement décalés. Trop peu pour provenir d'une même arme, ils évoquaient plutôt deux hommes qui compteraient jusqu'à trois avant d'appuyer sur la détente.

69

Une longue et inquiétante minute s'écoula sans que rien ne se produise. Puis la porte noire s'ouvrit d'un coup et un flot d'hommes déferla, plus ou moins en état de sortir, certains propres, habillés et prêts à y aller, d'autres presque propres, presque habillés et presque prêts à y aller, d'autres encore ébouriffés et les vêtements froissés. Tous blancs. Des vieux, neuf ou dix en tout. Des plus jeunes, une demi-douzaine, en uniformes de groom et en dernier un autre jeune en pull noir à col roulé, dont Turner supposa qu'il pouvait s'agir du responsable de la salle des opérations. Arrivés sur le trottoir, ils ralentissaient, se reprenaient, puis s'éloignaient d'un pas nonchalant, comme si rien de tout ça ne les concernait. Un type en costume passa devant Reacher avec sur le visage une expression qui semblait dire : *Qui ça, moi ?*

Alors Reacher et Turner se dirigèrent vers la maison, vers la porte noire, à contre-courant du flot en fuite. Ils furent ballottés entre deux traînards, puis ils pénétrèrent dans un hall large et frais, de style colonial, tout en jaune pâle, cuivre, chandeliers, horloges et bois en acajou foncé. Un portrait à l'huile de George Washington ornait l'un des murs.

Ils montèrent l'escalier, large et recouvert d'un épais tapis, inspectèrent une pièce inoccupée meublée de deux élégants divans installés près de deux élégantes tables basses. Sur lesquelles étaient posés de superbes spécimens de nécessaires à fumeurs d'opium. Lampes, bols et très longues pipes arrangés de telle manière qu'un homme détendu et allongé sur le flanc trouve sa pipe exactement à la bonne hauteur. Des coussins étaient disposés çà et là. L'atmosphère était chaude et lourde.

Ils découvrirent Scully et Montaigu dans la pièce voisine. Tous deux dans les soixante ans, cheveux gris, sveltes, mais sans la musculature d'acier du général fier de montrer à tout le monde qu'il vient de l'infanterie. Ces deux-là n'étaient pas contrariés que les gens sachent qu'ils travaillaient dans les coulisses. Ils portaient des pantalons foncés et des vestes d'intérieur en satin. Leurs pipes étaient en argent et en os. Des balles chemisées leur avaient transpercé les tempes de part en part. Du neuf millimètres, Beretta de service tombés au sol. Les points d'impact se trouvaient sur la droite. Reacher imagina la scène : le coup de fil passé à l'aube, comme convenu, mais sans obtenir de réponse. Peut-être s'étaient-ils alors serré la main avant de se placer le canon de l'arme contre la peau, le coude à l'horizontale, et un, deux, trois.

Soudain la rue résonna des hurlements de sirènes, et une centaine de personnes bondirent de leurs voitures.

***

Un agent de la DEA leur raconta l'histoire dans une pièce donnant sur le hall d'entrée spacieux et frais. Il s'avéra que Shrago ayant tout déballé à Espin au bout d'environ une minute et demie, Morgan s'était retrouvé en garde à vue une demi-heure plus tard et qu'il s'était lui aussi mis à table au bout d'une minute et demie. Après quoi Espin avait téléphoné à trois agences différentes et une descente avait été organisée. Et mise à exécution. Mais cinq minutes trop tard.

— Vous n'étiez pas en retard, fit remarquer Reacher. Si vous étiez venus hier, ils auraient fait la même chose. Peu importe qui montait l'escalier. Vous, nous ou n'importe qui d'autre, ils allaient se comporter en gentlemen même dans la défaite.

L'agent lui apprit qu'on trouvait des repaires à fumeurs d'opium tel que le Dove Cottage partout dans le monde. Des endroits destinés au genre d'hommes qui préfèrent le bon vin à la bière. L'opium était la substance authentique, chauffée pour en obtenir de la vapeur, ensuite inhalée. Un plaisir que savouraient les gentlemen, aussi délicat que du miel biologique. La quintessence. La source. Ni coupée, ni modifiée, ni extraite, ni transformée. D'aucune manière. Ni sordide, ni associée à la rue, et inchangée depuis des milliers d'années. « La mère de toutes les drogues. »

Et comme pour le bon vin, on l'avait habillée de tout un folklore. On considérait que le terrain de culture était important. Que le meilleur était afghan. Chaque coteau était examiné. Comme dans les domaines viticoles. Montaigu avait conclu un marché avec les frères Zadran dont la production était de grande qualité. Ils l'avaient appelée Z, en avaient vanté les mérites et, assez rapidement, Dove Cottage avait perçu de ses membres des cotisations colossales. Et tout avait bien fonctionné pendant quatre ans. Jusqu'au jour où leur contact sur place avait été aperçu en train de se diriger vers le nord pour l'assemblée rituelle. La machine s'était alors complètement déréglée, malgré tous leurs efforts. Espin passa et ajouta qu'ils avaient déployé des moyens considérables. Il expliqua qu'il en était au milieu de l'examen de la partie financière, et qu'il avait déjà découvert que les cent mille dollars avaient été virés directement depuis le compte personnel de Montaigu.

Finalement, dans la foule qui avait envahi la maison, on relevait la présence du colonel John James Temple, qui était toujours l'avocat commis au dossier de Turner, ainsi que celle du major Helen Sullivan et du capitaine Tracy Edmonds, qui étaient toujours celles de Reacher. Temple avait obtenu une suspension permanente de l'ordre de détention de Turner. Elle était libre de partir, en attendant un non-lieu officiel. Sullivan et Edmonds avaient des problèmes plus embêtants. Étant donné le statut actuel de Morgan, il était impossible de déterminer si Reacher appartenait encore à l'armée. C'était une question susceptible de remonter jusqu'à l'adjoint du chef d'état-major. Lequel était mort, à l'étage.

***

Turner dut supplier le colonel Temple pour qu'il les raccompagne, car ce dernier n'était pas vraiment calmé, même après que Reacher lui eut restitué ses papiers d'identité. L'ambiance était tendue. Mais Reacher avait très envie de retourner à l'hôtel avec Turner, et un trajet dans la berline du colonel valait mieux que rentrer à pied. À cela près qu'ils ne retournèrent pas à l'hôtel. Turner avait évidemment demandé à être reconduite à Rock Creek puisque Temple franchissait le fleuve pour regagner la Virginie. Le vieux bâtiment en pierre. Son commandement. Sa base. Son point d'attache. Sa maison. *Quand je rentrerai, je ferai nettoyer mon bureau à la vapeur. Je ne veux pas qu'il reste une seule trace de Morgan.*

C'est à ce moment-là qu'il en avait eu confirmation. Elle aimait le feu de camp. Comme lui autrefois, mais pas longtemps, et seulement le feu particulier de la 110e unité spéciale. Celle de Turner à présent.

La matinée était bien avancée quand ils arrivèrent, et tout le monde était là. La sentinelle de nuit était restée. Espin avait tenu les militaires au courant et le dénouement avait été suivi minute par minute. Le garde de jour était arrivé après la bataille. L'affaire était déjà réglée. Le sergent Leach était là ainsi que le capitaine des transmissions. Reacher se demanda si Turner évoquerait les griffonnages. Sans doute que non. Plus probablement, elle l'expédierait ailleurs.

La première heure de son retour fut plutôt festive : on se congratula, on se tapa dans le dos et on papota. Turner termina son tour d'honneur dans son bureau, et n'en bougea pas. Elle reprit là où elle s'était arrêtée, passa en revue chaque information, vérifia la disposition de toutes les troupes. Reacher traîna un moment avec Leach, puis il descendit les vieilles marches de pierre et fit une longue promenade, décrivant un huit au hasard autour de pâtés de maisons insipides à proximité de voies rapides. Il retourna à Fort Creek, trouva Turner encore occupée, traîna encore un peu avec Leach, puis la nuit tomba, et le commandant descendit l'escalier, une clef de voiture à la main.

– Monte avec moi, dit-elle.

***

La petite voiture de sport rouge n'avait pas quitté le parking depuis quelques jours, mais elle démarra bien, et roula correctement, bien qu'en faisant un bruit un peu rauque. Reacher supposait que le gars qui avait conçu le silencieux l'avait peut-être fait exprès. Turner tourna la molette du chauffage à fond, ouvrit le toit et le rabattit derrière les sièges.

— Comme un morceau de rock à la radio, dit-elle.

Elle sortit de sa place de stationnement en marche arrière, franchit le portail, tourna à gauche, suivit le trajet du bus, continua au-delà du motel et gagna le parking du centre commercial où elle se gara devant le grand établissement en stuc avec le menu style grec.

— Je te paie à dîner ? demanda-t-elle.

Il y avait toutes sortes de gens dans le restaurant. Des couples, des familles et des enfants. Dont des filles, certaines pouvant avoir quatorze ans. Turner choisit un box devant la fenêtre en façade. Ils regardèrent passer un bus, puis Reacher se lança.

— Je suis enquêteur et je devine ce que tu vas dire.

— Vraiment ?

— Il y a eu une chance sur deux depuis le début. Comme tirer à pile ou face.

— C'est aussi simple que ça ?

— Tu n'es même pas obligée d'y réfléchir. C'était mon idée. Pas la tienne. C'est moi qui suis venu ici. Tu n'es pas venue dans le Dakota du Sud.

— C'est vrai. C'est comme ça que tout a démarré. Je n'étais pas sûre. Mais la situation a changé. Pendant un moment. En commençant par cette cellule, dans la prison de Fort Dyer. Tu te débarrassais de Temple, tu as regardé par-dessus ton épaule pour me voir et tu m'as dit d'attendre là. Et je l'ai fait.

— Tu n'avais pas le choix. Tu étais détenue.

— Et maintenant je ne le suis plus.

— Je comprends. La 110e, c'est mieux.

— Et je l'ai récupérée. Je ne peux pas m'en aller comme ça.

— Je comprends, répéta Reacher. Et moi, je ne peux pas rester. Pas ici. Nulle part d'ailleurs. Alors ce n'est pas seulement toi. On dit tous les deux non.

– Mais la 110ᵉ, c'est toi qui l'as créée. Si ça peut te réconforter.

– J'avais envie de te rencontrer. Rien de plus. Et je l'ai fait. Mission accomplie.

***

Ils mangèrent, payèrent, puis vidèrent le contenu de leurs poches sur la table. Turner prit les portefeuilles, les cartes bancaires et le téléphone de Shrago pour le faire analyser. Reacher prit le liquide, pour les semaines à venir, moins trente dollars que Turner promit de remettre à Sullivan. Puis ils retournèrent sur le parking. L'air était froid et un peu humide. Milieu de soirée au milieu de l'hiver, dans la pointe nord-est de la Virginie. Le Potomac paresseux coulait tout près. Au-delà, à l'est, les lueurs de Washington illuminaient les nuages. La capitale de la nation, où se passaient toutes sortes de choses. Ils s'embrassèrent pour la dernière fois, se prirent dans les bras et se souhaitèrent bonne chance. Turner remonta dans sa petite voiture rouge et s'éloigna. Reacher la regarda disparaître. Puis il jeta son portable dans une poubelle, traversa la rue, et marcha jusqu'à un arrêt de bus. Direction le nord, pas le sud. Hors de la ville, et encore au-delà.

Et il s'assit sur le banc, seul.

Dans la collection
Robert Pépin présente...

Wonderland Avenue
Intervention suicide
(ouvrage numérique)
Darling Lilly
La Blonde en béton
Ceux qui tombent
Lumière morte
Le Coffre oublié
(ouvrage numérique)
Dans la ville en feu
Le Poète
Los Angeles River
La Glace noire
Mulholland, vue plongeante
(ouvrage numérique)
Les Dieux du Verdict
Billy Ratliff, 19 ans
(ouvrage numérique)
Mariachi Plaza
Deuil interdit

Miles CORWIN
Kind of Blue
Midnight Alley
L.A. Nocturne

Martin CRUZ SMITH
Moscou, cour des Miracles
La Suicidée

Chuck HOGAN
Tueurs en exil

Andrew KLAVAN
Un tout autre homme

Michael KORYTA
La Rivière Perdue
Mortels Regards

Stuart MACBRIDE
Surtout, ne pas savoir

Robert McCLURE
Ballade mortelle

Alexandra MARININA
Quand les dieux se moquent

T. Jefferson PARKER
Signé : Allison Murrieta
Les Chiens du désert
La Rivière d'acier

P. J. PARRISH
Une si petite mort
De glace et de sang
La tombe était vide
La Note du loup

George PELECANOS
Une balade dans la nuit
Le Double Portrait
Red Fury
La Dernière Prise

Henry PORTER
Lumière de fin

Sam REAVES
Homicide 69